PIÈGE POUR UN ÉLU

Paru dans Le Livre de Poche :

DOUBLE DÉTENTE
L'ÉTRANGLEUR D'ÉDIMBOURG
(*inédit*)
LE FOND DE L'ENFER
(*inédit*)
NOM DE CODE : WITCH
REBUS ET LE LOUP-GAROU DE LONDRES
(*inédit*)

IAN RANKIN

Piège pour un élu

TRADUIT DE L'ANGLAIS (ÉCOSSE) PAR FRÉDÉRIC GRELLIER

LE LIVRE DE POCHE

Titre original :

STRIP JACK

REMERCIEMENTS

Notons tout d'abord que la circonscription d'Esk Nord et Sud a été inventée par l'auteur. Toutefois, nul besoin de s'appeler Mungo Park[1] pour deviner les liens entre Esk Nord et Sud et la vraie vie, Édimbourg étant une vraie ville, « au sud-est d'Édimbourg » étant une zone géographique vaguement repérable.

D'ailleurs, Esk Nord et Sud présente certaines similitudes avec la circonscription de Midlothian (avant les modifications apportées en 1983 par la Commission du découpage électoral). Tout en croquant la pointe sud de la présente circonscription des Pentlands, ainsi qu'un morceau à l'ouest de la circonscription d'East Lothian. Gregor Jack est lui aussi un personnage de fiction, sans ressemblance avec aucun élu.

---

1. Chirurgien et explorateur écossais (1771-1805) qui remonta le fleuve Niger.

Merci aux personnes suivantes
pour leur aide inestimable :

Alex Eadie, longtemps député de Midlothian avant de prendre sa retraite

John Home Robertson, député

Le professeur Busuttil, professeur émérite de médecine légale à l'Université d'Édimbourg

La police de Lothian et Borders

La police d'Édimbourg

Le personnel de la Salle Édimbourg à la bibliothèque municipale d'Édimbourg

Le personnel de la National Library d'Écosse

Le personnel et les clients du Sandy Bell's, du Oxford Bar, de Mather's dans le West End, du Clark's Bar, et du Green Tree

Au seul Jack que j'aie jamais dépouillé.

« Il ne sait rien, mais il croit tout savoir.
On peut lui prédire une carrière politique. »
George Bernard SHAW, *Major Barbara*.

« La pratique de l'amitié mûrit au fil des relations. »
Libianus, IVe siècle après Jésus-Christ,
cité par Charles McKean dans *Édimbourg*.

1

L'heure de la traite

Le plus étonnant était que les riverains ne se soient jamais plaints et ne se soient doutés de rien, comme ils furent nombreux à le confier par la suite aux journalistes. Du moins jusqu'à ce soir-là, quand une soudaine agitation dans la rue vint troubler leur sommeil. Les voitures, les fourgons cellulaires, les policiers, le crachotement des radios. Pourtant, le niveau sonore resta tout à fait raisonnable. Les opérations se déroulèrent avec célérité et, disons-le, dans la bonne humeur, si bien que certains dormirent sur leurs deux oreilles malgré l'agitation.

– J'exige la plus grande courtoisie, avait déclaré le superintendant Watson, surnommé le « Paysan », à ses hommes au cours du dernier briefing en début de soirée. Cela a beau être un bordel, il est situé du bon côté de la ville, si vous voyez ce que je veux dire. On ne sait jamais sur qui on risque de tomber. On pourrait bien y croiser notre cher patron.

Il avait souri, histoire de bien souligner qu'il plaisantait. Mais certains des officiers présents, visiblement plus au fait des mœurs du patron que ne l'était Watson, avaient échangé des regards et des mimiques entendus.

– Bien, avait enchaîné Watson. On va passer en revue le plan d'attaque une dernière fois…

On peut dire qu'il s'en donne à cœur joie ! avait songé l'inspecteur John Rebus. Il ne céderait pas sa place. D'ailleurs, pourquoi s'en priverait-il ? Ce coup de filet était le bébé de Watson – autrement dit, Watson allait être en première ligne tout au long des opérations, depuis l'immaculée conception jusqu'à l'immaculé enfantement.

Le besoin d'en imposer était sans doute un effet de l'andropause. En vingt ans de carrière, Rebus avait surtout connu des superintendants qui se contentaient de régler la paperasse en attendant la retraite. Mais Watson pas du tout. Il était comme cette chaîne de télé, Channel Four – des tas de programmes indépendants visant un public de minorités. Sans vraiment faire de vagues, il éclaboussait dans tous les sens.

Et maintenant il semblait même s'être déniché un indic, un mystérieux personnage qui lui avait soufflé le mot « bordel » à l'oreille. Le péché et la débauche ! Il n'en fallait pas plus pour soulever l'indignation de son cœur vertueux de presbytérien convaincu. Watson faisait partie de ces chrétiens des Highlands qui tolèrent le sexe entre époux – un fils et une fille étaient là pour l'attester – mais réprouvent tout le reste. S'il existait un bordel en activité à Édimbourg, il se ferait un devoir de le fermer.

Toutefois, l'adresse fournie par l'informateur avait suscité quelques atermoiements. L'établissement en question était situé dans une des rues chic de New Town. De paisibles demeures géorgiennes, bordées d'arbres, de Volvo et de Saab, abritant les citoyens les

12

plus respectables : avocats, chirurgiens, professeurs d'université. Il ne s'agissait donc pas d'un bouge pour marins, de quelques chambres humides et sombres au-dessus d'un pub des docks. On avait affaire, comme l'avait fait observer Rebus, à un établissement pour l'establishment. Le jeu de mots était passé au-dessus de la tête du « Paysan » Watson.

On avait mis en place une surveillance vingt-quatre heures sur vingt-quatre plusieurs jours durant, avec des véhicules banalisés et des agents en civil. Aucun doute possible : il se passait quelque chose derrière ces volets clos, mais seulement après minuit et très furtivement. Détail curieux, la plupart des messieurs arrivaient à pied. Un agent vigilant avait découvert l'explication, une nuit en soulageant une envie pressante. Les clients se garaient dans les rues adjacentes et marchaient une centaine de mètres pour atteindre le perron du petit édifice de quatre étages. C'était peut-être une règle de la maison, de crainte que les claquements de portière à des heures indues n'éveillent les soupçons. À moins que les visiteurs ne jugent inopportun de laisser leur véhicule sous les lampadaires, là où l'on risquait de les reconnaître…

On avait relevé les numéros des plaques minéralo-giques pour vérifications, et photographié ces mes-sieurs. On avait identifié le propriétaire des lieux, qui possédait également la moitié des parts dans un vignoble du Bordelais et plusieurs biens à Édimbourg. Comme il résidait en permanence à Bordeaux, c'était son avocat qui s'était chargé de louer la demeure à une certaine Mme Croft, quinquagénaire distinguée.

D'après l'homme de loi, celle-ci réglait son loyer rubis sur l'ongle, et en liquide. Y avait-il un problème… ?

Pas le moins du monde, lui avait-on assuré en le priant toutefois de garder pour lui cette conversation…

Quant aux véhicules, ils appartenaient à des hommes d'affaires et des représentants ; très peu de la région, surtout des Anglais de passage. Rassuré, Watson avait échafaudé une descente de police. Avec son habituel sens de l'humour et de l'à-propos, il l'avait baptisée « Opération Chalut ».

– C'est bizarre, avait observé Rebus, mais je n'ai jamais aimé la morue. Même en filet.

Il fut décidé que l'intervention se déroulerait dans la nuit du vendredi au samedi. Vers minuit, heure à laquelle l'activité devait battre son plein. Les mandats furent obtenus. Chaque policier connaissait son rôle. L'avocat avait même fourni les plans de la demeure, mémorisés par les officiers.

– C'est un fichu terrier ! avait maugréé Watson.

– Pas de problème, patron. Pourvu qu'on vienne avec nos furets.

À vrai dire, Rebus n'était que moyennement emballé par cette opération nocturne. Les bordels avaient beau être interdits, ils n'en répondaient pas moins à un besoin, et dès lors qu'ils prenaient des airs de respectabilité, comme celui-ci de toute évidence, quel mal y avait-il ? Il lui semblait deviner les mêmes réserves, à un moindre degré, dans le regard de Watson. Mais pour le patron, qui s'était montré enthousiaste dès le départ, il était impensable de faire marche arrière, ce qu'on aurait perçu comme un aveu de faiblesse. Sans que personne soit vraiment chaud, l'Opération Chalut fut malgré tout lancée. Et pendant ce temps-là, des quartiers plus redoutables étaient désertés par la police… les violences conjugales allaient bon train… on laissait en plan l'enquête sur la noyée de la Leith.

– O.K., on y va !

Tout le monde descendit des voitures et des camionnettes, et l'on se dirigea vers la porte d'entrée, sur laquelle on frappa quelques coups discrets. Celle-ci s'ouvrit de l'intérieur, et tout se précipita comme dans une vidéo en accéléré. D'autres portes s'ouvrirent… Se pouvait-il qu'une maison ait tant de portes ?… Frapper avant d'entrer. Oui, la police savait se montrer courtoise. « Si vous voulez bien vous rhabiller… Si vous pouviez me suivre au rez-de-chaussée… Surtout prenez le temps de renfiler votre pantalon, monsieur… »

Et puis tout à coup :

– Ça alors ! Venez voir, inspecteur…

Rebus suivit un agent au visage poupin, tout rougissant.

– Par ici, monsieur. De quoi vous rincer l'œil.

Ah, la salle des châtiments ! Chaînes, fouets et martinets. Deux miroirs en pied, une armoire remplie de gadgets.

– Il y a plus de cuir que dans une étable à l'heure de la traite !

– Ne mélangeons pas les poules et les vaches, nota Rebus, soulagé de trouver la chambre inoccupée.

Mais ils n'étaient pas au bout de leurs surprises.

En fait de lubricité, on avait surtout l'impression d'un grand bal costumé – infirmières et matrones, guimpes et talons aiguilles. Sauf que la plupart des déguisements laissaient voir plus de choses qu'ils n'en cachaient. Une jeune femme portait une sorte de combinaison de plongée, ajourée au niveau des seins et du sexe. Une autre avait l'air d'un croisement entre Heidi et Eva Braun. Watson observa le défilé, gagné par une vertueuse indignation. Ses moindres doutes étaient balayés : il était tout à fait justifié de fermer ce genre de maison. Puis il se remit à questionner Mme Croft, sous le regard de l'inspecteur en chef Lauderdale qui s'attardait dans les parages. Celui-ci avait tenu à être de l'équipée, redoutant quelque bourde de la part de leur supérieur. *Eh bien,* songea Rebus avec un sourire, *pour l'instant on n'a pas eu droit au moindre coup de pute...*

Mme Croft s'exprimait avec un accent cockney qui se voulait distingué mais qui l'était de moins en moins au fil des minutes, à mesure que les couples descendaient l'escalier et s'entassaient dans le vaste salon et ses innombrables canapés. Une pièce qui fleurait bon le parfum de luxe et le whisky de marque. Mme Croft niait tout en bloc, y compris le fait de se trouver dans un bordel.

La maquerelle n'est pas la femelle du maquereau, songea Rebus. Malgré tout, il admirait le numéro de Mme Croft. Elle répétait qu'elle était une femme d'affaires, qu'elle payait ses impôts, qu'elle avait des droits... Elle exigeait de parler à son avocat...

– Sans doute un avocat à la Chambre, glissa Lauderdale à l'oreille de Rebus.

Un rare trait d'humour de la part d'un collègue très peu fantaisiste, qui méritait bien un sourire.

– Qu'est-ce qui vous fait sourire ? Ce n'est pas

16

l'entracte, que je sache ! Dépêchez-vous de retourner au boulot !

– Oui, monsieur.

Dès que Lauderdale eut tourné le dos pour prêter l'oreille à ce que disait Watson, Rebus lui adressa un rapide petit signe de victoire. Mme Croft aperçut le geste et, le prenant sans doute pour elle, lui rendit la pareille. Watson et Lauderdale se retournèrent comme un seul homme, mais Rebus avait déjà filé.

Les agents postés dans le jardin ramenaient à l'intérieur quelques individus à la mine défaite. Un des hommes boitait après avoir sauté par une fenêtre du premier étage. Mais il ne voulait surtout pas entendre parler d'un médecin ou d'une ambulance. Quant aux filles, elles semblaient trouver tout cela très drôle et s'amusaient particulièrement du visage de leurs clients, qui affichaient une expression variant de l'embarras honteux à l'embarras furieux. Quelques-uns eurent des velléités de bravade, dans la série « Je connais mes droits ». Mais pour l'essentiel tout le monde respecta la consigne : se taire et faire preuve de patience.

L'embarras et la honte se dissipèrent quelque peu quand un des messieurs se souvint qu'il n'était pas interdit d'être client d'un bordel, mais simplement d'en ouvrir un ou d'y travailler. C'était exact, mais on ne laisserait pas pour autant ces hommes filer incognito dans la nuit. Il fallait leur donner une petite frousse avant de les relâcher. Si l'on faisait fuir la clientèle, les bordels disparaîtraient d'eux-mêmes. En principe. Les officiers étaient donc prêts à sortir leur petit couplet, réservé d'ordinaire aux clients de prostituées sur la voie publique.

« J'aimerais vous toucher un mot discret, monsieur, juste de vous à moi… À votre place, je me ferais faire un test de dépistage du sida. Je suis sérieux. Même si ça ne se voit pas, la plupart de ces filles pourraient bien être séropositives. Quand les premiers signes apparaissent, c'est qu'il est trop tard. Vous êtes marié, monsieur ? Vous avez une petite amie ? Vous feriez mieux de lui dire de faire le test elle aussi. Autrement, on n'est jamais sûr, hein ?… »

Des paroles cruelles mais nécessaires ; et non dénuées de vérité, comme le plus souvent les choses dures à entendre. Une petite pièce à l'arrière de la maison servait de bureau à Mme Croft. On y récupéra une caissette avec de l'argent liquide, une machine pour cartes de crédit et un bloc de factures vierges à l'en-tête « Pension Crofter ». Rebus crut comprendre qu'une chambre simple revenait à soixante-quinze livres la nuit. Cela faisait cher pour un *bed and breakfast*, mais quel comptable d'entreprise se donnerait la peine de vérifier ? Il n'aurait pas été surpris que la maison propose par-dessus le marché la déductibilité de la TVA.

– Monsieur ? Je crois que vous feriez mieux de monter…

Fraîchement promu au grade de sergent, le jeune Brian Holmes faisait preuve d'une activité débordante. Il appelait Rebus de la cage d'escalier. La voix semblait venir d'assez haut. L'idée n'enchantait guère Rebus, qui habitait au deuxième étage d'un immeuble et nourrissait une aversion congénitale pour les escaliers. Et pourtant ça ne manquait pas à Édimbourg, tout comme les pentes à gravir, le vent mordant, et les gens qui se plaignaient sans cesse des escaliers, des pentes à gravir et du vent mordant...

— J'arrive.

Devant la porte d'une chambre, Holmes discutait à voix basse avec un agent, qu'il congédia en apercevant Rebus arriver sur le palier.

— Oui, sergent ?

— Venez voir, inspecteur.

— Tu n'as rien à me dire d'abord ?

Holmes fit non de la tête.

— Vous avez déjà vu un membre masculin de la Chambre, monsieur ?

Rebus ouvrit la porte de la pièce. À quoi s'attendait-il ? Un supplicié nu dans son cachot ? Une scène rurale, avec quelques moutons et volailles ? Un membre... Mme Croft en faisait peut-être la collection, exposée aux murs de sa chambre. *Celui-ci, je l'ai attrapé en 1973. Le combat a été coriace, mais j'ai fini par l'avoir...*

Non, c'était pire encore. Bien pire.

Il s'agissait d'une chambre ordinaire, malgré les lampes munies d'ampoules rouges. Sur un lit tout à fait banal était allongée une femme d'allure plutôt quelconque, le coude planté dans l'oreiller, la tête inclinée, appuyée sur son poing serré. L'individu assis à côté d'elle était entièrement habillé et fixait le regard au sol. Rebus le reconnut immédiatement : le membre de la Chambre des députés de la circonscription Esk Nord et Sud, monsieur le député Gregor Jack.

— Nom de Dieu, soupira Rebus.

Holmes passa la tête dans l'embrasure.

– Pas question que je bosse en public ! râla la jeune femme.

Rebus nota son accent anglais. Holmes n'avait d'yeux que pour le politicien à qui il lança :

– C'est une sacrée coïncidence ! Ma copine et moi, on vient justement de s'installer dans votre circonscription.

L'élu leva les yeux au ciel, avec plus d'abattement que de colère.

– C'est un malentendu, dit-il. Une erreur épouvantable.

– Vous êtes sans doute ici pour garder contact avec le terrain, c'est ça ?

La prostituée s'esclaffa. La lumière rouge semblait s'engouffrer dans sa bouche grande ouverte. Gregor Jack parut tenté de lui flanquer un coup de poing. Il opta pour une gifle mais sa paume atterrit sur le bras de la jeune femme, dont la tête retomba sur l'oreiller. Elle rigola de plus belle, comme une gamine. Elle projeta les jambes en l'air, faisant tomber les draps, et frappa le matelas en gloussant. Jack, qui s'était levé, grattait nerveusement un doigt.

– Nom de Dieu, répéta Rebus. Allez venez, on va descendre.

Pas le Paysan Watson. Il risquait de se mettre dans tous ses états. Mieux valait Lauderdale, dans ce cas. Rebus s'approcha avec toute l'humilité dont il était capable.

– Monsieur, on a un petit problème.

– Je sais. Ça doit être un coup de Watson. Il tenait à

immortaliser son moment de gloire. Il raffole des médias, vous devriez le savoir.

Pourquoi ce rictus ? Avec ses traits émaciés et son teint livide, Lauderdale lui rappelait le portrait d'un calviniste ou d'un schismatique de l'Église d'Écosse… ou d'un lugubre personnage de cette espèce. Un de ces fanatiques toujours partant pour envoyer le premier venu au bûcher. Rebus garda ses distances, tout en secouant la tête.

– Je ne suis pas sûr de…

– La presse écrite est déjà là, maugréa Lauderdale. Plutôt rapide à l'allumage, non ? Nos chers reporters ne chôment pas. C'est forcément cet idiot de Watson qui les a mis dans le coup. J'ai tenté de le retenir mais il est quand même sorti leur parler.

Rebus s'approcha d'une fenêtre et jeta un coup d'œil dehors. Trois ou quatre journalistes attendaient effectivement au bas du perron. Watson en avait terminé avec sa petite déclaration et gravissait lentement les marches à reculons, tout en répondant à quelques questions.

– Mince alors, dit Rebus en s'étonnant lui-même de son flegme. De pire en pire.

– De pire en pire ?

Rebus le mit donc au courant, et se vit récompensé du plus large sourire qu'il ait jamais vu aux lèvres de Lauderdale.

– Tiens donc… le petit polisson ! Mais je ne vois pas en quoi ça nous pose un problème.

Rebus haussa les épaules.

– C'est juste que ça n'apporte rien de bon à personne, monsieur.

Dehors, les fourgons étaient arrivés – deux pour les

hommes, deux pour les femmes. On poserait quelques questions aux clients, on relèverait leur identité, puis ils seraient relâchés. Quant aux filles… C'était une autre affaire. Des poursuites seraient engagées. Gill Templer, la collègue de Rebus chargée des relations avec la presse, y verrait un autre exemple du système phallocrate qui avait de beaux jours devant lui, ou quelque chose dans ce goût. Elle n'était vraiment plus la même depuis qu'elle s'était mise à lire des livres de psycho…

– Sottises, objecta Lauderdale. Il n'a qu'à s'en prendre à lui-même. Qu'est-ce que vous voulez qu'on y fasse ? On ne va tout de même pas le faire sortir par-derrière avec une couverture sur la tête !

– Non, monsieur, mais…

– Il sera traité comme tout le monde, inspecteur. Vous connaissez les règles.

– Oui, monsieur, mais…

– Mais quoi ?

Effectivement, c'était bien là toute la question. Pourquoi Rebus était-il à ce point réticent ? La réponse était d'une simplicité terriblement compliquée : parce qu'il s'agissait justement de Gregor Jack. La plupart des députés, Rebus ne se serait même pas donné la peine de leur serrer la main. Alors que Gregor Jack… eh bien, c'était l'illustre Gregor Jack.

– Les fourgons sont là, inspecteur. Il n'y a plus qu'à embarquer tout ce petit monde.

Lauderdale plaqua une main ferme et glaciale dans le dos de Rebus.

– Bien, monsieur.

On sortit donc dans la nuit sombre et fraîche, où brillaient les ampoules orangées de l'éclairage urbain au sodium, les gyrophares de la police et quelques lumières pâlottes que laissaient passer les portes entre-bâillées et les fentes des rideaux aux fenêtres. Les riverains s'inquiétaient. Certains étaient sortis sur leur perron, en robe de chambre cachemire ou vêtus à la va-vite. La police, les badauds, et bien entendu les journalistes. Les flashes. Bon sang, il y avait aussi des photographes. Forcément. En revanche, pas de caméras ni de caméscopes. C'était déjà ça : Watson n'avait pas convié les chaînes télé à sa petite sauterie.

– Dans le fourgon, et plus vite que ça ! ordonna Brian Holmes.

Sa voix avait pris de l'assurance, de l'autorité. Les promotions avaient le don de vous métamorphoser la jeunesse ! En tout cas, ça se bousculait parmi les clients. Et Rebus savait que leur but n'était pas tant d'obéir aux ordres de Holmes que d'échapper aux photographes. Une ou deux filles prirent tout de même une pose outrancière, à la manière des pin-up dévêtues de la page trois des journaux populaires, avant de se laisser persuader par des policières que ce n'était ni le lieu ni le moment.

Les journalistes semblaient attendre quelque chose, ce qui ne manqua pas d'étonner Rebus. D'ailleurs, pourquoi s'étaient-ils déplacés ? Croyaient-ils tenir un gros scoop ? Watson avait-il besoin d'un coup de pub ? Un reporter attrapa un photographe par le bras et parut lui conseiller d'économiser sa pellicule. Et puis soudain tout le monde s'agita et se mit à crier dans tous les sens. Les flashes crépitaient. Tout ça parce qu'ils avaient reconnu un visage. Celui de Gregor Jack qui descendit les marches, flanqué d'un policier, traversa le trottoir et monta dans un fourgon.

– Putain, c'est Gregor Jack !

– Monsieur Jack ! Juste un mot !

– Un commentaire ?

– Que faisiez-vous… ?

– Une réaction !

La porte du fourgon se referma. La main d'un agent frappa la carrosserie et le véhicule s'ébranla, suivi par les reporters qui lui couraient après.

Force était de reconnaître que Gregor Jack avait su garder la tête haute. Enfin, ce n'était pas tout à fait exact. Il l'avait baissée juste ce qu'il fallait, exprimant le repentir et non la honte, l'humilité et non l'embarras.

– Ça fait sept jours que je l'ai comme député, se lamentait Holmes aux côtés de Rebus. Sept jours !

– Il faut croire que tu as eu une mauvaise influence sur lui, Brian.

– C'est tout de même un sacré choc, non ?

Rebus haussa les épaules d'un air évasif. Ce fut au tour de la prostituée qui se trouvait avec Jack de sortir. Elle avait enfilé un jean et un tee-shirt. Apercevant les journalistes, elle releva le tee-shirt pour bien leur montrer ses seins nus.

– Tenez, regardez !

Mais les reporters étaient occupés à comparer leurs notes, les photographes à changer de pellicule. Ils devaient filer au poste, pour cueillir Jack à sa sortie. Voyant que personne ne lui prêtait attention, la jeune femme baissa son tee-shirt et monta dans un fourgon.

– Apparemment, fit remarquer Holmes, Jack n'est pas très difficile.

– Va savoir, Brian.

Le superintendant Watson malaxait son front relui-
sant. Ce qui faisait beaucoup de travail pour une seule
main, le front en question se prolongeant jusqu'au
sommet du crâne.

– Mission accomplie, déclara-t-il. Vous avez fait du
bon boulot.

– Merci, monsieur, dit Holmes, tout fier.

– Vous n'avez rencontré aucun problème ?

– Aucun, répondit Rebus d'un ton nonchalant. Mis à
part Gregor Jack.

Watson opina du chef et plissa le front.

– Qui ça ? demanda-t-il.

– Brian va vous parler de lui, monsieur, dit Rebus en
tapotant l'épaule du sergent. Pour tout ce qui touche à
la politique, Brian est incollable.

Tiraillé entre la jubilation et l'appréhension, Watson
se tourna vers le jeune homme.

– La politique ? dit-il avec un sourire. Vous allez
m'expliquer calmement, hein ?

Holmes observa Rebus qui filait vers la maison
close. Ce qui n'était qu'à moitié étonnant, de la part
d'un fils de pute.

2

Gratter le vernis

C'est une vérité bien établie que certains parlementaires ont la fâcheuse tendance de baisser leur pantalon. Mais Gregor Jack n'avait pas du tout cette réputation. D'ailleurs, il se permettait très souvent de ne pas en porter, optant pour le kilt les soirs d'élection et à l'occasion de nombreuses manifestations publiques. À Londres, il prenait les plaisanteries avec bonne humeur et rétorquait aux sempiternelles questions avec un aplomb de catéchiste. « Dis-nous, Gregor, on porte quoi sous le kilt ? » « Rien du tout, mais ça se porte à merveille ! »

Gregor Jack n'était pas membre du SNP[1], malgré un flirt de jeunesse avec les indépendantistes. Il avait adhéré au Parti travailliste, avant de rendre sa carte sans jamais s'en expliquer. Il n'était pas du Parti libéral démocrate, et n'appartenait pas non plus à cette espèce des plus rares, les députés écossais conservateurs. Élu sans étiquette, il détenait la circonscription Esk Nord et Sud, au sud-est d'Édimbourg, depuis sa victoire sur-

---

1. Scottish National Party, parti favorable à l'indépendance de l'Écosse.

27

prise dans une élection partielle en 1985. Pour décrire Jack, les qualificatifs qui revenaient le plus souvent étaient : honnête, posé, intègre et convenable.

John Rebus avait retenu tout cela d'articles lus au fil des ans dans les journaux et magazines, et d'interviews entendues à la radio. Pourtant, il devait bien y avoir une faille, un défaut dans la cuirasse. On pouvait faire confiance à l'Opération Chalut pour mettre le doigt dessus. Rebus éplucha la presse du samedi sans dénicher le moindre article à ce sujet. C'était tout de même bizarre. La veille les journalistes paraissaient plutôt motivés. Une info qui tombait à une heure et demie du matin… largement le temps d'en faire part dans les dernières éditions de la nuit. À moins, bien entendu, que ces journalistes n'aient pas travaillé pour la presse locale. Non, ça semblait peu probable… Cela dit, il n'avait reconnu aucun visage. Watson avait-il assez de poids pour rameuter la presse londonienne ? Rebus sourit. Ça, on pouvait dire que le Paysan faisait le poids ! Sa femme y veillait : trois repas quotidiens, avec toujours double ration. « Qui nourrit le corps, comme se plaisait à dire Watson, nourrit aussi l'esprit. » Ou quelque chose dans ce genre. D'ailleurs, à propos d'esprit et tout bigot qu'il était, il avait une sacrée descente. Ses joues et son menton avaient toujours un éclat rubicond, et son haleine de menthe forte le trahissait. Chaque fois que Lauderdale mettait les pieds dans le bureau de son supérieur ces temps-ci, il se mettait à renifler comme un limier. Pas en quête de gibier mais d'une promotion.

Troquer un Paysan contre un Péteux.

Le surnom était tout trouvé. Par association, Lauderdale était d'abord devenu Fort Lauderdale, et le Péteux avait rapidement suivi[1]. Et il fallait reconnaître que le nom lui allait comme un gant. Où qu'il aille, l'inspecteur en chef Lauderdale laissait toujours une mauvaise odeur. Rebus en fit une fois de plus l'expérience avec l'affaire des livres volés. En le voyant pénétrer dans son bureau, il comprit qu'il allait devoir ouvrir les fenêtres.

– Je vous demande de suivre l'enquête de près, John. Le professeur Costello a grande réputation ; dans son domaine c'est une sommité internationale…

– Et ?

– Et c'est un ami très proche du superintendant Watson, enchaîna Lauderdale en affectant la plus parfaite indifférence.

– Ah…

– C'est quoi, la semaine des monosyllabes ?

– Monosyllabes ? répéta Rebus en plissant le front. Désolé, monsieur, mais je vais demander au sergent Holmes qu'il éclaire ma lanterne.

– Arrêtez de faire le malin…

– Mais pas du tout, monsieur. Honnêtement. C'est juste que Holmes a eu la chance d'aller à l'université, lui. Enfin… cinq ou six mois. C'est l'homme qu'il vous faut pour coordonner les agents affectés à cette enquête ultra-sensible.

Lauderdale fixa son collègue assis pendant ce qui parut une éternité, du moins aux yeux de Rebus. Bon

---

1. Fort Lauderdale est une ville de Floride et « Fart » signifie *pet* en anglais.

sang, quel crétin ! Ne pouvait-on plus se permettre un peu d'ironie ?

– Écoutez, finit par dire Lauderdale, il me faut quelqu'un de plus expérimenté qu'un sergent récemment promu. Et j'ai le regret de vous informer que c'est votre cas, inspecteur, même si on doit tous s'en mordre les doigts.

– Vous me flattez, monsieur.

Le dossier fit un bruit sourd en atterrissant sur le bureau. L'inspecteur en chef se retourna et sortit. Rebus bondit aussitôt de son fauteuil et tira de toutes ses forces sur la fenêtre à guillotine. Le fichu cadre était bloqué. Aucun répit. Poussant un soupir, il retourna s'asseoir et feuilleta le dossier.

Une banale affaire de vol. Le professeur James Aloysius Costello enseignait la théologie à l'université d'Édimbourg. Quelqu'un s'était introduit dans son bureau et lui avait fauché quelques bouquins. Des ouvrages fort rares et inestimables, d'après lui – mais sans doute pas aux yeux des divers libraires et salles de ventes de la ville. Un éventail plutôt éclectique : une des premières éditions du *Traité sur la prédestination* de Knox, deux éditions originales de Sir Walter Scott, *La Sagesse des Anges* de Swedenborg, un exemplaire dédicacé de *Tristram Shandy*, quelques ouvrages de Montaigne et Voltaire. Tout cela n'était pas très parlant pour Rebus, avant qu'il ne tombe sur l'estimation fournie par un commissaire-priseur de George Street. Dès lors, une question s'imposait : que faisaient des livres d'une telle valeur dans un bureau qui n'était même pas fermé à clé ?

– Ils sont là pour être lus, répondit le professeur Costello d'un air on ne peut plus naturel. Pour en profiter, s'en extasier. À quoi bon les enfermer dans un coffre ou dans la vitrine d'une bibliothèque poussiéreuse ?

– Quelqu'un d'autre était-il au courant ? De leur valeur, j'entends.

– Je pensais me trouver entre amis, expliqua le professeur avec un haussement d'épaules.

Ses yeux scintillaient comme du cristal et son accent fleurait bon la tourbière. Après des études à Dublin, il avait passé une existence « cloîtrée » dans des lieux tels que Cambridge, Oxford, St Andrews, et désormais Édimbourg. Il y avait cultivé son goût pour la bibliophilie. Il lui restait dans son bureau – toujours aussi mal protégé – quelques ouvrages d'une valeur au moins égale à celle du butin.

– On dit que la foudre ne frappe jamais deux fois au même endroit, affirma l'érudit d'un ton qui se voulait rassurant.

– Peut-être bien, mais les cambrioleurs, eux, ne s'en privent pas. Faute de mieux, je vous conseille de fermer à clé quand vous vous absentez. D'accord, professeur ?

L'intéressé se contenta d'un haussement d'épaules. Fallait-il y voir une forme de stoïcisme ?

Rebus se sentait mal à l'aise dans le bureau de l'universitaire. D'abord, étant lui-même chrétien à sa façon, il aurait volontiers abordé le sujet avec cet homme aux allures de sage. Sagesse ? Il fallait le dire vite… La vie pratique n'était pas le fort du professeur, qui ne s'y connaissait pas plus en serrurerie qu'en psychologie.

Son savoir était d'un autre ordre. Et puis Rebus avait conscience d'être plutôt intelligent sans que la vie lui ait donné l'occasion de poursuivre ses études. Il n'avait fréquenté aucune université, et ne le ferait sans doute jamais. Il se demandait ce que ça aurait changé dans sa vie…

Le professeur observait par la fenêtre la rue pavée en contrebas. D'un côté s'étendaient de vieux bâtiments élégants, appartenant à l'université et occupés par divers départements. Le professeur les appelait Botany Bay[1]. En face se dressaient les silhouettes hideuses des locaux modernes qui abritaient l'essentiel du campus. Un seul coup d'œil suffisait pour choisir la déportation…

Rebus laissa le vieil érudit à ses méditations. S'agissait-il d'un larcin au hasard ? ou bien d'un forfait sur mesure, d'un vol sur commande ? Il existait forcément des collectionneurs peu scrupuleux prêts à s'offrir une vieille édition de *Tristram Shandy* sans poser de questions. C'était le seul de la liste que Rebus ait lu, même si les autres auteurs lui disaient vaguement quelque chose. Il en avait un exemplaire, un livre de poche acheté dix pence dans une brocante des Meadows. Si le professeur voulait l'emprunter…

C'était donc à lui de se farcir l'enquête sur les livres volés. Le terrain avait déjà été ratissé, comme l'attestaient les notes du dossier, mais on pouvait toujours reprendre l'enquête. Il faudrait interroger les libraires, les collectionneurs, les salles des ventes… Tout ça au nom de l'amitié inattendue entre le superintendant et le

---

1. Allusion à l'Australie, où furent longtemps déportés les criminels britanniques.

théologien. Une perte de temps, bien entendu. On était samedi et les livres avaient disparu le mardi ; ils étaient forcément sous clé et en lieu sûr, dans une cachette obscure.

Quelle façon d'entamer son week-end ! Si cela avait été son jour de repos, il aurait été ravi de passer l'après-midi à flâner chez les libraires et c'est pourquoi il ne rechignait pas à cette tâche. Rebus était collectionneur de livres. Enfin, façon de parler. Mettons qu'il achetait plus de livres qu'il n'avait le temps d'en lire, attiré par la couverture, le titre ou les conseils grappillés ici ou là. Réflexion faite, il était préférable d'effectuer cette tournée à titre professionnel, pour éviter de s'y ruiner.

De toute manière, il n'avait pas la tête à ça. Il n'arrêtait pas de penser à un certain député de Sa Majesté. Gregor Jack était-il marié ? Il lui semblait que oui. Il avait vaguement le souvenir d'un mariage en grande pompe. Les hommes mariés, c'était du pain béni pour les prostituées. Elles les gobaient comme des mouches. Malgré tout, c'était vraiment dommage pour Jack. Rebus avait toujours eu du respect pour l'homme. Réflexion faite, il était tombé sous le charme de l'image publique. Mais il devait y avoir une part de vérité au-delà de l'image, non ? Jack était bel et bien issu d'un milieu ouvrier, il s'était fait à la force du poignet, et c'était vraiment un bon député. Avec sa juxtaposition de villages miniers et de résidences secondaires, Esk Nord et Sud était une circonscription compliquée. Jack semblait naviguer aisément entre les deux univers. Il avait obtenu qu'un projet de route peu esthétique passe bien à l'écart de ses électeurs fortunés, mais s'était également démené pour l'implantation de technologies de pointe dans la région, avec reconversion des mineurs à la clé.

Trop beau pour être vrai. Vraiment trop beau.

Les libraires. Il ferait mieux de se concentrer là-dessus. Il n'en avait pas tant que ça à voir ; seulement ceux qui étaient fermés en début de semaine. Du boulot de terrain, qu'il aurait très bien pu refiler à des subordonnés. Sauf qu'il se sentirait un devoir de passer derrière eux, histoire de vérifier comment ils s'étaient acquittés du travail. En s'en chargeant lui-même, il s'épargnait la prise de tête.

Buccleuch Street offrait un curieux mélange de brocantes miteuses et de *take-away* végétariens aux couleurs bigarrées. Un quartier étudiant. Rebus habitait à deux pas mais y mettait rarement les pieds. Seulement pour le boulot. Exclusivement.

Ah, c'était là – *Suey Books*. Pour une fois, ça avait l'air d'être ouvert. Malgré le soleil printanier, c'était allumé à l'intérieur. La petite boutique arborait une devanture peu séduisante, principalement des ouvrages d'occasion en rapport avec l'Écosse. Un énorme chat noir avait élu domicile au centre de la vitrine. Il cligna lentement des yeux et fixa un regard mauvais sur Rebus. La vitre aurait eu besoin d'un bon coup de chiffon – impossible de déchiffrer les titres des livres sans plaquer le nez dessus, ce qui n'était pas simple à cause de la vieille bicyclette noire appuyée contre la façade. Il poussa la porte. À vrai dire, l'intérieur payait encore moins de mine. Un grossier paillasson accueillait la clientèle – Rebus se ferait un devoir de bien s'essuyer les pieds avant de sortir.

Les étagères et les quelques vitrines croulaient sous les bouquins. L'odeur évoquait les greniers, la maison d'une vieille tante, les pupitres d'écolier. Les allées entre les étagères étaient très étroites, on avait à peine la place de se retourner. Entendant un bruit sourd dans son dos, Rebus se dit qu'il avait dû faire tomber un livre mais vit que c'était le chat. L'animal le contourna avec superbe et se dirigea vers la caisse au fond du magasin. Une simple table surplombée d'une ampoule nue.

– Vous cherchez quelque chose de précis ?

Une jeune femme était installée là, un crayon à la main et une pile de livres posée devant elle, occupée à inscrire les prix sur la page de garde. De loin, la scène semblait tirée d'un roman de Dickens. Une impression démentie de plus près. La demoiselle n'avait pas vingt ans. Cheveux hérissés teints au henné. Yeux foncés dissimulés derrière de petites lunettes rondes aux verres fumés. Elle portait trois anneaux à chaque oreille, mais un seul à la narine gauche. Rebus s'imaginait très bien son petit copain – un type pâlot aux dreadlocks poisseuses, tenant en laisse un whippet.

– Je voudrais voir le patron, répondit-il.

– Il n'est pas là. Je peux vous aider ?

Rebus haussa les épaules en observant le chat qui sautait silencieusement sur le bureau et frôlait la pile de livres. La jeune fille lui tendit son crayon et l'animal frotta sa truffe contre la pointe.

– Je suis l'inspecteur Rebus. J'enquête sur un vol de livres. Je me suis dit qu'on vous les avait peut-être proposés.

– Vous avez la liste ?

– Vous pouvez la garder, dit-il en lui tendant une feuille qu'il prit dans sa poche. Au cas où.

Les lèvres pincées, elle parcourut les titres dactylographiés.

– Même s'il en était tenté, ça m'étonnerait que Ronald ait les moyens de les acheter.

– Ronald étant le patron ?

– C'est ça. On les a fauchés où ça ?

– À deux pas d'ici, Buccleuch Place.

– Ah ouais ? Je les vois mal les refourguer juste à côté, vous croyez pas ?

Il sourit.

– C'est vrai. On est tout de même tenus de vérifier.

– Eh bien, je vais mettre ça de côté, dit-elle en pliant la liste.

Tandis qu'elle la glissait dans un tiroir, Rebus tendit la main et caressa le chat. Rapide comme l'éclair, une patte jaillit et le griffa au poignet. Il retira la main en inspirant vivement.

– Je suis vraiment désolée, s'excusa la jeune femme. Raspoutine est assez farouche avec les étrangers.

– Je vois ça, marmonna Rebus en inspectant son poignet.

Trois griffures, chacune mesurant bien deux centimètres. La peau enflait déjà et rougissait. Des gouttes de sang apparurent.

– Génial, grommela-t-il en suçant sa blessure.

Il jeta un regard mauvais au matou, lequel en fit autant puis sauta du bureau et disparut.

– Ça va aller ?

– Ouais. Vous devriez enchaîner cette bestiole.

Elle sourit et lui demanda :

– Vous êtes au courant de la descente de police d'hier soir ?

Il cligna des yeux, toujours occupé à lécher ses plaies.

– Quelle descente ?

– J'ai entendu dire que les flics ont fait un coup de filet dans un bordel.

– Ah oui ?

– Il paraît qu'ils ont pincé un député. Gregor Jack.

– Vraiment ?

– Les nouvelles circulent vite, dit-elle en souriant de nouveau.

Une fois de plus, Rebus se fit la réflexion qu'il n'habitait pas une ville mais un village.

– Je me demandais si vous saviez quelque chose, poursuivit-elle. Enfin, si c'était vrai… Parce que si c'est la vérité, soupira-t-elle, alors pauvre Pouilleux…

Rebus fronça les sourcils.

– C'est le surnom de Gregor Jack, expliqua-t-elle. Pouilleux. Ronald l'appelle comme ça.

– Votre patron connaît Gregor Jack ?

– Oui, ils étaient à l'école ensemble. Pouilleux est copropriétaire.

Elle indiqua la boutique d'un geste ample, comme si elle possédait un grand magasin de Princes Street. La moue peu impressionnée de Rebus ne lui échappa pas.

– On traite beaucoup d'affaires sur catalogue, dit-elle d'un ton pincé. Énormément d'achats et de ventes. Ça n'a pas l'air comme ça, mais ce magasin est une mine d'or.

– Maintenant que vous le dites, dit Rebus en opinant du chef, ça ressemble effectivement à une mine.

Son poignet le démangeait, comme s'il avait plongé la main dans des orties. Saloperie de matou !

– Bon. Vous nous prévenez si vous tombez sur un de ces livres, hein ?

Elle ne répondit pas. Visiblement, la pique au sujet de la mine l'avait vexée. Elle s'empara d'un livre et s'apprêta à y noter le prix. Rebus hocha la tête, se dirigea vers la porte et s'essuya bruyamment les pieds avant de sortir. De retour dans la devanture, le chat se léchait la queue.

– Toi aussi, je t'emmerde, marmonna Rebus.

Les animaux de compagnie, c'était vraiment sa bête noire.

Le Dr Patience Aitken raffolait des bestioles en tout genre. Elle en avait beaucoup trop. De tout petits poissons tropicaux, un hérisson apprivoisé dans le jardin, deux perruches en cage dans le salon et, comme il se doit, un chat. Un chat de gouttière qui, au grand bonheur de Rebus, passait le plus clair de son temps en vadrouille. Sa robe était couleur écaille, il s'appelait Lucky et avait pris Rebus en affection.

– C'est drôle, lui avait fait remarquer Patience, mais ils sont toujours attirés par les gens qui n'aiment pas les chats. Les personnes allergiques ou qui ne peuvent pas les supporter. Ne me demande pas pourquoi.

Lucky était justement en train de se promener sur les épaules de Rebus, qui s'en était débarrassé avec un grognement. L'animal avait atterri par terre, sur ses pattes.

– Tu dois faire preuve de patience, John.

Oui, elle avait raison. Faute de patience, il risquait

38

de perdre Patience. Il faisait donc des efforts. De gros efforts. Ce qui expliquait sans doute la malencontreuse caresse à Raspoutine. Quel nom ! Pourquoi les animaux avaient-ils toujours des noms débiles du genre Lucky, Goldie, Beauty, Flossie ou Spot, ou encore Raspoutine, Belzébuth, Croc, Nirvana ou Bodhisattva ? La faute en incombait aux propriétaires.

Rebus se trouvait au *Rutherford*, à siroter une demipinte à huit shillings en regardant les résultats de foot à la télé, quand il se rappela soudain qu'il était invité le soir-même à dîner chez Brian Holmes et Nell Stapleton, dans leur nouvelle maison. En gémissant, il songea que son unique costume était chez Patience Aitken. Ce qui était plutôt inquiétant. Comptait-il vraiment s'installer chez elle ? Il semblait y passer de plus en plus de temps. C'est qu'il aimait bien Patience, même si elle le traitait comme un animal de plus. Et il se plaisait dans son appartement. C'était très agréable de vivre sous terre. Enfin, partiellement sous terre. Dans certains quartiers, on aurait parlé à une époque d'un appartement en sous-sol, mais dans la très chic Oxford Terrace, celle de Stockbridge, je vous prie ; cela s'appelait un rez-de-jardin. Effectivement, il y avait un jardin ; un minuscule triangle isocèle de verdure. Et l'appart en tant que tel lui plaisait beaucoup. On aurait dit une sorte de refuge, comme une cabane d'enfant. Par les soupiraux des deux chambres donnant sur la rue, on voyait les chaussures et les jambes se déplaçant sur le trottoir. Très peu de passants s'en apercevaient. Pour Rebus, qui habitait au deuxième dans un appartement de Marchmont, ce changement de perspective était un enchantement. Tandis que les hommes de son âge quittaient la ville pour s'installer dans des pavillons, il trouvait follement amusant de descendre chez soi plutôt que d'y monter. C'était plus que l'attrait de la nouveauté. Un tournant, un changement majeur, qui lui ouvrait un avenir rempli de promesses.

Patience ne demandait pas mieux. Elle voulait qu'il apporte plus d'affaires, qu'il se sente chez lui. Une fois sa bière terminée, il parvint à convaincre sa voiture de faire le trajet de cinq minutes et put entrer dans l'appartement grâce à la clé qu'elle lui avait donnée. Le costume, qui sortait tout juste du pressing, était posé sur le lit dans la chambre d'amis. Avec Lucky, qui se prélassait sur le vêtement, s'y faisait les griffes et y laissait ses poils. Repensant à Raspoutine, Rebus l'envoya valser. Puis il emporta son bien dans la salle de bains, ferma la porte à double tour et se fit couler un bain.

Très étendue, la circonscription Esk Nord et Sud était relativement peu peuplée. Toutefois, le nombre d'habitants ne cessait de croître. Cités et lotissements poussaient en rangs serrés à la périphérie des villages miniers et des hameaux. Une banlieue-dortoir. Oui, la région se métamorphosait. De nouvelles routes, de nouvelles gares. Une nouvelle population exerçant de nouveaux métiers. Pour leur part, Brian Holmes et Nell Stapleton avaient choisi d'acheter un vieux pavillon mitoyen au cœur d'Eskwell, un des plus petits villages. En fait, ces bouleversements étaient provoqués par Édimbourg. La ville grandissait, s'étendait. Elle engloutissait les villages et engendrait de nouvelles constructions. Ce n'étaient pas les gens qui s'installaient à Édimbourg mais la ville qui s'installait chez eux.

Quand il arriva enfin à Eskwell, Rebus n'était pas d'humeur à disserter sur les vicissitudes de la vie à la campagne. La voiture avait mis un certain temps à démarrer. Comme d'habitude. Mais le costume-cravate n'était pas la tenue idéale pour mettre les mains dans le cambouis. Un de ces week-ends, il finirait par entièrement démonter le moteur. Bien sûr. Et ça se solderait par un échec et la dépanneuse.

Il n'eut aucun mal à trouver, Eskwell se limitant à une rue principale et quelques ruelles adjacentes. Il traversa le jardinet, s'arrêta devant la porte, une bouteille de vin à la main et frappa plusieurs coups. On ouvrit presque instantanément.

– Vous êtes en retard.

– C'est le privilège de la hiérarchie, Brian. Moi, j'ai le droit d'arriver en retard.

– Il me semblait que j'avais dit décontracté, dit Holmes en le faisant entrer.

D'abord interloqué, Rebus comprit qu'il faisait allusion à sa tenue. Holmes portait un jean et une chemise au col déboutonné, et des mocassins sans chaussettes.

– Oui… fit Rebus.

– Ce n'est pas grave. Je vais monter me changer.

– Ne le fais pas pour moi. Tu es ici chez toi, Brian. Fais comme il te plaît.

Le jeune homme hocha la tête, l'air ravi. Rebus avait parfaitement raison : il était chez lui. Enfin, le prêt immobilier lui appartenait… pour moitié.

– Allez-y, dit-il en indiquant une porte au bout du couloir.

– En fait, dit Rebus, je ferais bien un détour par la salle de bains.

Il tendit les mains, paume en l'air, puis les retourna. Holmes vit qu'elles étaient noires de cambouis et de terre.

– Vous avez eu des problèmes de moteur, dit-il en hochant la tête. La salle de bains est à l'étage, la première porte à droite sur le palier.

– O.K.

– Vous vous êtes bien égratigné. À votre place, je montrerais ça à un médecin.

À en juger d'après son ton, Holmes soupçonnait un certain docteur Aitken d'avoir causé la blessure.

– Un chat, expliqua Rebus. Une sale bestiole qui n'a plus que huit vies au compteur.

À l'étage, il se sentit particulièrement empoté. Il rinça le lavabo après s'en être servi mais dut ensuite passer sous l'eau le savon crasseux puis rincer la vasque à nouveau. Pour s'essuyer, il prit une serviette étendue sur le rebord de la baignoire, mais s'aperçut qu'il s'agissait d'un tapis de sol. La vraie serviette pendait à un crochet sur la porte. « Détends-toi » se répétait-il, mais c'était plus fort que lui. Il ne se sentait jamais à l'aise en société.

Au rez-de-chaussée, il glissa la tête par l'embrasure d'une porte ouverte.

– Entrez, entrez. Tenez, dit Brian Holmes en lui tendant un verre de scotch. Santé.

– Santé.

Ils burent et Rebus se sentit mieux.

– Je vous ferai faire la visite tout à l'heure. Asseyez-vous.

Rebus s'exécuta et parcourut la pièce du regard.

– C'est bien d'avoir un chez-soi, déclara-t-il.

De bonnes odeurs flottaient dans l'air et des bruits de casserole se faisaient entendre derrière une porte, où devait se trouver la cuisine. Le salon formait quasiment un cube. Les quatre angles étaient occupés par une table avec trois couverts, un fauteuil, une télé et un lampadaire.

– Très sympa…

Holmes s'était installé dans un canapé deux places disposé devant un mur. Dans son dos, une fenêtre assez grande donnait sur le jardin.

– C'est tout à fait ce qu'il nous fallait, dit-il avec une mimique modeste.

– Je veux bien le croire.

Nell Stapleton entra dans la pièce. Plus imposante que jamais, elle paraissait presque trop grande pour ce décor – Alice après avoir goûté au biscuit « mange-moi ». Elle s'essuya les mains avec un torchon et sourit à Rebus.

– Bonjour.

Il se leva et elle lui fit la bise.

– Bonjour, Nell.

Elle s'approcha de Brian et lui emprunta son verre. Le front en sueur, elle portait elle aussi une tenue décontractée. Elle but une gorgée de whisky, expira longuement et rendit son verre à Brian.

– C'est prêt dans cinq minutes, annonça-t-elle. C'est dommage que votre amie n'ait pas pu venir, John.

Il haussa les épaules.

– Elle était prise ailleurs. Un dîner entre médecins. J'étais content d'avoir une excuse pour me défiler.

– Eh bien, dit-elle avec un sourire un peu trop appuyé, je vous laisse à vos conversations de mecs.

Elle repartit et la pièce parut soudain déserte. Avait-il dit quelque chose de travers ? Rebus avait eu du mal à décrire Nell à Patience Aitken. Mais les mots ne disaient pas tout. Impérieuse, grincheuse, joyeuse, futée, robuste, ingénieuse, têtue… On aurait dit les sept nains au féminin. Rien à voir avec le stéréotype de la bibliothécaire universitaire. Brian Holmes semblait y trouver son compte. Le sourire aux lèvres, il fixait le fond de son verre. Il se leva pour se resservir – Rebus s'abstint – et rapporta une chemise cartonnée.

– Tenez, dit-il en la tendant à Rebus.

– C'est quoi ? demanda-t-il en prenant le dossier.

– Jetez-y un coup d'œil.

Il s'agissait pour l'essentiel de coupures de presse, des articles de magazine, des communiqués de presse… concernant exclusivement Gregor Jack.

– Où est-ce que…

– Je suis de nature curieuse, dit Holmes avec un haussement d'épaules. Quand j'ai su qu'on allait s'installer dans sa circonscription, j'ai eu envie d'en savoir plus.

– Les journaux de ce matin ne soufflent pas mot d'hier soir.

– Ils ont peut-être subi des pressions, dit Holmes d'un ton dubitatif. Ou bien ils attendent le moment opportun. Je vais voir si Nell a besoin d'aide, dit-il en se relevant.

N'ayant rien de mieux à faire, Rebus feuilleta le dossier. Il n'apprit pas grand-chose. Milieu ouvrier. Études secondaires dans un collège public du Fife.

Diplôme d'économie à l'université d'Édimbourg. Expert-comptable. Marié à Elizabeth Ferrie, rencontrée à la fac. Fille unique de Sir Hugh Ferrie, l'homme d'affaires. La petite chérie de Sir Hugh à qui ce dernier ne pouvait rien refuser, soi-disant parce qu'elle lui rappelait son épouse décédée vingt-trois ans auparavant. La compagne du moment de Sir Hugh était un ancien mannequin deux fois plus jeune que lui. Peut-être qu'elle aussi lui rappelait sa défunte épouse…

C'était tout de même curieux. Elizabeth Jack était une belle femme, vraiment ravissante. Pourtant, elle faisait rarement parler d'elle. Depuis quand un politicien se privait-il de l'atout d'une épouse séduisante ? Elle préférait peut-être mener sa propre vie. Le ski et la plage, plutôt que les inaugurations d'usines et les thés dansants que devait se farcir un élu.

Rebus savait maintenant ce qui lui plaisait chez Gregor Jack. C'étaient ses origines, tellement comparables aux siennes. Né dans le Fife, produit de l'enseignement public. À l'époque de Rebus, les écoles s'appelaient des *high schools*. Tous deux en avaient fréquenté une. Contrairement à Rebus qui avait dû passer un examen, Gregor Jack avait été admis grâce à un bon carnet de notes. Rebus avait fréquenté un établissement de Cowdenbeath, et Jack un de Kirkcaldy. Quasiment la porte à côté.

La seule tentative de compromettre Jack dans un scandale avait concerné l'implantation d'une usine électronique dans sa circonscription. La rumeur prétendait que son beau-père avait tiré quelques ficelles. Le soufflé était vite retombé. Faute de preuves, et sous la menace d'un procès en diffamation.

Quel âge avait Jack ? Rebus examina une photo récemment parue dans la presse. Il semblait plus jeune qu'en chair et en os, comme c'est toujours le cas pour les personnalités médiatiques. Il devait avoir dans les trente-sept, trente-huit ans. Une belle femme et plein aux as.

Et il trouvait le moyen de se faire pincer sur le plumard d'une pute au cours d'une rafle de police ! Rebus secoua la tête. La vie était parfois cruelle... Puis il sourit – tant pis pour lui, il n'avait qu'à pas tromper sa femme.

Holmes revint et pointa le menton vers le dossier.

– Ça laisse songeur, hein ?

– Pas vraiment, Brian, fit Rebus en pinçant les lèvres. Pas vraiment.

– Bon, si vous voulez finir votre scotch, on peut passer à table. Le maître d'hôtel m'informe que le repas va être servi.

Le dîner fut succulent. Rebus insista pour porter trois toasts : au jeune couple, à leur nouvelle maison, à la promotion de Brian. Ils en étaient à leur deuxième bouteille de vin et au plat principal : du rosbif. Après quoi ils eurent droit à un plateau de fromages et à du *crannachan*[1]. Et puis une tasse de café et un verre de Laphroaig, sirotés en se prélassant dans le canapé et le fauteuil. Grâce à l'alcool, Rebus s'était vite détendu. Mais c'était une décontraction fébrile, et il avait

---

1. Dessert traditionnel écossais, à base de crème, de whisky et de framboises.

l'impression d'avoir trop parlé et dit beaucoup de sottises.

On causa un peu boutique, bien entendu, et Nell laissa faire tant que le sujet l'intéressait. Comme par exemple l'alcoolisme supposé du Paysan Watson («Peut-être qu'il ne boit pas, qu'il a juste un gros faible pour les menthes fortes»). Ou encore les ambitions de l'inspecteur en chef Lauderdale, et la rafle du bordel. Nell ne voyait pas ce qu'on pouvait trouver d'excitant à être fouetté, à se faire langer, à faire l'amour avec une femme-grenouille. Rebus reconnut qu'il n'avait pas de réponse.

– Moi je ferais bien le têtard ! lança Brian.

Ce qui lui valut de recevoir un coussin sur la tête.

Vers onze heures et quart, Rebus se fit deux réflexions. Primo, il avait trop bu pour prendre le volant. Deuzio, même s'il avait été en état de conduire (ou se laisser conduire), il n'aurait pas su où aller : Oxford Terrace ou son appartement de Marchmont ? Où vivait-il en ce moment ? Il s'imagina en train de se garer dans Lothian Road, à mi-chemin entre les deux adresses, incapable de choisir. Mais ce fut Nell qui prit la décision à sa place.

– On a besoin que quelqu'un inaugure la chambre d'amis, et le lit est déjà fait. Autant que ce soit vous.

Son ton calme et décidé ne souffrait aucune contestation. Il accepta en haussant les épaules. Un peu plus tard, elle alla se coucher. Holmes alluma la télé, mais comme il n'y avait rien d'intéressant il mit de la musique.

– Je n'ai pas de jazz, avoua-t-il à Rebus dont il connaissait les goûts. Mais j'ai ça... ça ira ?

Sergeant Pepper. Rebus opina du chef.

– Je préfère les Stones, mais on fera avec.

S'ensuivit une discussion sur la musique pop des années soixante, puis sur le foot et de nouveau sur le boulot.

– Vous pensez que le Dr Curt va prendre beaucoup de temps ?

Holmes faisait allusion à un légiste qui collaborait souvent avec la police. On venait de repêcher un cadavre dans la Leith, au niveau de Dean Bridge. Suicide, accident ou meurtre ? On espérait que les conclusions du Dr Curt fourniraient une indication.

– Certains examens prennent plusieurs semaines, Brian. Mais d'après ce qu'on m'a dit, il devrait bientôt en avoir terminé. Peut-être d'ici un jour ou deux.

– Et que va-t-il nous sortir ?

– Mystère !

Ils échangèrent un sourire. Curt était réputé pour ses calembours douteux et ses plaisanteries inopportunes.

– Doit-on mobiliser l'unité anti-jeux de mots ? s'amusa Holmes. Par exemple : la défunte a été retrouvée près d'une chute d'eau, mais ses pupilles ne révèlent aucune trace de cataracte.

Rebus rigola.

– Pas mal ! Peut-être un peu trop fin pour lui, mais c'est très bon !

Pendant un quart d'heure ils passèrent en revue les plus belles perles de Curt, avant que la conversation n'aborde le sujet de la politique. Rebus avoua qu'il n'avait voté que trois fois dans sa vie.

– Une fois Labour, une fois SNP, une fois Tory.

Holmes parut s'en amuser et lui demanda dans quel

ordre chronologique, mais il ne s'en souvenait pas. Nouveau fou rire.

– La prochaine fois, vous devriez essayer un indépendant.

– Comme Gregor Jack, tu veux dire ? fit Rebus en secouant la tête. Être indépendant en Écosse, je n'y crois pas une seconde. C'est comme de vivre en Irlande sans choisir son camp. C'est pas coton. Bon, ce n'est pas que je m'ennuie, Brian, mais j'en connais certains qui ont bossé aujourd'hui. Si tu n'y vois pas d'inconvénient, je vais rejoindre Nell… (Rires) … Si tu vois ce que je veux dire !

– Bien sûr. Allez y. Moi, je me sens en forme. Je vais peut-être me faire une vidéo. À demain matin.

– Fais attention à ne pas m'empêcher de dormir, lui lança Rebus avec un clin d'œil.

En fait, même un accident nucléaire à la centrale de Torness ne l'aurait pas réveillé. Il rêva de scènes pastorales, d'hommes-grenouilles, de chatons et de buts marqués dans les arrêts de jeu. Mais quand il ouvrit enfin les yeux, une ombre planait au-dessus de lui. Il se redressa sur les coudes. C'était Holmes, déjà habillé, un blouson en jean sur les épaules. Il tenait ses clés de voiture dans une main, et dans l'autre une pile de journaux qu'il laissa tomber sur le lit.

– Vous avez bien dormi ? Je n'ai pas l'habitude d'acheter ces torchons, mais j'ai pensé que ça vous intéresserait. Le petit déj est prêt dans dix minutes.

Rebus trouva la force de marmonner quelques syllabes. Il s'assit et fixa la première page du tabloïd qu'il avait sous les yeux. Enfin la manchette qu'il attendait.

L'étau se détendit un peu dans sa tête et ses entrailles. Le gros titre ne donnait pas trop dans le vulgaire : *Sacré Jack !* Mais le sous-titre n'y allait pas par quatre chemins : *Un député chez les putes.* Et il y avait la photo de Jack en train de descendre les marches vers le fourgon. On promettait d'autres clichés en pages intérieures. Rebus s'y reporta. Les traits bouffis de Paysan Watson. Deux filles posant devant les objectifs. Quatre photos de Jack, descendant les marches du bordel et entrant dans le fourgon de police. Par contre, rien concernant l'arrivée au poste. Il avait dû faire une sortie discrète. Mais des traits photogéniques ne lui suffiraient pas pour étouffer un tel scandale. Tiens, tiens… En arrière-plan d'une photo, il reconnut la face de chérubin de Brian Holmes. À découper et conserver précieusement.

Les deux autres journaux livraient le même récit, avec des photos similaires (parfois identiques) à l'appui. *Un élu à la chambre… L'élu de ses dames…* Ah, la grande tradition britannique de la manchette dominicale, sous la plume d'une bande de puceaux vertueux faisant preuve de la sagesse de Salomon et d'une magnanimité de zélote ! Rebus était capable de se montrer prude à ses heures, mais là ça dépassait les bornes. Il se leva tant bien que mal. L'alcool ingurgité la veille en fit de même et se mit à faire des cabrioles dans sa tête. Vin rouge et whisky. Le cru et la cuite. Que disait-on, déjà ? Ne jamais mélanger céréale et raisin. Peu importe, quelques litres de jus d'orange le remettraient d'aplomb.

Mais avant cela, il fallait affronter les odeurs de friture… C'était à croire que Nell avait passé la nuit dans la cuisine. Tout était nettoyé et elle leur avait préparé un petit déjeuner digne d'un hôtel. Céréales, toasts, œufs, bacon et saucisse. La cafetière fumante trônait au centre de la table. Il ne manquait que...

– Vous n'auriez pas du jus d'orange ? s'enquit Rebus.

– Désolé, répondit Brian, plongé dans la lecture d'un quotidien sérieux. Je comptais en acheter à l'épicerie avec les journaux, mais ils n'en avaient plus. Il y a tout le café qu'on veut. Bon appétit ! Ils n'ont pas perdu de temps à porter le coup.

– Pour Gregor Jack, tu veux dire ? Non, enfin ça n'a rien d'étonnant.

– C'est tout de même étrange, fit Holmes en tournant une page.

Il n'en dit pas plus et se demanda si Rebus comprendrait.

– C'est étrange, tu veux dire, que la presse dominicale londonienne ait eu vent de l'Opération Chalut ?

Brian tourna encore une page. Il ne fallait pas beaucoup de temps désormais pour lire un journal, sauf à éplucher les petites annonces. Le jeune homme le plia en quatre et le posa sur la table.

– Oui, dit-il en prenant un toast. Moi, je trouve ça bizarre.

– Voyons, Brian. La presse a toujours de bons tuyaux sur les gros coups. Un flic qui se fait quelques tunes pour régler ses ardoises au pub, ce genre-là. Tu fais une rafle dans un bordel chicos, t'as toutes les chances de tomber sur quelques visages connus.

Pas si vite... Alors même qu'il faisait cette réponse, Rebus sentit que la situation était peut-être moins limpide qu'il ne l'imaginait. Les reporters qu'il avait aperçus sur place attendaient visiblement quelque chose de précis. Comme s'ils savaient exactement qui allait franchir la porte et descendre les marches. Holmes le dévisageait.

– Qu'est-ce qu'il y a ? lui demanda Rebus.

– Rien. Rien du tout… De toute façon, ça ne nous regarde pas. Et puis, c'est dimanche.

– T'es qu'un vieux renard, Brian Holmes.

– J'ai de qui tenir, non ?

Nell apporta deux assiettes de victuailles reluisantes de graisse. Rebus sentit que son estomac l'implorait d'être raisonnable, sous peine de le regretter plus tard dans la journée.

– Vous vous donnez trop de mal, dit-il à Nell. Ne laissez pas ce goujat vous traiter comme sa bonne.

– Ne vous en faites pas, je ne me laisse pas faire. C'est donnant donnant. Brian a fait la vaisselle hier soir, et il compte bien remettre ça ce matin.

Holmes gémit. Rebus ouvrit un tabloïd et tapota une photo.

– Faut tout de même le ménager, Nell. Maintenant que c'est une vedette.

Elle prit le journal, l'examina une seconde et s'exclama :

– Ça alors, Brian ! T'as l'air d'une marionnette du *Muppet Show* !

Holmes se leva et jeta un coup d'œil par-dessus son épaule.

– Vous avez vu la tête de bovin que tire Watson ? On dirait un Angus d'Aberdeen !

Rebus sourit. Le superintendant n'était pas surnommé Le Paysan par hasard.

Rebus souhaitait beaucoup de bien au jeune couple. Ils avaient pris l'engagement de vivre ensemble, avaient emprunté pour s'acheter leur chez-soi. Ils paraissaient satisfaits de leur sort. Oui, il leur souhaitait de tout cœur d'être heureux.

Mais son cerveau lui disait que cela tiendrait deux ou trois ans maximum.

Le sort d'un policier n'était pas ce qui se faisait de plus gai. Ambitionnant de décrocher le titre d'inspecteur, Brian Holmes se mettrait à faire des horaires de plus en plus longs. S'il arrivait à mettre de côté son métier en rentrant chez lui le soir ou le matin, pas de problème. Mais Rebus doutait fort que le jeune homme y parvienne. Brian était du genre à s'impliquer dans une enquête, à y penser en permanence, et ce n'était pas une bonne chose pour la vie de couple. Le plus souvent, c'était rédhibitoire. Rebus connaissait quantité de flics séparés ou divorcés (dont lui-même) mais très peu qui soient heureux en ménage. Ce n'était pas seulement le nombre d'heures. Le métier de policier vous rongeait de l'intérieur, comme un ver terré bien en profondeur. Et pour se protéger, on se blindait ; sans doute un peu plus que nécessaire. Un blindage qui formait une barrière avec les amis et la famille, avec les « civils »…

Argh. Le dimanche matin, on pouvait se permettre des idées plus gaies. Tout n'était pas si noir. La voiture avait démarré au quart de tour – enfin, sans qu'il soit obligé de faire du stop jusqu'à la prochaine station-service. Il y avait un petit coin de ciel bleu qui vous donnait envie de passer la journée à la campagne. D'ailleurs, Rebus décida d'aller faire un petit tour en voiture. Sans but précis, juste pour le plaisir. En fait, il savait très bien où il se rendait, faute de savoir pourquoi.

Gregor Jack et son épouse habitaient une grande et ancienne propriété aux abords de Rosebridge, légèrement au sud d'Eskwell. Un paysage plus campagnard, les terres de la gentry. Prés et collines, et apparemment gel des permis de construire. Mis à part la curiosité, Rebus n'avait aucune raison de faire ce détour. Cela dit, il n'était pas le seul. Il n'eut aucun mal à repérer la demeure des Jack : une petite dizaine de véhicules étaient garés là et plusieurs journalistes rongeaient leur frein devant les grilles. Certains indiquaient à leur photographe jusqu'où il pouvait aller, moralement et non géographiquement, dans le but d'obtenir la photo convoitée. *Escalade ce mur... En haut de cet arbre... Va voir par-derrière...* Les photographes n'avaient pas l'air très chauds.

Rebus se gara un peu plus loin sur la route. D'un côté de la chaussée se dressaient une demi-douzaine de maisons dont l'architecture et la taille n'avaient rien d'exceptionnel, mais qui avaient l'avantage d'être isolées derrière de hauts murs, au bout de longues allées. L'arrière donnait forcément sur des jardins spacieux. En face s'étendaient des pâturages. Vaches au regard étonné, moutons bien gras, quelques agneaux aux cris encore très aigus. Des collines pentues interrompaient la vue à cinq ou six kilomètres. Ravissant. Même ce troglodyte de Rebus était obligé d'en convenir.

Ce qui expliquait peut-être l'amertume qu'il éprouvait devant le manège des journalistes, encore plus que d'ordinaire. Il se planta derrière eux en observateur. Leur attention fut soudain attirée par deux silhouettes qui sortaient de la maison. Une grande bâtisse à deux étages en pierre foncée, qui paraissait rougeâtre à cette distance. Sans doute début vingtième siècle. Un grand garage avait été ajouté sur une aile. Au bout de l'allée, une Saab blanche était garée devant la maison. Une série 9000. Une voiture sûre et robuste, luxueuse sans être m'as-tu-vu. Malgré tout, un véhicule qui n'était pas celui de monsieur Tout-le-monde.

Un type d'une trentaine d'années, le visage déformé par un rictus méprisant, venait d'entrouvrir le portail pour permettre à une jeune femme de tendre un plateau en argent aux journalistes. Elle se donnait l'air d'avoir dix ans de plus que ses vingt et quelques années, et s'exprima plus fort que nécessaire.

– Gregor a suggéré qu'on vous apporte du thé. Vous n'avez qu'à partager si vous manquez de tasses. Il y a des gâteaux dans la boîte. Désolée, mais nous n'avons plus de biscuits au gingembre.

Il y eut des sourires et des hochements de tête reconnaissants. Mais les questions fusèrent tout de même.

– On pourrait toucher un mot à M. Jack ?
– Prévoit-il de faire une déclaration ?
– Comment réagit-il ?
– Est-ce que Mme Jack se trouve ici ?
– On ne peut vraiment pas le voir ?
– Ian, est-ce qu'il a l'intention de s'exprimer ?

Cette dernière question s'adressait au type au sourire méprisant, lequel brandit la main pour obtenir le silence. Il attendit patiemment que les voix se taisent.

– Aucun commentaire, annonça-t-il en refermant le portail.

Rebus se fraya un passage à travers la cohue bon enfant et se retrouva face à monsieur Rictus.

– Je suis l'inspecteur Rebus. Je peux toucher un mot à M. Jack ?

Même après inspection de ses papiers, monsieur Rictus et mademoiselle Plateau restèrent très méfiants. Pas question de leur jeter la pierre – il connaissait des journalistes capables de tenter un coup pareil, les faux papiers et la totale. Mais on finit par acquiescer d'un petit hochement de tête et lui entrebâiller le portail juste assez pour qu'il se glisse à l'intérieur. Puis on referma à double tour.

Une question frappa soudain Rebus : Qu'est-ce que je fous ici ? Réponse : il ne savait pas très bien. En observant la scène devant le portail, il avait éprouvé l'envie de se retrouver de l'autre côté de la grille. Voilà, c'était chose faite. On l'escortait dans l'allée vers la grosse voiture, l'imposante demeure et l'énorme garage sur l'aile. Vers le député Gregor Jack, auquel il souhaitait apparemment toucher un mot.

Vous avez quelque chose à me dire, inspecteur ?
Non, j'avais envie de fouiner…

Pas génial comme entrée en matière. Watson l'avait plusieurs fois mis en garde au sujet de… Comment appeler ça ? Un petit travers ? Ce besoin de s'immiscer au cœur des choses, de se mêler de tout, de vérifier par soi-même plutôt que de s'en remettre aux affirmations de qui que ce soit.

Je passais dans le coin, j'en profite pour vous saluer…

Bon sang, Jack reconnaîtrait forcément le policier qui l'avait vu assis sur le lit du bordel, à côté de la pute qui piquait un fou rire en gigotant des jambes. Non, pas obligatoirement. Après tout, il avait sans doute la tête ailleurs.

– Je suis Ian Urquhart, l'attaché de circonscription de Gregor.

Maintenant qu'il tournait le dos aux journalistes, son visage s'était départi de son rictus, remplacé par une expression mi-inquiète mi-étonnée.

– On a appris hier soir ce qui se tramait. Je suis tout de suite venu ici.

Rebus opina du chef. Doté d'un physique compact, Urquhart comprimait sa musculature parfaitement entretenue dans un costume de belle coupe. Un peu plus petit que son député, un peu moins joli garçon. En d'autres termes, l'attaché parlementaire idéal. Et il paraissait efficace, ce qui était tout bonus.

– Je vous présente Helen Greig, la secrétaire de Gregor, dit Urquhart en indiquant la jeune femme du menton. Elle est arrivée ce matin pour donner un coup de main.

Celle-ci adressa un rapide sourire à Rebus.

– En fait, c'est moi qui ai eu l'idée du thé, dit-elle.

– C'est Gregor qui a eu l'idée, Helen, l'admonesta Urquhart avec un regard en coin.

– Euh… oui, dit-elle en rougissant.

Efficace et fidèle, songea Rebus. Des qualités fort rares. Comme Urquhart, Greig s'exprimait avec un accent écossais distingué qui ne révélait pas vraiment son comté d'origine. Tous deux venaient sans doute de la côte est, sans que Rebus puisse dire d'où précisément. À en juger d'après sa tenue, Helen Greig avait assisté à l'office de bonne heure ou comptait s'y rendre. Tailleur simple en laine pâle, chemisier blanc, discrète chaîne en or. De bonnes chaussures noires et d'épais collants noirs. Elle mesurait environ un mètre soixante-dix, comme Urquhart, et avait plus ou moins le même gabarit. Elle n'était pas ce qu'on appelle une belle femme, plutôt une femme élégante. Comme Nell Stapleton, dans un tout autre genre.

Ils passèrent devant la Saab, Urquhart en tête.

– Vous avez quelque chose de précis à lui demander, inspecteur ? Vous vous doutez certainement que Gregor n'est pas vraiment en état de…

– Ce sera rapide, monsieur Urquhart.

– Très bien, vous n'avez qu'à entrer.

Il ouvrit la porte et s'écarta pour les laisser passer. Rebus fut d'emblée surpris par la décoration moderne. Plancher en pin verni, tapis aux tons clairs, chaises façon Macintosh et tables basses à l'italienne. Ils traversèrent le vestibule et pénétrèrent dans une grande pièce au mobilier tout aussi contemporain. Au centre trônait un long canapé noir en cuir et chrome aux contours anguleux. Gregor Jack y était assis, peu ou prou dans la même posture que lors de sa première rencontre avec Rebus. Le député fixait le sol en se grattant machinalement un doigt. Urquhart s'éclaircit la gorge.

– On a de la visite, Gregor.

L'effet produit tenait de la performance d'acteur. Avec l'aisance d'un comédien passant du tragique au comique, Gregor Jack afficha un sourire et se leva. Ses yeux pétillants manifestaient le plus vif intérêt. Son visage irradiait la sincérité. Rebus était stupéfait de l'aisance avec laquelle il s'était métamorphosé.

– Je suis l'inspecteur John Rebus, dit-il en serrant la main que Jack lui tendait.

– Qu'est-ce qu'on peut faire pour vous, inspecteur ? Tenez, asseyez-vous.

Il lui indiqua un petit fauteuil noir assorti au canapé. On avait l'impression de s'enfoncer dans de la guimauve.

– Vous voulez boire quelque chose ? lui proposa Jack qui se tourna vers Helen Greig. Au fait, Helen, tu as apporté du thé aux journalistes ? (Elle fit oui de la tête.) Parfait ! Ces messieurs de la presse ont bien droit à leur pause. Alors, inspecteur, dit-il en s'asseyant au bord du canapé et en posant les coudes sur les cuisses, quel est le problème ?

– Eh bien, monsieur, je passais dans le coin et j'ai aperçu la horde.

– Vous savez tout de même pourquoi ils sont là ?

Rebus fut bien obligé d'opiner du chef. Urquhart toussota une fois de plus.

– On va peaufiner une déclaration en déjeunant, dit-il. Ça ne suffira sans doute pas à les faire partir, mais ce sera toujours ça.

– Vous savez, dit Rebus qui avait conscience de s'avancer en terrain miné, vous n'avez rien fait de mal. Rien d'illégal, j'entends.

Jack sourit et haussa les épaules.

– Peu importe que ce soit illégal ou non, inspecteur. À partir du moment où ça fait un scoop.

Il agitait sans cesse les mains et la tête, et cillait des

yeux. On aurait dit qu'il avait l'esprit ailleurs. Puis il parut avoir un déclic.

– Vous n'avez pas répondu, inspecteur : thé ou café ? Quelque chose de plus fort ?

Rebus fit non de la tête. Sa gueule de bois n'était plus qu'une vague présence. Inutile de la réveiller. Jack porta son regard mélancolique sur sa secrétaire.

– J'aimerais beaucoup une tasse de thé, Helen. Inspecteur, vous êtes bien certain que vous ne voulez rien…

– Non, merci.

– Et toi, Ian ?

Urquhart fit signe que oui à Helen Greig.

– Ça ne te dérange pas, Helen ? lui demanda Gregor Jack.

Quelle femme aurait su lui refuser quoi que ce soit ? D'ailleurs…

– Votre épouse n'est pas ici, monsieur Jack ?

– Elle est en vacances, répondit le député du tac au tac. On a un cottage dans les Highlands. Un petit pied-à-terre sans prétention, mais nous y sommes très attachés. Elle s'y trouve certainement.

– Certainement ? Vous n'en êtes pas sûr ?

– Elle ne m'a pas soumis son itinéraire.

– Mais alors, vous pensez qu'elle est au courant ? Jack écarta les mains.

– Je n'en ai aucune idée, inspecteur. Peut-être. Elle adore lire les journaux. On peut se les procurer au village d'à côté.

– Et elle ne vous a pas appelé ?

Cette fois, Urquhart ne prit pas la peine de s'éclaircir la gorge avant d'intervenir.

– Il n'y a pas le téléphone au cottage.

– C'est ce qui nous plaît tant, expliqua Jack. D'être coupés du monde.

– Mais si elle était au courant, insista Rebus, elle chercherait forcément à vous joindre, non ?

Jack soupira et se gratta machinalement le doigt. Quand il en prit conscience, il s'interrompit aussitôt.

– J'ai de l'eczéma. À un seul doigt, mais c'est tout de même agaçant… Liz, ma femme, est quelqu'un de très indépendant. Elle pourrait tout aussi bien appeler que ne pas se manifester. Ce serait bien son genre de ne pas vouloir en parler. Vous comprenez ce que je veux dire, inspecteur ?

Un sourire timide, pour s'attirer la sympathie. Il se passa la main dans son épaisse chevelure noire. Rebus se demanda si ses belles dents étaient d'une blancheur naturelle. Et la tignasse ? Quant à la chemise au col déboutonné, ça n'avait pas l'air d'être du prêt-à-porter…

Toujours debout, Urquhart n'arrêtait pas de bouger. Jeter un coup d'œil à travers les voilages, examiner des papiers posés sur une table en verre, s'approcher d'une table basse avec un téléphone débranché de sa prise murale. Mme Jack pouvait toujours essayer d'appeler. L'idée ne semblait avoir effleuré ni Jack ni Urquhart. Bizarre.

Rebus avait l'impression que cette pièce, et les goûts qui s'y affichaient, correspondait plus à Mme Jack qu'à son mari. On sentait qu'il était fait pour du mobilier plus ancien et traditionnel, fauteuils club et canapé Chesterfield. Des goûts classiques. Il n'y avait qu'à voir son choix de voiture.

La voiture… Rebus eut une idée. Un prétexte pour expliquer sa présence.

– Tu sais, Gregor, disait Urquhart, si tout compte fait on pouvait sortir la déclaration avant le déjeuner. Plus vite on fait retomber le soufflé et mieux ce sera.

Pas très subtil, songea Rebus. Le message était clair : venez-en au but et débarrassez le plancher. Rebus avait une seule question qui lui brûlait les lèvres : pensez-vous être victime d'un coup monté ? Mais il ne pouvait pas se permettre de la poser. Il n'était pas là à titre officiel, simplement en touriste.

– À propos de votre voiture, monsieur Jack. En passant, je l'ai remarquée qui était là, garée dans l'allée, à la merci de tous les regards si je puis dire. Il y a des photographes devant chez vous. Si par malheur un journal publiait une photo de votre voiture…

– Tout le monde pourra la reconnaître à l'avenir ? dit Jack en opinant du chef. Je vois où vous voulez en venir, inspecteur. En effet, merci. On n'y avait pas pensé, hein, Ian ? Il vaut mieux la mettre au garage. C'est inutile que les lecteurs de journaux sachent quelle voiture je conduis.

– Et votre numéro d'immatriculation, ajouta Rebus. Inutile que ça tombe entre les mains de n'importe qui. Un terroriste, un cinglé, un type un peu trop rancunier. Autant éviter.

– Merci, inspecteur.

La porte s'ouvrit et Helen Greig revint avec deux mugs de thé – on était loin du petit numéro avec l'argenterie devant le portail. Elle tendit les tasses à Gregor et Urquhart, puis attrapa le paquet de gâteaux glissé sous son bras. Des biscuits au gingembre. Rebus sourit.

– C'est génial, Helen, lui dit Jack. Merci beaucoup.

Il prit deux biscuits.

– Bon, dit Rebus en se levant. Je vais y aller. Comme je vous l'ai dit, je ne faisais que passer.

– Je vous en suis très reconnaissant, inspecteur.

Jack posa son mug et ses gâteaux par terre, puis se leva à son tour. Comme à son arrivée, il lui tendit la main ; une main tiède, puissante et immaculée.

– Je voulais vous demander, vous habitez dans la circonscription ?

– Non, répondit Rebus en secouant la tête. Mais j'ai un collègue qui vient d'acheter à Eskwell. J'étais chez lui hier soir.

Jack releva lentement la tête, puis opina du chef. Un geste difficile à interpréter.

– Je vais vous ouvrir le portail, proposa Urquhart.

– Tu n'as qu'à rester ici pour boire ton thé, lui dit Helen Greig. Je vais raccompagner l'inspecteur.

– Comme tu veux, Helen, dit lentement Urquhart en lui tendant ses clés.

Y avait-il une note de mise en garde dans sa voix ? La secrétaire ne manifesta aucune réaction.

– Bien, fit Rebus. Je vous salue, monsieur Jack. Monsieur Urquhart…

Il serra la main droite du conseiller, tout en prêtant attention à la gauche – une alliance et une chevalière. En revanche, Gregor Jack ne portait qu'un gros anneau doré. Toutefois pas à l'annulaire – le doigt qui souffrait d'eczéma – mais au majeur.

Et Helen Greig ? Quelques bagues fantaisie aux deux mains, mais ni mariée ni fiancée.

– Au revoir…

La secrétaire fut la première à sortir de la maison et l'attendit devant la voiture en agitant le trousseau.

– Ça fait longtemps que vous travaillez pour M. Jack ?

– Pas mal de temps.

– J'imagine que ça bosse dur, un député. Il doit avoir besoin de ses moments de détente.

Elle s'arrêta net et le fusilla du regard.

– Vous n'allez pas vous y mettre vous aussi ! Vous ne valez pas mieux que ces minables ! dit-elle en brandissant les clés vers les silhouettes de l'autre côté du portail. Je ne vous laisserai pas dire du mal de Gregor.

Elle repartit d'un pas plus rapide.

– Gregor Jack est quel genre de patron ?

– C'est beaucoup plus qu'un patron ! J'ai ma mère qui est malade. Il m'a donné une petite prime à l'automne, pour que je puisse l'emmener passer quelques jours de vacances sur la côte. Voilà quel genre d'homme il est.

Elle refoula les larmes qui lui venaient aux yeux. Les journalistes se repassaient des tasses, en se plaignant de ne pas avoir de sucre. Ils les regardaient s'approcher sans se faire trop d'illusions.

– Dites-nous quelque chose, Helen…

– Si Gregor venait nous parler, on pourrait tous rentrer… On est des pères de famille, vous savez…

– Je vais rater la messe ! plaisanta l'un d'eux.

Un reporter local – ils n'étaient pas nombreux, à en juger d'après leurs accents – reconnut Rebus.

– Qu'est-ce que vous pouvez nous dire, inspecteur ?

Quelques oreilles se dressèrent à la mention de son titre.

– Une seule chose, dit Rebus qui sentit Helen Greig se raidir. Foutez le camp.

Il suscita quelques sourires et gémissements. La secrétaire lui ouvrit le portail. Rebus s'appuya dessus pour empêcher qu'elle ne le referme et lui glissa à l'oreille :

– J'ai oublié… Il faut que je retourne voir M. Jack.

– Pourquoi ?

– Il m'a demandé de prendre des nouvelles de sa femme, au cas où elle accuse le coup…

Il attendit que l'idée fasse son chemin.

– Ah… articula Helen Greig du bout des lèvres.

– Seulement, poursuivit-il, j'ai oublié de prendre l'adresse…

Elle se dressa sur la pointe des pieds et chuchota, en veillant bien à ce que les journalistes ne puissent pas entendre :

– Deer Lodge. Entre Knockandhu et Tomnavoulin.

Il opina du chef et s'avança pour qu'elle puisse fermer le portail. Plus que jamais, sa curiosité était piquée. Knockandhu et Tomnavoulin : deux whiskys. Sa tête lui conseillait de ne plus jamais toucher une goutte d'alcool. Pas son cœur…

Merde ! Il s'était dit qu'il appellerait Patience de chez Holmes, pour la prévenir qu'il arrivait. Elle n'était pas du genre à vouloir être au courant de ses moindres faits et gestes, mais tout de même. Il s'approcha de Chris Kemp, le jeune journaliste qu'il connaissait.

– Salut, Chris. Vous avez le téléphone dans votre voiture ? Ça vous dérange si je passe un coup de fil ?

– Alors ? s'enquit le Dr Patience Aitken. Comment s'est passé votre ménage à trois ?

– Pas mal, répondit Rebus en lui déposant un smack sur les lèvres. Et ton orgie ?

Elle leva les yeux au ciel.

– On a parlé boulot et mangé des lasagnes trop cuites. Tu n'es donc pas rentré chez toi ? (Il parut interloqué.) J'ai appelé à Marchmont mais tu n'y étais pas. Dis-moi, t'as oublié de retirer ton costume avant de te coucher ?

– C'est la faute à ton maudit chat !

– Lucky ?

– Il dansait le twist sur ma veste que j'ai sauvée de justesse.

– Le twist ? Tu sais, ses références en matière de danse en disent long sur l'âge d'un homme.

– Aurais-tu du jus d'orange ? lui demanda-t-il en retirant sa veste.

– On a un petit mal de crâne ? C'est le moment d'arrêter de boire, John.

– De se caser, tu veux dire ? Ça te dérange si je prends un bain ?

Elle le dévisagea.

– Tu sais très bien que tu n'as pas besoin de demander.

– Oui, mais je préfère.

– Permission accordée... comme toujours. C'est aussi Lucky qui t'a fait ça ? dit-elle en indiquant son poignet égratigné.

– S'il m'avait fait ça, il aurait terminé au micro-ondes !

– Je vais m'occuper du jus d'orange, dit-elle en souriant.

Il l'observa se diriger vers la cuisine, en émettant un vague sifflement qui fit couac à cause de sa bouche pâteuse. Une perruche lui montra comment s'y prendre. Patience adressa un sourire au volatile.

Rebus s'enfonça dans le bain moussant, ferma les yeux et respira profondément, comme le lui avait appris son médecin qui appelait ça une technique de relaxation. Il tenait à ce que Rebus soit plus détendu. Un peu de tension artérielle, rien de grave mais tout de même. Bien entendu, il aurait pu prendre des cachets, des bêtabloquants. Mais son médecin préférait les techniques de travail sur soi. La relaxation, l'autohypnose. Rebus avait failli lui confier que son père était hypnotiseur de cabaret, que son frère avait suivi ses traces et continuait peut-être d'exercer le métier quelque part…

Inspirer profondément… Se vider l'esprit… Détendre la tête, le front, les mâchoires, les muscles du cou, le torse, les bras… Compter à rebours jusqu'à zéro… Aucun stress, aucun effort.

Au début, il traitait son médecin de pingre, le soupçonnait de rechigner à lui prescrire des médicaments coûteux. Mais ça semblait marcher. Le travail sur soi avait du bon. Et le travail sur Patience Aitken…

– Tiens, dit-elle en entrant dans la salle de bains, un grand verre de jus d'orange à la main. Fraîchement pressé de la main du Dr Patience Aitken.

Il sortit un bras mousseux et l'enlaça par la croupe.

– Fraîchement pressé par l'inspecteur Rebus…

Elle se pencha et l'embrassa sur le front.

– Tu devrais utiliser du shampoing fortifiant, John. Tes racines dépérissent.

– Je vais te montrer quelque chose qui ne dépérit pas…

– Couché, Johnny ! dit-elle en plissant les yeux.

Avant qu'il puisse l'attraper, elle quitta en vitesse la salle de bains. Rebus sourit et s'enfonça davantage dans l'eau.

Respirer profondément… Se vider l'esprit… Gregor Jack était-il victime d'un coup monté ? Dans ce cas, qui en était l'auteur ? Et à quelles fins ? Déclencher un scandale, bien sûr. Un scandale politique qui ferait les gros titres. Mais il régnait chez Gregor Jack une ambiance… une ambiance étrange, en fait. On sentait évidemment de la tension, mais aussi une espèce de fébrilité glaciale, comme si le pire restait à venir.

L'épouse… Elizabeth… C'était tout de même curieux. Oui, quelque chose clochait. Il manquait d'éléments, devait se renseigner sur le contexte. Tout ça parce qu'il avait besoin d'en avoir le cœur net. L'adresse du cottage était gravée dans sa mémoire, mais pour avoir déjà eu affaire à ses collègues des Highlands il doutait fort que quelqu'un soit au poste pour lui répondre un dimanche. Le contexte… Il repensa à Chris Kemp, le jeune reporter. Oui, pourquoi pas… Allez, les bras, c'est l'heure de se réveiller ! Allez, le torse, le cou et la tête ! Le dimanche n'était pas fait pour paresser. Certains n'avaient pas droit au repos dominical.

Patience glissa la tête dans l'embrasure.

– On se fait une petite soirée au calme ? Je vais nous préparer un…

– Au diable les soirées tranquilles ! tonna Rebus en se dressant. Je t'emmène boire un verre.

– Tu me connais, John : un peu glauque, ça ne me dérange pas. Mais là, ça dépasse les bornes ! Tu ne trouves pas que je mérite un peu mieux que ce pub minable ?

Rebus embrassa Patience sur la joue, posa leurs consommations et s'installa à côté d'elle.

– Je t'ai pris une double rasade.

– Je vois. Ça ne laisse pas beaucoup de place pour le tonic.

Ils étaient dans l'arrière-salle du *Horsehair*, un pub de Broughton Street. Par la porte ouverte on apercevait la salle principale, toujours aussi bruyante. Pour avoir une conversation, les gens se tenaient à une dizaine de pas l'un de l'autre, comme des duellistes. Ce qui donnait des cris dans tous les sens, avec abondance de tirs croisés et de quiproquos. Malgré le vacarme, la clientèle s'amusait bien. On s'entendait mieux dans l'arrière-salle disposée en forme de « U » – banquettes molles contre les murs, chaises branlantes, petites tables en forme de losange fixées au sol. On racontait que les sièges étaient rembourrés avec du crin de cheval qui n'avait pas été changé depuis les années vingt. Ce qui avait valu son surnom à l'établissement, dont le vrai nom plus prosaïque était depuis longtemps tombé aux oubliettes.

Patience versa la moitié d'une bouteille de tonic dans son gin et Rebus sirota sa pinte de IPA.

– Santé, dit-elle sans grand enthousiasme. Je me doute bien qu'il y a une raison. Je veux dire, une raison pour qu'on soit là. Et j'ai comme l'idée que ça doit avoir un rapport avec ton boulot.

– Oui, reconnut Rebus en posant son verre.

– Donnez-moi du courage, dit-elle en fixant le plafond taché de nicotine.

– Ça ne va pas être long. Après, je me disais qu'on pourrait aller ailleurs. Un endroit un peu plus dans ton style.

– Ne prends pas cet air méprisant, espèce de mufle !

Il fixa sa bière. Puis il aperçut un nouveau venu près du comptoir et lui fit signe. Le jeune homme s'approcha avec un sourire las.

– On ne vous voit pas souvent ici, inspecteur Rebus.

– Asseyez-vous. C'est ma tournée. Patience, je te présente Chris Kemp, la fine fleur des jeunes reporters écossais.

Rebus se leva et se dirigea vers le bar. Kemp prit une chaise et la testa avant de s'asseoir.

– Il doit avoir besoin d'un service, dit-il à Patience en pointant le menton vers le comptoir. Il sait qu'avec moi la flatterie ça marche à tous les coups !

En fait, il ne s'agissait nullement de flatteries. Chris Kemp avait fait ses débuts dans un journal du soir d'Aberdeen, où il avait décroché plusieurs prix. Après un passage par Glasgow qui lui avait valu le titre de Meilleur Jeune Journaliste de l'année, il avait atterri à Édimbourg où il « mijotait » (pour reprendre son expression) depuis un an et demi. Tout le monde savait qu'il finirait à Londres. Lui le premier. C'était couru d'avance. Il n'avait plus grand-chose à « mijoter » en

Écosse. Tout le problème était que sa petite amie n'aurait pas terminé ses études avant un an et demi, à supposer qu'elle accepte jamais d'aller s'installer en Angleterre...

Le temps que Rebus revienne, le journaliste avait raconté tout ça et bien d'autres choses à Patience. Celle-ci avait un léger voile dans le regard, sans que Kemp s'en aperçoive, tout talentueux qu'il était. Pendant qu'il parlait, elle se demandait : John Rebus en vaut-il la peine ? Vaut-il les efforts que ça me coûte ? Elle n'était pas amoureuse de lui, cela allait de soi. L'Amour, elle l'avait croisé à plusieurs reprises adolescente, vers vingt ans, et même la trentaine passée. Cela se soldait toujours de façon mitigée ou désastreuse. Elle en était arrivée à la conclusion que l'Amour pouvait aussi bien sonner la fin d'une relation que son commencement.

Elle le constatait quotidiennement chez ses patients. Elle voyait des femmes et même quelques hommes que l'amour avait rendus malades, à force de trop aimer sans l'être en retour. Ils n'étaient pas moins malades que l'enfant souffrant d'une otite ou le retraité d'une angine. Elle avait sa compassion et ses paroles à leur offrir, mais aucun médicament.

Le temps guérit, lui arrivait-il de laisser échapper. Oui, une callosité se formait sur la blessure, dure et protectrice. D'ailleurs, c'était exactement comme ça qu'elle se sentait : dure et protectrice. Mais John Rebus avait-il besoin de sa solidité, de sa protection ?

– Voilà, dit-il en revenant. Désolé, mais le barman est très lent ce soir.

Chris Kemp prit son verre avec un léger sourire.

– J'étais en train de raconter à Patience…

Aïe… songea Rebus en s'asseyant. Elle a son regard à vous givrer la banquise. J'aurais mieux fait de ne pas la traîner ici. Oui, mais si je lui avais annoncé que je sortais seul… Eh bien, elle aurait réagi de la même façon. Allons, on va essayer de faire vite. La soirée est peut-être encore récupérable.

– Alors, Chris, dit-il en coupant la parole au jeune homme, quels sont les ragots sur Gregor Jack ?

Apparemment, Chris Kemp avait de quoi dire à ce sujet. Et le nom de Gregor Jack piqua la curiosité de Patience qui en oublia momentanément qu'elle passait une mauvaise soirée.

Rebus s'intéressait avant tout à Elizabeth Jack, mais le journaliste commença par le mari et ce qu'il avait à lui apprendre était passionnant.

Il leur présenta un Gregor Jack différent du personnage public, de l'image que les gens avaient de lui, mais qui n'avait non plus rien à voir avec l'idée que Rebus s'était faite après l'avoir rencontré. Par exemple, il n'aurait jamais cru que Jack buvait.

– Il a un gros faible pour le whisky, leur confia Kemp. Il se tape bien sa demi-bouteille quotidienne, et encore plus à Londres, d'après ce qui se dit.

– Pourtant il n'a jamais l'air d'être ivre.

– Parce que ça n'atteint jamais ce stade. Mais il a une bonne descente.

– Quoi d'autre ?

Kemp était loin d'avoir terminé.

– Sous ses dehors lisses, c'est quelqu'un de roublard. Profondément fourbe. Je ne lui confierais pas l'ombre de ma main. Je connais quelqu'un qui était en fac avec lui. D'après cette personne, Gregor Jack a toujours agi dans sa vie de manière préméditée. Y compris pour la conquête de Mme Jack.

– Qu'est-ce que vous voulez dire ?

– On raconte qu'ils se sont rencontrés au cours d'une soirée à la fac. Gregor l'avait déjà croisée, sans lui prêter attention. Par contre, dès qu'il a su qu'elle était riche, ça a tout changé. Il a mis les bouchées doubles et la dame est passée à la casserole... Désolé, l'expression n'est pas très jolie.

Patience, qui en était à son deuxième gin-tonic, se contenta d'incliner légèrement la tête.

– C'est quelqu'un de calculateur, voyez-vous. N'oubliez pas qu'il a une formation de comptable. Ça, on peut dire qu'il a un esprit de comptable. Qu'est-ce que vous prenez ?

Rebus fit mine de se lever.

– C'est bon, Chris. J'y vais.

Kemp ne voulut pas en entendre parler.

– N'allez pas croire que je vous raconte tout ça pour deux pintes, inspecteur...

Quand il revint avec la tournée suivante, le journaliste remit le sujet sur la table.

– Pourquoi vous vous intéressez à lui, inspecteur ?

Rebus haussa les épaules.

– Il y a matière à investigation ? insista Kemp.

– Peut-être. Trop tôt pour le dire.

Une discussion entre professionnels, où tout était affaire de non-dit.

– Mais ça se pourrait ?

– Si ça donne un scoop, Chris, en ce qui me concerne, il vous appartient.

– J'ai passé la journée sur place, dit Kemp en buvant une gorgée. Tout ça pour obtenir une déclaration simple et directe. Aucun commentaire et bla-bla-bla. Vous avez quelque chose sur Jack ?

– Trop tôt pour le dire. C'est intéressant, ce que vous m'avez raconté sur l'épouse de Jack…

Le regard de Kemp resta impassible.

– Le scoop sera pour moi ?

– Pas de problème, dit Rebus en se massant le cou.

Kemp parut soupeser l'offre. Comme le savait Rebus, ce n'était que du vent. Kemp finit par poser son verre. Il était disposé à en dire davantage.

– Ce que Jack ignorait, c'est que Liz Ferrie faisait partie d'une bande de jeunes très branchés. Des gens de son milieu. Gregor a mis un certain temps à s'immiscer dans le groupe. N'oubliez pas qu'il est d'origine modeste. Un grand échalas, toujours un peu gauche à l'époque. À la longue, il s'est fait accepter. Elle était folle de lui, elle ne le quittait plus. Jack lui aussi avait son clan. Il l'a toujours, d'ailleurs.

– Je ne vous suis pas…

– Surtout des copains d'enfance, quelques amis de fac. Ils se sont baptisés la Meute.

– Il y en a un qui est libraire, c'est bien ça ?

– Ronald Steele, acquiesça Kemp avec un hochement de tête. Dans la Meute, on le surnomme Suey. D'où le nom de sa librairie : *Suey Books*.

– C'est bizarre comme surnom, fit remarquer Patience.

– Je ne sais pas d'où ça lui vient, reconnut Kemp. J'aimerais bien le savoir mais je n'ai pas trouvé.

– Qui d'autre y a-t-il ? s'enquit Rebus.

– Je ne sais pas combien ils sont en tout. Les plus intéressants sont Rab Kinnoul et Andrew Macmillan.

– L'acteur Rab Kinnoul ?

– Lui-même.

– C'est étonnant, je dois justement lui parler. Ou plutôt à sa femme.

– Ah bon ?

Kemp flairait une piste mais Rebus secoua la tête.

– Ça n'a rien à voir avec Jack. Une affaire de livres volés. Mme Kinnoul est bibliophile à ses heures.

– Il ne s'agirait pas du butin volé chez ce cher professeur Costello ?

– Tout à fait.

Kemp était journaliste dans l'âme.

– L'enquête avance ?

Rebus haussa les épaules.

– Je sais, fit Kemp, c'est trop tôt pour le dire.

Le journaliste et Patience rirent de bon cœur. Mais Rebus venait d'être frappé par quelque chose.

– Ce n'est tout de même pas le Andrew Macmillan auquel je pense ?

Kemp fit oui de la tête.

– Ils étaient à l'école ensemble.

– Ça alors !

Rebus fixa la table en plastique et Kemp expliqua à Patience qui était Andrew Macmillan.

– Un type brillant, dans je ne sais plus trop quel domaine. Un jour, il a pété les plombs. Il a mis à sac leur baraque et décapité sa femme.

– Je m'en souviens, dit Patience avec un mouvement d'effroi. On n'a jamais retrouvé la tête, si je ne m'abuse.

Kemp opina du chef.

– Il aurait sans doute zigouillé aussi leur fille mais celle-ci s'est enfuie. Elle a perdu un peu la boule, si vous me passez l'expression, dit-il en se tournant vers Patience. Ça se comprend.

– Je me demande ce qu'il est devenu… s'interrogea Rebus à voix haute.

Le drame remontait à plusieurs années et s'était déroulé à Glasgow, loin de son territoire d'Édimbourg.

– Oh, fit Kemp, il est dans ce nouvel hôpital psychiatrique qui vient d'ouvrir.

– Vous voulez parler de Duthil ? dit Patience.

– C'est ça. Dans les Highlands. Près de Grantown, non ?

Tiens donc, songea Rebus. De plus en plus étrange. Sans être un expert en géographie, il lui semblait que Grantown n'était pas situé très loin de Deer Lodge.

– Et Jack a-t-il gardé le contact ?

Ce fut au tour de Kemp de hausser les épaules.

– Aucune idée.

– Ils se sont donc connus à l'école ?

– C'est ce qu'on raconte. Pour être franc, je trouve que Liz Jack est un personnage plus intéressant que son mari. De loin. Mais l'entourage de Jack veille à la tenir à l'écart.

– C'est vrai. Pourquoi ?

– Parce qu'elle est restée une enfant terrible. Elle continue de voir la même bande. Jamie Kilpatrick, Matilda Merriman, cette clique-là. Les fêtes, l'alcool, la drogue, les orgies… et Dieu sait quoi. De toute façon, la presse est au régime sec. Et dès qu'on tombe

sur la moindre miette, on est systématiquement cen-
suré.

– Ah bon ? fit Rebus.

Vous savez, les rédacteurs en chef sont inquiets de
nature. Et Sir Hugh Ferrie a le procès facile pour tout
ce qui touche à sa famille.

– Vous faites référence à l'usine électronique ?

– CQFD.

– Parlez-moi un peu de la bande de Liz Jack.

– Des aristos, surtout des gens de bonne famille, plus
quelques nouveaux riches.

– Et la dame ?

– Eh bien, on peut dire qu'au début elle lui a mis le
pied à l'étrier. Je crois qu'il a toujours voulu faire de la
politique, et un député ne peut pas se permettre de
rester célibataire. Les gens finissent par vous soupçonner d'être pédé. Je pense qu'il s'est cherché quelqu'un
de jolie et riche, avec un père influent. Quand il a mis
la main sur elle, il ne l'a pas laissée filer. Et aux yeux
du public, c'est un couple qui marche. On sort Liz pour
les photos, et puis elle redisparaît. Tout les sépare,
voyez-vous. Le feu et la glace. Le feu, c'est elle. Et lui
la glace… en général pour accompagner son verre de
scotch.

Kemp était d'humeur loquace ce soir-là. Il se livra
ensuite à quelques spéculations. Malgré tout, c'était
intéressant d'entendre un autre son de cloche. Méditant
sur ce point, Rebus s'excusa pour faire un tour aux
toilettes. L'urinoir en forme de mangeoire était plein à
ras bord, comme Rebus l'avait toujours connu. La
condensation sur la citerne située au-dessus s'écoulait
inlassablement sur la tête de quiconque commettait

l'imprudence de trop s'approcher. Les graffitis devaient être l'œuvre d'un raciste dyslexique. «Souviens-toi de 1960. » Il y en avait quelques-uns de nouveaux, au feutre. Rebus lut le *Notre Bière* : «Notre bière qui est mousseuse, Que la blonde soit fermentée… »

À défaut d'avoir obtenu tout ce qu'il espérait, Rebus comprit que Kemp n'avait rien de plus à lui apprendre. Inutile de s'attarder davantage. Il sortit prestement des toilettes et aperçut un jeune homme qui discutait avec Patience. L'inconnu retourna vers la salle principale et elle lui lança un sourire.

– C'est qui ? demanda Rebus sans s'asseoir.

– Il habite l'immeuble voisin dans Oxford Terrace, répondit-elle d'un ton négligent. Il bosse à la Répression des Fraudes. Je suis surprise que tu ne l'aies pas croisé.

Rebus marmonna quelque chose et tapota soudain sa montre.

– C'est de votre faute, Chris. On passerait la nuit à vous écouter. On avait rendez-vous au restau il y a vingt minutes. Kevin et Myra vont nous tuer. On doit filer, Patience. Je vous appellerai, Chris. En attendant, dit-il en se penchant vers lui et en baissant la voix, essayez de découvrir qui a vendu la mèche à la presse pour la rafle du bordel. Ça pourrait bien être le début d'une piste. Salut, lança-t-il en se redressant. À la prochaine !

– Salut, Chris, dit Patience en se faufilant pour s'extraire de la banquette.

– Ouais, c'est ça… Salut.

Chris Kemp se retrouva seul et se demanda s'il avait dit quelque chose de travers.

Dehors, Patience se tourna vers Rebus.

– Kevin et Myra ?

– Nos plus vieux copains, expliqua Rebus. C'est une excuse qui en vaut une autre ! En plus, j'ai promis de t'emmener dîner. Tu pourras me parler de notre voisin.

Rebus saisit fermement le bras de Patience et ils regagnèrent la voiture – celle de Patience. N'ayant jamais vu John Rebus jaloux, elle ne pouvait pas en être sûre à cent pour cent, mais cela ressemblait bien à de la jalousie. Comme quoi, on n'était jamais au bout de ses surprises.

3

Terrain glissant

Le printemps à Édimbourg. Un vent glacial, la pluie qui tombait quasiment à l'horizontale. Ah, le fameux vent d'Édimbourg ! Ce vent sournois, tragi-comique, qui vous transformait les passants en mimes, qui commençait par vous faire pleurer avant de sécher vos larmes en formant une croûte par-dessus les engelures. Et cette odeur âcre de levure qui flottait en permanence dans l'air, rappelant la proximité des brasseries. Il avait gelé pendant la nuit. Malgré sa fourrure et son âme de rôdeur, Lucky était venu miauler à la fenêtre. Les oiseaux pépiaient déjà quand Rebus s'était levé pour le faire entrer. Il avait consulté sa montre – deux heures et demie. Que fichaient ces maudits volatiles ? Quand il se réveilla de nouveau à six heures, on n'entendait plus aucun cui-cui. Sans doute des oiseaux qui cherchaient à éviter les heures de pointe...

Par ce froid, sa voiture jugea très comique de mettre cinq minutes à démarrer. Si ça continuait, il lui mettrait un nez rouge sur la calandre. Le gel n'avait pas épargné le perron du poste de Great London Road, élargissant les fissures des marches. Rebus gravit précautionneusement ces espèces de gaufrettes en pierre.

Et glissantes, qui plus est. On se garderait bien de les réparer. De toute façon, les rumeurs allaient bon train. Le poste de Great London Road était fichu, condamné, insalubre. On prédisait sa fermeture. Après tout, c'était un emplacement de choix. Pour un énième hôtel ou un immeuble de bureaux. Et le personnel ? Réparti sur divers sites, d'après les rumeurs. La majeure partie devait paraît-il être transférée à St Leonard, le QG divisionnaire. Nettement plus près de l'appartement de Rebus à Marchmont, mais beaucoup plus loin d'Oxford Terrace et du Dr Patience Aitken. Rebus avait conclu un pacte, une sorte de contrat avec lui-même : si la rumeur se confirmait dans les semaines à venir, il y verrait un signe de l'au-delà, l'indication qu'il ne devait pas s'installer chez Patience. Par contre, si Great London Road demeurait en activité, ou si on le transférait au QG de Fettes (à cinq minutes d'Oxford Terrace), alors… Alors quoi ? Que ferait-il ? Les clauses en petits caractères étaient toujours en cours de rédaction.

– Salut, John.

– Salut, Arthur. Des messages ?

Le sergent de permanence fit non de la tête. Rebus se passa les mains sur le visage et les oreilles, pour les dégeler, et gravit l'escalier jusqu'à son bureau où le linoléum était au moins aussi casse-cou que la pierre du perron.

Sans compter la menace du téléphone.

– Rebus à l'appareil.

– John ? Vous avez une minute ?

La voix du superintendant Watson. Rebus se mit à

brasser bruyamment des papiers, en espérant lui faire croire qu'il était à la tâche depuis plusieurs heures.

– C'est à dire que, monsieur…

– Ne faites pas le mariole, John. J'ai déjà appelé il y a cinq minutes.

Rebus laissa la paperasse tranquille.

– J'arrive tout de suite, monsieur.

– C'est ça.

Sur ce, Watson raccrocha. Rebus enleva sa parka imperméable, qui prenait toujours l'eau aux épaules. Il tâta sa veste, trempée comme il se devait. Histoire de bien entamer la semaine, comme ce petit entretien avec le Paysan dès le lundi matin. Il inspira longuement et brandit les mains à la manière d'un artiste de music-hall.

– Que le spectacle commence !

Plus que cinq jours de boulot avant le week-end.

Il passa un rapide coup de fil au poste de Dufftown, pour leur demander d'aller jeter un coup d'œil à Deer Lodge.

– Dear Lodge ? répéta la voix au bout du fil. Vous écrivez ça D-e-a-r ?

– Non, D-e-e-r, corrigea Rebus.

Même si ça a dû leur coûter une coquette somme, songea-t-il[1].

– On cherche quelque chose en particulier ?

La femme d'un député… les traces d'une orgie… des sacs de farine remplis de cocaïne…

_____

1. *Deer*, qui signifie « cerf », se prononce comme *dear*, qui signifie « cher ».

– Non, dit Rebus. Rien de spécial. Tenez-moi au courant.

– D'accord. Ça risque de prendre un peu de temps.

– Dès que vous pouvez… dit Rebus en se souvenant qu'on l'attendait. Dès que vous pouvez.

Le superintendant Watson entra dans le vif du sujet avec le tranchant d'une lame de rasoir.

– Que fichiez-vous chez Gregor Jack hier matin?

Rebus fut presque pris de court. Presque.

– Qui a cafté?

– Peu importe. Dépêchez-vous de répondre… Un café?

– Ce ne serait pas de refus.

L'épouse de Watson lui avait offert une cafetière à Noël. Peut-être pour l'inciter à réduire sa consommation de whisky Teacher. Peut-être dans l'espoir de le voir rentrer sobre un de ces soirs. Pour l'instant, cela avait pour seul effet que Watson débordait d'activité le matin. L'après-midi, en revanche, il était pris de somnolence après ses déjeuners bien arrosés. On avait donc tout intérêt à l'éviter en matinée. Mieux valait attendre l'après-midi pour lui parler de ces quelques jours de congé que vous envisagiez de prendre ou lui avouer un coup foireux. Avec un peu de chance, on s'en tirait avec un « tss, tss ». Le matin, par contre… Le matin, rien à voir.

Rebus prit le mug. Du café très fort; il avait dû verser la moitié du paquet dans le filtre. Une bonne dose de caféine pour s'irriguer les veines.

– Ça va vous paraître idiot, mais je passais juste dans le coin.

– Je vous donne raison, dit Watson en s'installant derrière son bureau. Ça me paraît complètement idiot. Même en admettant que vous passiez effectivement dans le coin…

– Enfin, pour être franc, ce n'est pas tout.

Watson se cala dans son fauteuil, tenant son mug à deux mains, et attendit l'explication. Il devait se dire : il va m'en sortir une bonne. Mais Rebus n'avait aucun intérêt à lui mentir.

– J'apprécie Gregor Jack. En tant que député, j'entends. Pour moi, il fait un super boulot. J'ai trouvé un peu… enfin, ça tombe vraiment mal qu'on fasse une rafle le soir-même où il est là, non ?

La faute à pas de chance ? Pouvait-on vraiment s'en tenir là ?

– Alors, poursuivit-il, comme j'étais dans le coin… j'ai passé la nuit chez le sergent Holmes, qui vient d'emménager dans la circonscription de Jack… je me suis arrêté une seconde. Il y avait pas mal de journalistes sur place. Je n'avais aucune idée précise en tête, et puis j'ai vu la voiture de Jack garée dans l'allée, là où n'importe qui pouvait la voir. Je me suis dit que ce n'était pas prudent, qu'un journal risquait de publier la photo. Tout le monde reconnaîtrait la voiture de Jack, et même son numéro d'immatriculation. On n'est jamais trop prudent. Alors je suis entré et j'ai suggéré qu'on mette la voiture au garage.

Il se tut. Que dire de plus ? Autant s'en tenir là. L'air pensif, Watson avala une nouvelle dose de café avant de s'exprimer.

– Vous n'êtes pas le seul, John. Moi aussi j'ai des remords pour l'Opération Chalut. Pourtant, nous n'avons rien à nous reprocher. Et maintenant que la presse est sur le coup, ils ne lâcheront pas ce pauvre bougre jusqu'à ce qu'il démissionne.

Rebus doutait qu'on en arrive là ; Jack ne lui avait pas du tout semblé sur le point de jeter l'éponge.

– Si on pouvait aider Jack…

Watson se tut et chercha à croiser le regard de Rebus. Une manière d'avertissement – tout cela était officieux, sans trace écrite, mais avait fait l'objet de discussions dans des sphères qui le dépassaient. Peut-être même au-dessus de Watson. Le superintendant en chef se serait-il fait taper sur les doigts par les grands manitous ?

– … Je ne serais pas du tout opposé à ce qu'on lui apporte notre soutien, John. Si vous comprenez ce que je veux dire.

– Je crois que oui, monsieur.

Sir Hugh Ferrie avait des amis haut placés. Rebus commençait à se demander jusqu'où s'étendait leur influence.

– Très bien.

– Juste une chose, monsieur. Qui vous a renseigné pour le bordel ?

Watson secoua la tête avant même qu'il achève sa question.

– Je ne peux pas vous le dévoiler, John. Je vois où vous voulez en venir : vous vous demandez si Jack est victime d'un coup monté. Même si c'est le cas, mon informateur n'y est pour rien. Je peux vous l'assurer. S'il y a bien eu machination, la question est de savoir pourquoi Jack se trouvait sur place, et non pas ce que nous faisions là.

– Et la presse ? Elle aussi était au courant. Je parle de l'Opération Chalut.

Watson opina de la tête.

Encore une fois, mon informateur n'y est pour rien. Mais j'y ai réfléchi moi aussi. Ça vient forcément de l'un d'entre nous. Un policier impliqué dans l'Opération Chalut.

– Personne d'autre ne connaissait la date ?

Watson sembla retenir sa respiration un instant, puis fit non de la tête. Il mentait, bien évidemment. Rebus le sentait. Inutile d'insister, en tout cas pour l'instant. Watson avait ses raisons de mentir, qui s'éclairciraient en temps voulu. En attendant, sans pouvoir se l'expliquer, Rebus était davantage inquiet pour Mme Jack. De l'inquiétude ? Le terme était un peu fort. Même pas du souci. Plutôt… mettons, de l'intérêt. Tout à fait. Mme Jack éveillait son intérêt.

– Des progrès sur les bouquins ?

Quels bouquins ? Ah oui, les livres volés. Il haussa les épaules.

– On a fait le tour des libraires. La liste circule. On pourrait même faire paraître un entrefilet dans les revues professionnelles. Ça m'étonnerait qu'un libraire prenne le risque de racheter un des bouquins. À part ça… il reste à interviewer les bibliophiles. Notamment la femme de Rab Kinnoul.

– L'acteur ?

– C'est ça. Ils habitent près de South Queensferry. Madame collectionne les éditions originales.

– Vous feriez mieux de vous déplacer en personne, John. On ne va pas envoyer un agent chez Rab Kinnoul.

Rebus saisit l'occasion et vida son mug. Il avait les nerfs qui grésillaient comme du bacon dans une poêle à frire.

– Bien, monsieur. Autre chose ?

Watson n'avait plus besoin de lui et se leva pour remplir sa tasse.

– C'est une vraie drogue, marmonna-t-il alors que Rebus sortait. Mais ça me donne un sacré jus !

Rebus ne savait s'il fallait en rire ou en pleurer.

Rab Kinnoul était tueur à gages à succès.

Il s'était fait un nom à la télé : l'immigré écossais dans un *sitcom* londonien, le jeune médecin de village dans un feuilleton sur la vie rurale, et quelques apparitions en tant que *guest star* dans des programmes plus cotés tels que *The Sweeney* (un jeune fugueur écossais) ou la série *Knife Ledge*, où il jouait un tueur à gages.

Cette dernière interprétation avait marqué un tournant dans sa carrière. Remarqué par un directeur de casting londonien, Kinnoul avait décroché un rôle d'assassin dans une série B britannique qui avait bien marché et connu un bon accueil critique aux États-Unis et en Europe. Convié à Hollywood, le réalisateur avait convaincu ses producteurs que Rab Kinnoul serait idéal pour incarner un gangster dans l'adaptation d'un roman d'Elmore Leonard.

Il s'était donc installé en Amérique, où il avait enchaîné les seconds rôles dans des polars plus ou moins prestigieux, toujours avec autant de succès. Il était doté d'un visage et d'un regard dans lesquels pouvaient se lire tout et son contraire. Quand on voulait y voir quelqu'un de maléfique, on y percevait exactement cela. Idem pour un tueur psychotique. On le cantonnait dans ce genre de rôles et il s'y fondait à merveille, mais sa carrière aurait pu prendre un autre tour et il aurait tout aussi facilement pu incarner les jeunes premiers, les bons camarades, les héros sympathiques.

Depuis quelque temps, il était de nouveau installé en Écosse. On racontait qu'il lisait des scénarios, envisageait de se lancer dans la production, hésitait à prendre sa retraite. La retraite à trente-neuf ans, Rebus avait du mal à concevoir. À cinquante ans peut-être, mais pas à trente-neuf. Comment occuper ses journées ? En arrivant devant la maison des Kinnoul, la réponse lui sauta aux yeux. Quand on habitait une baraque de cette taille, il suffisait de repeindre les murs extérieurs à longueur de journée. C'était comme le viaduc ferroviaire du Forth : le temps de le nettoyer d'un bout à l'autre, il n'y avait plus qu'à recommencer.

Autrement dit, c'était une vaste demeure, même vue de loin. Elle était bâtie à flanc de coteau, dans un paysage dénudé. De l'herbe haute et quelques arbres mutilés par le vent. Un torrent coulait à proximité, qui se jetait dans le Firth of Forth. En l'absence de clôture, Rebus jugea que tout le terrain devait appartenir à Kinnoul.

Il s'agissait d'un édifice de style moderne, à supposer que le qualificatif s'applique encore aux années soixante. Une sorte de bungalow, en cinq fois plus grand. Ça faisait penser à un chalet suisse de carte postale, sauf qu'à la place du bois l'extérieur était en crépi.

– J'ai vu de plus jolies HLM, se murmura Rebus à lui-même en se garant dans l'allée pavée de galets.

Mais en descendant de voiture, il comprit un des attraits du lieu. La vue. Les deux ponts spectaculaires du Firth of Forth assez proches, la rivière calme et scintillante, les charmes verdoyants du Fife baignés de soleil sur l'autre rive. On ne voyait pas Rosyth, mais à l'est on distinguait tout juste la ville côtière de Kirkcaldy, où Gregor Jack et vraisemblablement Rab Kinnoul avaient été à l'école.

– Non, devait lui déclarer Mme Kinnoul – Cath pour les intimes – un peu plus tard en entrant dans le salon. Les gens font toujours la confusion.

Elle était venue ouvrir alors qu'il était toujours en train d'observer les lieux.

– Vous admirez le paysage ?

Il lui avait souri.

– C'est Kirkcaldy qu'on aperçoit là-bas ?

– Oui, je crois bien.

Rebus s'était retourné et avait gravi les marches du perron, flanqué de rocaille et de bordures bien taillées. Mme Kinnoul était du genre à aimer le jardinage. Tenue simple et sourire accueillant. Cheveux permanentés, ramenés en arrière et retenus par une pince. Un air vaguement années cinquante. Rebus ne savait pas trop à quoi il s'attendait, sans doute une blonde hollywoodienne, mais pas du tout à ça.

– Cath Kinnoul, dit-elle en lui tendant la main. Désolée, mais j'ai oublié votre nom.

Il avait téléphoné, bien entendu. Pour prévenir de sa visite, s'assurer qu'il y aurait quelqu'un.

– Inspecteur John Rebus.

– C'est ça. Eh bien, entrez.

Certes, il aurait pu régler ça par téléphone. « Les

ouvrages suivants ont été volés… Quelqu'un vous les aurait-il proposés ?… Si cela se produisait, pourriez-vous nous avertir immédiatement ?… » Mais comme tout policier, Rebus aimait voir à qui il avait affaire. Rencontrée *de visu*, une personne trahissait souvent quelque chose. De l'agitation, de la nervosité. Cath Kinnoul, pour sa part, ne paraissait pas du tout décontenancée. Elle revint dans le salon avec le service à thé sur un plateau. Rebus était devant la porte-fenêtre, appréciant le panorama.

– Votre mari a été à l'école à Kirkcaldy, n'est-ce pas ?

C'était là qu'elle lui avait répondu :

– Non. Les gens font souvent la confusion. À cause de Gregor Jack, je crois. Le député.

Elle posa le plateau sur la table basse. Rebus se retourna et parcourut la pièce du regard. Aux murs étaient accrochées des photos encadrées. Rab Kinnoul dans ses films. Des portraits dédicacés d'acteurs et d'actrices que Rebus aurait sans doute dû reconnaître. Un téléviseur 80 cm trônait au centre de la pièce, avec un magnétoscope posé dessus. De part et d'autre étaient empilées des cassettes vidéo à même le sol.

– Asseyez-vous, inspecteur. Vous prenez du sucre ?

– Juste du lait, s'il vous plaît. Pour en revenir à votre mari et Gregor Jack…

– Ah, oui. Comme on les voit tous les deux à la télé, les gens s'imaginent qu'ils se connaissent forcément.

– Ce n'est pas le cas ?

– Si ! Si ! dit-elle en riant. Ils se connaissent. Mais par mon intermédiaire. Les gens se sont emmêlé les pinceaux, et on s'est mis à raconter dans la presse que

Rab et Gregor s'étaient connus sur les bancs de l'école. Ce qui est absurde. Rab a passé son enfance à Dundee. C'est moi qui ai connu Gregor à l'école. On a même été à l'université ensemble.

Comme quoi, il arrivait à la fine fleur des jeunes reporters de se tromper. Rebus prit la tasse et sa soucoupe en porcelaine, remerciant Cath Kinnoul d'un hochement de tête.

– À l'époque, bien entendu, je n'étais que Catherine Gow. J'ai rencontré Rab par la suite, quand il travaillait déjà pour la télévision. Il jouait une pièce à Édimbourg. On a fait connaissance dans un pub après la représentation. Maintenant je suis Cath Kinnoul, dit-elle en tournant distraitement la cuiller dans son thé. La femme de Rab Kinnoul. Presque plus personne ne m'appelle Gowk.

– Gowk[1] ? fit Rebus qui pensait avoir mal entendu.

Elle le dévisagea.

– Mon surnom. Chacun avait un surnom. Gregor, c'était Pouilleux…

– Et Ronald Steele se faisait appeler Suey.

Elle cessa de remuer son thé et le fixa comme si elle venait de découvrir sa présence.

– Tout à fait. Mais comment…

– C'est le nom de sa librairie, expliqua-t-il.

– Oui… Eh bien, concernant ces ouvrages…

Rebus se fit trois réflexions. Primo, pour quelqu'un qui était censé être bibliophile, il y avait vraiment très peu de livres. Deuzio, il aurait préféré continuer à par-

---

1. *Gowk* signifie « simplette ».

ler de Gregor Jack. Tertio, Cath Kinnoul était sous calmants. Ses lèvres mettaient une seconde de trop pour articuler chaque mot, et ses paupières paraissaient lourdes. Du Valium ? Des anxiolytiques ?

– Oui, dit-il. Les livres…

Il jeta un coup d'œil à la ronde – aucun acteur ne s'y serait laissé tromper.

– … M. Kinnoul n'est pas là ?

Elle sourit.

– La plupart des gens ne se gênent pas pour l'appeler Rab. Ils ont l'impression de le connaître parce qu'ils le voient à la télé, et ça leur donne le droit de l'appeler par son prénom. On voit que vous êtes policier, à l'appeler monsieur Kinnoul…

Elle était sur le point d'agiter l'index dans sa direction mais se ravisa et but son thé. Prenant la tasse à pleine main et non par l'anse fragile, elle la vida d'un trait.

– J'ai vraiment très soif ce matin… Je vous demande pardon. Où en étions-nous ?

– Vous me parliez de Gregor Jack.

– Vraiment ? dit-elle, l'air étonné.

Il opina du chef.

– Oui… J'ai lu les journaux. Des choses épouvantables. Sur lui et Liz.

– Mme Jack ?

– Oui, Liz.

– C'est quel genre de femme ?

Cath Kinnoul eut comme un frisson. Elle se leva lentement et posa sa tasse vide sur le plateau.

– Je vous ressers du thé ?

Il fit non de la tête. Elle se versa du lait, beaucoup de sucre et un nuage de thé.

– J'ai vraiment très soif ce matin… (Elle se dirigea vers la porte-fenêtre, tenant sa tasse à deux mains.) Liz est une femme très indépendante. On ne peut que l'en admirer. Ça ne doit pas être facile, quand on vit avec un homme qui est constamment sous les projecteurs. Ils se voient très rarement.

– Parce qu'il est très absent, vous voulez dire ?

– Oui, c'est ça. Mais Liz aussi est toujours à droite à gauche. Elle mène sa vie comme elle l'entend, elle a son propre cercle d'amis.

– Vous la connaissez bien ?

– Non, non, je ne dirais pas ça. Si vous saviez ce qu'on a pu faire quand on était à l'école… Qui aurait cru… (Elle effleura la vitre du bout des doigts.) Notre maison vous plaît-elle, inspecteur ?

Rebus fut pris de court par cette question.

– Euh… on peut dire que c'est spacieux. Vous avez de la place.

– Sept chambres. Avant nous, c'était une rock star qui habitait ici. Je ne pense pas que Rab l'aurait achetée si ça n'avait pas été la maison d'une vedette. Vous croyez vraiment qu'on a besoin de sept chambres ? On n'est que tous les deux… Tenez, voilà justement Rab qui rentre.

Rebus s'approcha de la fenêtre. Une Land Rover remontait l'allée en cahotant. À l'avant, une silhouette baraquée agrippait le volant à deux mains. La voiture s'immobilisa avec un crissement de pneus.

– À propos des livres volés, dit Rebus, soudain

métamorphosé en enquêteur efficace. Vous êtes biblio-phile, si je ne m'abuse ?

– Oui, je collectionne les livres rares. Essentielle-ment des éditions originales.

Cath Kinnoul s'était elle aussi glissée dans la peau d'un autre personnage – la femme qui assiste la police dans ses investigations.

La porte d'entrée s'ouvrit et se referma.

– Cath ? Qui s'est garé dans l'allée ?

La massive carrure de Rab Kinnoul pénétra dans la pièce. Il mesurait un mètre quatre-vingt-cinq et devait approcher le quintal. Bâti comme une armoire à glace, il portait une chemise écossaise rouge et un pantalon de velours côtelé marron retenu à la taille par une discrète ceinture étroitement serrée. Il se laissait pousser la barbe (rousse) et portait ses cheveux châtains plus longs que dans le souvenir de Rebus, quelques mèches lui couvrant les oreilles. Son regard exigeait une expli-cation. Rebus se dirigea vers lui.

– Je suis l'inspecteur Rebus.

Kinnoul parut tour à tour surpris, soulagé, puis inquiet. Ses yeux étaient vraiment déconcertants. On ne les voyait pas changer. À tel point que Rebus se demanda s'il n'avait pas imaginé les émotions succes-sives.

– Inspecteur, qu'est-ce que… enfin, est-il arrivé quelque chose ?

– Non, pas du tout, monsieur. Il s'agit simplement d'un vol de livres rares. Nous faisons le tour des col-lectionneurs privés.

– Ah…

Kinnoul afficha un sourire. Rebus n'avait pas le

souvenir de l'avoir vu sourire à l'écran, et comprit pourquoi. Le caïd dangereux se trouvait transformé en un adolescent monté en graine, au visage poupin et inoffensif.

– C'est donc à Cath que vous voulez parler ? (Il jeta un coup d'œil à sa femme par-dessus l'épaule de Rebus.) Ça va aller, Cath ?

– Très bien, Rab.

L'acteur fixa de nouveau Rebus. Le sourire avait disparu.

– Ça vous dirait de voir la bibliothèque, inspecteur ? Cath et vous n'avez qu'à vous y installer pour discuter.

– Très volontiers, monsieur.

Rebus rentra à Édimbourg par les petites routes. C'était plus agréable, et nettement plus tranquille. Il avait appris très peu de choses dans la bibliothèque des Kinnoul, mis à part que l'acteur se montrait excessivement protecteur envers sa femme, au point de ne pas la laisser seule avec lui. Qu'avait-il à craindre ? Il avait déambulé dans la pièce, avait fait mine de fureter parmi les rayonnages, avant de choisir un ouvrage et d'aller s'asseoir avec, sans cesser de tendre l'oreille tandis que Rebus posait quelques questions basiques. Avant de s'en aller, il avait remis la liste dactylographiée à Catherine Kinnoul, au cas où l'un des titres lui serait proposé, et celle-ci avait tripoté la feuille en hochant la tête.

Ladite bibliothèque occupait une pièce dans les étages, qui avait dû être une chambre à l'origine. Les rayonnages, pour la plupart protégés derrière des vitrines, tapissaient deux murs entiers. Ils abritaient une banale collection de livres, du moins banale aux yeux de Rebus. Contrairement à Catherine Kinnoul qui était enfin sortie de sa rêverie. Elle lui avait vanté certaines pièces.

– … une édition originale en bon état… une reliure veau… un exemplaire non coupé… Vous vous imaginez ? Ce livre a été imprimé en 1789, mais si je les coupais je serai la première à le lire. Ah, voici l'édition Creech de Burns. La première fois qu'il se faisait éditer à Édimbourg… J'ai aussi de la littérature contemporaine. Muriel Spark… *Les Enfants de minuit*… George Orwell…

– Vous les avez tous lus ?

Elle l'avait dévisagé comme s'il venait de l'interroger sur ces préférences en matière sexuelle. Son mari s'était approché d'elle et lui avait passé le bras autour de l'épaule.

– Cath est une bibliophile, inspecteur. Elle pourrait tout aussi bien collectionner les timbres, la porcelaine ou les poupées. N'est-ce pas, ma chérie ? Mais ce sont les livres. Elle les collectionne. Elle ne les lit pas.

Il lui avait serré affectueusement le bras.

Rebus secoua la tête en repensant à la scène et tapota son volant. Il avait mis une cassette des Stones. De quoi stimuler la pensée. D'un côté le professeur Costello, avec sa somptueuse bibliothèque, des livres relus à n'en plus finir, d'une valeur inestimable mais destinés à être empruntés, lus… De l'autre côté, Cath Kinnoul. Sans savoir pourquoi, elle lui faisait énormément pitié. Ça ne devait pas être simple d'être mariée à… Elle-même l'avait dit. Sauf qu'elle parlait de Liz Jack. Cette Mme Jack l'intriguait de plus en plus. Pour être franc, elle le fascinait. Il lui tardait vraiment de faire sa connaissance…

Dufftown rappela au moment où il pénétrait dans son bureau. Dans l'escalier, il avait eu vent de la rumeur : l'annonce officielle de la fermeture du poste de Great London Road serait faite dans le courant de la semaine suivante. Côté vie privée, ce serait donc un retour à Marchmont.

Le téléphone sonnait. C'était toujours la même chose : on l'appelait quand il arrivait ou quand il était sur le point de partir. Entre-temps, il pouvait rester assis des heures d'affilée sans recevoir le moindre…

– Allô ? Rebus à l'appareil.

Un silence. Le grésillement était digne d'un coup de fil venant de Sibérie.

– Vous êtes l'inspecteur Rebus ?

Il soupira et se laissa tomber dans son fauteuil.

– Lui-même.

– Bonjour, monsieur. La ligne est vraiment très mauvaise… Je suis le constable Moffat. Vous avez demandé qu'on aille faire un tour à Deer Lodge.

– Tout à fait, dit Rebus avec un intérêt accru.

– Eh bien, inspecteur, j'en reviens à l'instant et…

La voix fut recouverte par un crépitement de compteur Geiger surexcité. Rebus écarta le combiné de son oreille. Quand cela se calma, son interlocuteur était toujours en train de parler.

– … je ne vois pas ce que je peux vous dire de plus, monsieur.

– Commencez par me répéter la totale. La ligne a

décidé de nous pondre une supernova pendant que vous parliez.

L'agent s'exécuta en détachant chaque syllabe, comme s'il s'adressait à un débile mental.

– J'étais en train de vous dire, monsieur, que je me suis rendu à Deer Lodge mais qu'il n'y a personne sur place. Pas de voiture garée devant la maison. J'ai même jeté un coup d'œil par les fenêtres. Mais j'ai l'impression qu'il y a eu du passage récemment. J'ai aperçu quelques cadavres…

– Des cadavres ? s'exclama Rebus.

– Des bouteilles vides, des verres. On dirait bien qu'ils ont fait une petite fête. Mais en ce moment il n'y a personne.

– Vous avez interrogé les voisins ?

Sa question à peine formulée, Rebus se rendit compte qu'elle était idiote.

– Il n'y a pas de voisins ! s'esclaffa l'agent. Les plus proches sont M. et Mme Kennoway, mais ils habitent à un kilomètre et demi sur l'autre versant des collines.

– Je vois. C'est tout ce que vous avez à me dire ?

– Oui, c'est tout. Si vous cherchez quelque chose de précis… je veux dire, je sais que le cottage appartient à ce député, et j'ai lu dans les journaux…

– Non, s'empressa de le couper Rebus. Ça n'a rien à voir.

Inutile que les rumeurs se mettent à voler dans tous les sens comme les arbres à l'occasion du lancer de troncs aux Jeux des Highlands.

– … Je souhaite juste toucher un mot à Mme Jack. On pensait qu'elle était peut-être là-haut.

– Ouais, je me suis laissé dire qu'elle passait de temps en temps.

– Bon. Si vous apprenez quoi que ce soit, vous me prévenez, hein ?

– Cela va sans dire, inspecteur.

Rebus n'avait pas l'habitude de prendre des gants. L'agent semblait un peu vexé.

– Merci de votre aide, ajouta Rebus.

Mais il n'eut droit qu'à un « Ouais » pincé avant que l'autre ne raccroche.

– Toi aussi, je t'emmerde, se murmura-t-il à lui-même.

Puis il se mit en quête du numéro personnel de Gregor Jack.

Certes, il y avait fort à parier que le téléphone soit toujours débranché. Malgré tout, ça valait le coup d'essayer. Le numéro était forcément mémorisé quelque part dans l'ordinateur, mais Rebus se dit qu'il aurait plus vite fait de chercher dans la paperasse. Il tomba en effet sur un document intitulé « Parlementaires des circonscriptions de Lothian et Borders », où figuraient les coordonnées des onze députés de la région. Il composa le numéro à dix chiffres, attendit et fut récompensé par un signal long. Ce qui ne voulait pas dire…

– Allô ?

– Monsieur Urquhart ?

– Désolé, M. Urquhart n'est pas là…

Rebus reconnut la voix.

– Monsieur Jack ? Je suis l'inspecteur Rebus. On s'est rencontrés…

– Oui, bien sûr. Bonjour, inspecteur. Vous avez de la chance. On a rebranché le téléphone ce matin, et Ian a passé son temps à répondre. Là, il fait une pause. Il était d'avis qu'on décroche à nouveau, mais je l'ai rebranché après son départ. Je n'aime pas l'idée d'être complètement coupé du monde. Après tout, mes électeurs ont le droit de…

– Et Mlle Greig ?

– Elle travaille. On ne peut pas laisser les choses en plan, inspecteur. Il y a un bureau à l'arrière de la maison, où elle peut taper le courrier, régler ce genre de choses. Helen a vraiment été…

– Et Mme Jack ? Vous avez des nouvelles ?

Le flot de paroles s'était tari. Il y eut un toussotement au bout du fil. Rebus imagina les traits contractés, l'annulaire gratté machinalement, la main passée dans les cheveux…

– En fait… oui. C'est drôle que vous en parliez. Elle a appelé ce matin.

– Ah bon ?

– Oui. Pauvre biche. Ça faisait des heures qu'elle essayait de nous joindre. Mais comme c'était débranché hier et occupé une bonne partie de la matinée…

– Elle est au cottage ?

– Oui, c'est ça. Elle doit y passer la semaine. Je lui ai conseillé de ne pas bouger. Inutile de la traîner dans cette affaire ignoble. Ça devrait bientôt se tasser. Mon avocat…

– Quelqu'un de chez nous est passé à Deer Lodge, monsieur Jack.

Un silence.

– Ah…

– Elle n'a pas l'air de se trouver sur place. Il n'y a pas âme qui vive.

Rebus sentit la transpiration sous son col de chemise. La faute au chauffage ? Les radiateurs n'étaient pas seuls en cause. Comment tout cela allait-il se terminer ? Dans quel bourbier s'était-il fourvoyé ?

– Ah.

Un constat, cette fois. Une syllabe dégonflée.

– Je vois, inspecteur.

– Vous voulez qu'on en discute, monsieur Jack ?

– Oui, inspecteur. J'aimerais vous parler.

– Vous voulez que je passe ? proposa Rebus d'un ton prudent.

– Oui.

– Bon, j'arrive tout de suite. Vous m'attendez tranquillement, d'accord ?

Pas de réponse.

– D'accord, monsieur Jack ?

– Oui.

Le ton du député n'avait rien de rassurant.

Forcément, sa voiture refusa de démarrer. Elle émettait un toussotement qui évoquait de plus en plus le rire crachoteux d'un emphysémateux. Eurka. Eurka. Eurka. Eurka. Eurka.

– Vous avez des ennuis de moteur ? l'interpella Holmes en agitant le bras.

Il se trouvait à l'autre bout du parking, sur le point de monter dans sa voiture. Rebus claqua sa portière et le rejoignit d'un pas rapide. La Metro de Holmes se mit en marche au premier tour de clé.

– Tu rentres chez toi ?

– Oui, fit le jeune sergent avec un geste du menton vers l'épave de Rebus. Vous m'avez l'air mal parti. Je peux vous déposer quelque part ?

– Justement oui, Brian. Et tu peux te joindre à moi si ça te chante.

– Je ne vous suis pas…

Rebus actionnait en vain la poignée du côté passager. Holmes marqua une hésitation avant de lever le loquet.

– C'est à mon tour de préparer le repas ce soir, expliqua-t-il. Nell va me massacrer si je rentre en retard.

Rebus s'installa à côté de lui et boucla sa ceinture.

– Je vais tout t'expliquer en route.

– On va où ça ?

– Pas très loin de chez toi. Je te promets que tu ne seras pas en retard. Une voiture passera me prendre pour me ramener. Mais j'aimerais bien que tu sois de la partie.

Brian n'était pas lent. D'un naturel prudent, mais jamais lent.

– C'est notre cher député ? Qu'a-t-il fait cette fois ?

– Je frémis rien que d'y penser, Brian. Crois-moi, je crains le pire.

Le portail était ouvert, et plus aucun journaliste ne faisait les cent pas devant. L'allée était déserte, la voiture ayant rejoint le garage. Holmes se gara sur la route devant les grilles.

– Sacrée baraque ! s'extasia-t-il.

– Attends un peu de voir l'intérieur. On dirait un décor de cinéma. Genre Ingmar Bergman.

– Je n'arrive toujours pas à y croire, dit Holmes en secouant la tête. Que vous ayez eu le culot de débarquer comme ça hier…

– Culotté, c'est toi qui le dis. Écoute, moi je vais toucher un mot à M. Jack. Pendant ce temps, tu n'as qu'à fouiner un peu. Vois si tu dégottes quelque chose de louche.

– Vraiment louche ?

– Je ne m'attends pas à ce qu'on retrouve des cadavres dans les plates-bandes, si c'est à ça que tu penses. Non, contente-toi d'ouvrir l'œil et de tendre l'oreille.

– Et de me mouiller le nez ?

– Oui, si tu n'as pas de mouchoir sur toi.

Ils se séparèrent. Rebus se dirigea vers la porte d'entrée tandis que Holmes longeait la maison sur le côté, en direction du garage. Rebus sonna. Il était presque six heures ; Helen Greig était probablement rentrée chez elle.

Mais non, ce fut elle qui vint ouvrir.

– Bonsoir, inspecteur. Gregor vous attend dans le salon. Vous connaissez le chemin.

– Tout à fait. Je vois qu'il vous fait travailler dur, dit-il en tapotant sa montre.

– Si vous saviez ! dit-elle en souriant. Il me prend pour son esclave.

Une image surgit dans l'esprit de Rebus – Jack tout vêtu de cuir, tenant Helen Greig en laisse. Il la fit disparaître d'un battement de paupières.

– Vous le trouvez comment ? demanda-t-il.

– Qui ça ? Gregor ? (Elle eut un léger rire.) Il a l'air de tenir le choc, compte tenu des circonstances. Pourquoi ?

– Juste par curiosité.

Elle prit l'air songeur, parut sur le point de s'exprimer mais se souvint de la place qui était la sienne.

– Vous voulez boire quelque chose ?

– Non, merci.

– Bien. À plus tard.

Elle disparut derrière l'escalier en spirale, regagnant son bureau à l'arrière de la maison. Merde ! Il avait oublié de prévenir Holmes. Si celui-ci s'avisait de jeter un coup d'œil par la fenêtre du bureau… Tant pis. Rebus saurait à quoi s'en tenir si Helen Greig se mettait à crier. Il ouvrit la porte du salon.

Gregor Jack se trouvait seul. Il écoutait de la musique. Le volume était faible mais Rebus reconnut les Rolling Stones. Le même album qu'il avait écouté dans la matinée sur l'autoradio. *Let it bleed*.

Jack se leva du canapé en cuir, un verre de scotch à la main.

– Vous avez fait vite, inspecteur. Vous me surprenez en train de m'adonner à mon vice caché. Mais bon, chacun a le sien, n'est-ce pas ?

Rebus songea à la scène du bordel, et Jack parut lire dans ses pensées, à en juger d'après son sourire embarrassé. Rebus serra la main qui lui était tendue, et remarqua le pansement à l'annulaire gauche. Un autre vice caché.

– De l'eczéma, expliqua Jack en remarquant son regard.

– Oui, vous m'en avez parlé.

– Vraiment ?

– Hier.

– Je vous prie de m'excuser, inspecteur. Je n'ai pas pour habitude de radoter. Mais avec tout ce qui s'est passé depuis hier…

– Je comprends.

Sur la cheminée, Rebus remarqua une carte – genre carte d'anniversaire – qui ne s'y trouvait pas la veille.

Jack se rappela soudain qu'il tenait un verre à la main.

– Je peux vous offrir à boire, inspecteur ?

– Très volontiers.

– Un whisky ? Mis à part ça, je ne sais pas…

– La même chose que vous, monsieur Jack… J'aime beaucoup les Stones. Surtout les albums du début.

– Je suis d'accord. Je ne sais pas ce que vous en pensez, mais la musique, c'est devenu n'importe quoi.

Il se dirigea vers le mur à gauche de la cheminée, où quelques bouteilles et des verres reposaient sur une étagère en verre. Tandis qu'il lui servait à boire, Rebus s'approcha de la table sur laquelle Urquhart brassait des documents la veille. Il y avait du courrier à signer (des lettres à l'en-tête de la Chambre des communes), et quelques notes relatives au travail parlementaire.

– C'est un peu à nous de fixer nos limites, dit Jack en lui apportant son verre. Certains députés s'en tiennent au strict minimum. Et croyez-moi, ça fait déjà un sacré boulot. Santé.

– Santé.

Chacun but une gorgée.

– Et il y en a d'autres qui font le maximum. Ils

s'occupent de leur circonscription, ils s'impliquent dans le travail parlementaire et s'intéressent aux problèmes du vaste monde. Ils débattent, ils écrivent, ils participent à...

– Et vous appartenez à quelle catégorie, monsieur ?

Il parle trop, songeait Rebus. Et pour ne rien dire.

– Entre les deux, dit Jack en fendant l'air devant lui avec la main. Tenez, venez vous asseoir.

– Merci, monsieur.

Il prit place dans le fauteuil, Jack sur le canapé. Rebus avait tout de suite remarqué que le scotch était coupé d'eau. Par qui ? Le député s'en était-il aperçu ?

– Bon, monsieur Jack. Vous souhaitez qu'on discute ?

Jack éteignit la musique avec une télécommande qu'il brandit vers le mur – la chaîne était invisible.

– Je tiens à mettre les choses au clair concernant mon épouse, inspecteur. Je reconnais que je me fais du souci pour Liz. Je préférais ne rien dire...

– Pourquoi donc, monsieur Jack ?

Jusque-là, le discours était bien ficelé. Il avait eu presque une heure pour le mettre au point. Mais le vernis finirait par craquer. Rebus savait se montrer patient. Il se demanda où était passé Urquhart...

– La publicité, inspecteur. Ian dit toujours que Liz est mon boulet. Je trouve qu'il exagère un peu, mais... Liz est quelqu'un de... caractériel n'est pas exactement le bon terme...

– Vous pensez qu'elle a lu les articles ?

– C'est presque certain. Elle achète toujours les tabloïds. Elle adore les potins.

– Mais vous n'avez pas de nouvelles ?

– Non, non, en fait elle n'a pas appelé.

– C'est un peu étonnant, vous ne trouvez pas ?

Les traits de Jack se creusèrent.

– Oui et non, inspecteur. Enfin, je ne sais pas quoi penser. Elle est capable de balayer tout ça d'un éclat de rire. Tout comme…

– Vous la croyez capable de s'en prendre à elle-même ?

– S'en prendre à elle-même ? répéta Jack qui mit un instant à comprendre. Se suicider, vous voulez dire ? Non, je ne crois pas. Non, rien de tel. Par contre, si elle s'estime embarrassée, elle peut disparaître dans la nature. Ou bien il a pu lui arriver quelque chose, un accident ou Dieu sait quoi. Si elle est vraiment très en colère… C'est possible que…

Il inclina la tête, les coudes sur les genoux.

– Vous pensez que la police doit intervenir, monsieur ?

Jack le fixa, les yeux brillants.

– C'est tout le problème, hein ? Si je signale sa disparition… officiellement, j'entends… et qu'on la retrouve, parce qu'elle cherchait simplement à se tenir à l'écart…

– Et ce serait son genre, de se tenir à l'écart ?

Ça fusait dans la tête de Rebus. Gregor Jack avait été victime d'un coup monté. Ce n'était tout de même pas sa femme qui était à l'origine… Des pensées dignes de la presse dominicale, mais dont il n'arrivait pas à se défaire.

Jack fit la moue.

– Pas vraiment. C'est dur à dire, avec Liz. Elle est très changeante.

– Eh bien, monsieur, on peut faire une enquête discrète dans le Nord. Vérifier auprès des hôtels, des *bed and breakfast*…

– S'agissant de Liz, inspecteur, vous pouvez vous en tenir aux hôtels. Aux hôtels de luxe.

– Parfait. Les hôtels, donc. On va se renseigner. Vous avez des amis à qui elle aurait pu rendre visite ?

– Pas tant que ça.

Rebus attendit que Jack lui en dise plus. Après tout, il y avait Andrew Macmillan, l'assassin interné. Liz devait le connaître. Un ami, dans la région. Mais Jack se contenta d'un haussement d'épaules.

– Pas tant que ça, répéta-t-il.

– Ça nous serait utile d'avoir une liste. Vous pourriez même vous charger de les contacter. Un petit coup de fil, l'air de rien. Si votre femme est chez eux, ils vous en parleront forcément…

– À moins qu'elle ne leur ait demandé de ne rien dire.

– Certes.

– Mais il se pourrait qu'elle soit dans les îles, poursuivit Jack. Elle ne serait au courant de rien, et alors…

La politique. En fin de compte, tout cela n'était qu'une affaire politique. Bizarrement, Rebus perdait son respect pour le politicien en même temps que celui-ci gagnait en sympathie. Il se leva et se dirigea vers les étagères, sous prétexte d'y poser son verre. Puis il s'arrêta devant la cheminée et prit la carte. L'illustration représentait un jeune homme au volant d'une voiture de sport décapotable, avec une bouteille de champagne posée dans un seau sur le siège passager. *Bonne chance !* Pouvait-on lire. À l'intérieur figurait une autre inscription, au feutre : *N'aie crainte, la Meute est avec toi*, suivie de six signatures.

– Des copains de classe, expliqua Jack en s'approchant de Rebus. Plus deux que j'ai connus à la fac. On est toujours restés assez proches.

Même si quelques noms lui étaient familiers, Rebus ne se priva pas pour afficher un air intrigué et écouter les explications du député.

– *Gowk*, c'est Cathy Gow. Aujourd'hui Cath Kinnoul, la femme de l'acteur Rab Kinnoul... *Tampon*, dit-il en laissant glisser l'index jusqu'au nom suivant, c'est Tom Pond, un architecte d'Édimbourg. *Bilbo*, c'est Bill Fisher qui bosse à Londres pour je ne sais plus quel magazine. Il a toujours été fou de Tolkien.

La voix de Jack s'était attendrie. Rebus songea aux amis d'enfance avec lesquels il avait lui-même gardé le contact – zéro, en tout et pour tout.

– *Suey* c'est Ronnie Steele...

– Pourquoi *Suey* ?

– Je ne sais pas si je dois vous le dire, dit Jack en souriant. Ronnie me tuerait.

Il réfléchit un instant, puis haussa doucement les épaules.

– Eh bien, reprit-il, une année on a fait un voyage scolaire en Suisse, et une fille est entrée à l'improviste dans la chambre de Ronnie et l'a surpris en train... en train de faire quelque chose. Elle a raconté ça à tout le monde et Ronnie avait tellement honte qu'il s'est précipité dehors et s'est allongé en travers de la route. Pour se faire écraser. Mais aucune voiture n'est passée, alors il a fini par se relever.

– Et « suicide » a donné l'abréviation Suey ?

– C'est ça, dit Jack en regardant de nouveau la carte. *Sexton* c'est Alice Blake. À cause de Sexton Blake[1]. Un inspecteur de police, comme vous. Elle aussi travaille à Londres, dans les relations publiques.

– Et *Mack* ? demanda Rebus en pointant la dernière signature.

La mine de Jack se rembrunit.

– Oh, lui… C'est Andy Macmillan.

– Et que fait M. Macmillan, de nos jours ?

Mack-the-Knife[2] – un surnom lugubrement approprié.

– Je crois qu'il est en prison, répondit Jack d'un ton évasif. C'est une histoire tragique, vraiment tragique.

– En prison ?

Rebus ne demandait pas mieux que de creuser le sujet, mais son hôte voyait les choses différemment.

– Vous n'avez rien remarqué, inspecteur ? lui demanda-t-il en indiquant les signatures.

En fait, si. Rebus avait l'intention de garder ça pour lui, mais dès lors que Jack lui en parlait…

– Toutes les signatures sont le fait d'une seule et même personne.

Jack afficha un rapide sourire.

– Bravo !

– En fait, M. Macmillan se trouve en prison, et M. Fisher et Mlle Blake auraient eu du mal à signer, habitant à Londres. Les premiers articles datent seulement d'hier.

---

1. Célèbre policier de romans populaires.

2. Mackie-le-Surineur, personnage de l'*Opéra de quat' sous* de Bertolt Brecht et Kurt Weill.

– Oui, très juste.

– Dans ce cas, qui donc…

– Cathy. Dans le temps, c'était un faussaire de génie, même si on a peine à le croire en la voyant aujourd'hui. Elle sait encore imiter toutes nos signatures.

– Pourtant, M. Pond vit à Édimbourg. Il aurait pu signer lui-même, non ?

– Je crois qu'il est aux États-Unis en voyage d'affaires.

– Et M. Steele ? s'enquit Rebus en tapotant « Suey » de l'index.

– Suey n'est jamais là où on croit, inspecteur.

– Effectivement, murmura Rebus. Effectivement.

On frappa à la porte.

– Tu peux entrer, Helen.

Helen Greig glissa la tête dans l'entrebâillement. Elle était en train de nouer la ceinture de son imperméable.

– J'y vais, Gregor. Ian n'est toujours pas revenu ?

– Non. Il a du sommeil à rattraper, j'imagine.

Rebus reposa la carte sur la cheminée. Fallait-il y voir simplement une bande de copains ou tout autre chose…

– Au fait, ajouta la secrétaire, il y a un autre policier. Il traînait derrière la maison…

La porte s'ouvrit complètement et Brian Holmes pénétra dans la pièce. Rebus lui trouva l'air gauche. Sans doute le fait de rencontrer Gregor Jack, élu de Sa Majesté.

– Merci, Helen. À demain.

– Demain, tu passes la journée à Westminster, Gregor.

– Oui, bien sûr. On se voit après-demain, alors.

Helen Greig prit congé et Rebus présenta Gregor Jack à Brian Holmes. Ce dernier semblait vraiment très nerveux. Qu'est-ce qui lui prenait ? Ce n'était tout de même pas le simple fait de faire la connaissance de Jack… Holmes s'éclaircit la gorge. Il fixait son supérieur, en prenant soin d'éviter le regard du député.

– Monsieur, euh… Il faut que je vous montre quelque chose. Euh… à l'arrière. Dans la poubelle. J'avais des trucs à jeter, alors j'ai soulevé le couvercle, et…

Gregor Jack devint blême.

– D'accord, Brian, dit Rebus avec un geste du bras. On te suit. Après vous, monsieur Jack.

L'arrière de la maison était parfaitement éclairé. Deux grosses poubelles en plastique noires étaient disposées à côté d'un rhododendron, chacune garnie d'un sac. Holmes souleva le couvercle de celle de gauche pour que Rebus puisse y jeter un coup d'œil. Il aperçut un emballage de corn flakes et un paquet de gâteaux.

– En dessous, se contenta de déclarer le sergent.

Rebus souleva la boîte de céréales écrasée et découvrit un véritable butin. Deux cassettes vidéo éventrées, la bande dévidée… Une pochette de photos… Deux petits vibromasseurs dorés… Deux paires de menottes en toc… Des vêtements, guêpières, petites culottes fendues. Rebus songea au scandale si la presse avait mis la main dessus avant eux.

– Je peux tout vous expliquer, balbutia Jack.

– Pas besoin, monsieur. Ceci ne nous concerne pas.

Le ton de Rebus était lourd de sous-entendus : ce ne

sont pas nos affaires, mais vous feriez mieux de tout nous raconter.

– Je… j'ai paniqué… Enfin, pas tout à fait mais… avec cette histoire du bordel, et maintenant Liz qui a disparu… je savais que vous étiez en route, j'ai voulu me débarrasser de tout ça… (Il était en nage.) Je sais que ça a de quoi choquer, c'est pour ça que j'ai tout jeté… Voyez-vous, ça ne m'appartient pas. C'est à Liz… Ses amis… leurs soirées… Je ne voulais pas que vous vous imaginiez des choses fausses.

Ou des choses vraies, songea Rebus. Il prit la pochette de photos, dont le contenu se répandit par terre.

– Désolé, dit-il en ramassant les clichés.

Des Polaroid, pris à l'occasion d'une soirée. Visiblement assez olé olé. Tiens, tiens, qui voilà ? Il montra une des photos à Gregor Jack. On y voyait le député, flanqué de deux femmes en train de lui déboutonner sa chemise. Ils avaient tous les yeux rouges.

– La première et dernière soirée où j'ai mis les pieds, déclara Jack.

– D'accord.

– Écoutez, inspecteur, ma femme est libre de mener sa vie comme elle l'entend. Ce qu'elle choisit de faire… eh bien, je n'y peux rien.

L'embarras virait à la colère.

– Même si ça ne me plaît pas, poursuivit-il, même si je n'aime pas ses amis, elle est libre de faire ce qu'elle veut.

– Tout à fait, monsieur, dit Rebus en laissant retomber les photos dans la poubelle. Les amis de madame sauront peut-être nous dire où elle se trouve, non ? En attendant, je vous déconseille de laisser tout ça là-dedans. À moins de vouloir faire les gros titres à nouveau. Certains journalistes commencent toujours par faire les poubelles. Ce n'est pas par hasard qu'on dit « salir quelqu'un ». Mais je vous le répète, monsieur Jack, ça ne nous regarde pas… en tout cas, pas pour l'instant.

On ne perdait rien pour attendre. Rebus le sentait dans ses tripes, qui se retournaient à cette idée.

On ne perdait rien pour attendre.

De retour au salon, Rebus s'efforça de prendre les choses une par une. Ce n'était pas simple, pas simple du tout. Jack lui nota les coordonnées de quelques amis de son épouse. Pas tout à fait de la haute, mais quelques crans au-dessus de la clientèle du *Horsehair*. Rebus l'interrogea ensuite sur la voiture de Liz.

– Une BMW noire, l'informa Jack. Une Série 3. Je la lui ai offerte pour son anniversaire l'an dernier.

– Un très beau cadeau, fit remarquer Rebus en pensant au tas de ferraille que lui-même conduisait. Et le numéro d'immatriculation ?

Jack répondit du tac au tac.

– J'ai une formation de comptable, expliqua-t-il en voyant la mine étonnée de Rebus. J'ai la mémoire des chiffres.

– Bien sûr, monsieur. Eh bien, on va vous laisser…

La porte d'entrée s'ouvrit et claqua. On entendit du bruit dans le vestibule. Le retour de l'épouse prodigue ? Tous trois se tournèrent vers la porte du salon qui s'entrebâilla.

– Gregor ? Regarde qui j'ai trouvé dans l'allée.

Surpris, Ian Urquhart marqua un temps d'arrêt en voyant que Jack n'était pas seul. Derrière lui, un homme aux traits tirés pénétra lentement dans la pièce. Grand, svelte, cheveux noirs et raides. Lunettes rondes. Une monture bon marché.

– Salut, Gregor.

L'inconnu s'approcha et serra la main du député. Gregor Jack lui posa la main sur l'épaule.

– Je serais bien passé plus tôt, Gregor, mais tu sais comment c'est.

Le dos voûté et les yeux cernés, il avait vraiment l'air épuisé. Son élocution et ses gestes étaient très lents.

– Je suis sur un joli coup : une belle série d'ouvrages sur l'art italien.

Il prêta enfin attention aux visiteurs. Rebus était en train de serrer la main qu'Urquhart lui tendait. L'inconnu eut un geste du menton en direction du poignet droit de Rebus.

– Vous êtes sans doute l'inspecteur Rebus.

– Tout à fait.

– Comment le sais-tu ? lui demanda Gregor Jack, très épaté.

– L'égratignure au poignet, expliqua le nouveau venu. Vanessa m'a fait part de la visite d'un inspecteur, sur lequel Raspoutine aurait laissé sa marque… une belle marque, à ce que je vois.

– Vous devez être M. Steele, dit Rebus en lui serrant la main.

– Lui-même. Désolé de vous avoir raté. Comme Gregor peut vous le confirmer, je ne suis jamais…

– Là où on croit, le coupa Jack. Oui, l'inspecteur sait à quoi s'en tenir, Ronnie.

– Vous n'avez donc vu aucun de ces livres ? demanda Rebus au libraire.

– C'est le genre de marchandise qui brûle les doigts, inspecteur, répondit celui-ci avec un haussement d'épaules. Vous avez une idée du prix d'un lot pareil ? Moi, je pencherais pour un bibliophile.

– Un vol sur commande ?

– Peut-être. Malgré tout, on a un éventail de titres assez hétéroclite…

Steele parut se lasser du sujet. Il se tourna vers Jack et tendit les bras, avec un vague mouvement d'épaules.

– Qu'est-ce qu'ils ont à s'en prendre à toi comme ça, mon pauvre Gregor ?

– Quelqu'un cherche manifestement à le pousser à la démission, intervint Urquhart qui se servait un verre sans y être invité.

– Mais qu'est-ce que tu fichais là-bas ?

Steele venait de mettre le doigt sur la bonne question. Un très long silence s'ensuivit. Urquhart lui servit à boire et lui tendit son verre, tandis que Gregor Jack dévisageait les quatre hommes présents dans la pièce, comme si l'un d'eux connaissait la réponse. Rebus remarqua que Brian Holmes s'intéressait à un tableau, sans donner l'air de suivre la conversation. Jack finit par émettre un borborygme d'exaspération en hochant la tête, et Rebus rompit le mutisme général.

– Je pense qu'il est temps qu'on y aille, Brian.

Il adressa un ultime conseil à Gregor Jack – « N'oubliez pas de vider les poubelles, monsieur » –

et entraîna Holmes dans l'allée cochère vers la route. Le sergent accepta de le déposer à Bonnyrigg, où Rebus trouverait quelqu'un pour le ramener en ville. Ces détails mis à part, Holmes resta silencieux jusqu'à la voiture, ouvrit la portière et démarra sans dire un mot.

– Un type sympa, déclara-t-il enfin en passant la seconde. Vous croyez qu'il accepterait de nous filer une invitation à une de ses soirées ?

– Voyons, Brian, le rappela à l'ordre Rebus. Ce ne sont pas *ses* soirées, c'est madame qui donne là-dedans. Ces photos n'avaient pas l'air d'avoir été prises chez eux.

– Ah bon ? Je n'ai pas trop fait attention. Par contre, j'ai vu mon député en train de se faire mettre à poil par deux dames très entreprenantes.

Holmes pouffa.

– Quoi donc ? fit Rebus, l'air étonné.

– Vous connaissez le strip-jack ? expliqua Brian. C'est un jeu de cartes.

– Vraiment ? fit Rebus, sans vouloir trop montrer sa curiosité.

Était-ce le but de la partie engagée ? Dépouiller Gregor Jack de sa circonscription ? De son image d'élu bien propre sur lui ? De son épouse ? Cherchait-on à dépouiller le Pouilleux ?

À moins que Jack ne soit moins blanc qu'il en donnait l'air... Merde, et puis quoi encore ? Inutile de se voiler la face : Jack n'avait pas l'air si propre que ça. Vérité numéro un : il s'était rendu dans un bordel. Vérité numéro deux : il avait tenté de faire disparaître la preuve qu'il avait participé au moins une fois dans sa vie à une soirée pour le moins dévergondée. Vérité numéro trois : sa femme n'avait pas cherché à le joindre. Et alors ? Il continuait à parier sur l'innocence de Gregor Jack. Malgré son culte du pessimisme, John Rebus savait garder espoir en certains cas.

Foi et espoir. Par contre, la charité lui faisait souvent défaut.

4

Brèves de comptoir

– Il ne faut pas que ça sorte dans la presse, déclara le superintendant Watson. Pas tout de suite.

– Bien, monsieur, acquiesça Lauderdale.

Pour sa part, Rebus resta silencieux. La discussion ne concernait pas Gregor Jack mais un suspect dans l'affaire de la noyée de Dean Bridge. L'homme se trouvait en salle d'interrogatoire, face à deux policiers et un magnétophone. Selon l'expression consacrée, l'individu était là pour « assister la police dans ses investigations ». Apparemment, il n'avait pas grand-chose à déclarer.

– Après tout, dit Watson, ce n'est peut-être rien du tout.

– Bien, monsieur.

Comme souvent l'après-midi, le bureau du superintendant embaumait la menthe forte, ce qui expliquait peut-être la mine de Lauderdale, encore plus guindé qu'à son habitude. Il plissait le nez dès que Watson portait le regard ailleurs. Rebus fut pris d'une grande pitié pour le superintendant, comme lorsque les footballeurs écossais se faisaient corriger par une équipe de joueurs amateurs du tiers-monde. Dieu nous garde des professionnels de l'incompétence...

– Ce n'étaient peut-être que des propos d'ivrogne, pour épater la galerie. Ce type était bourré. Vous savez ce que c'est.

– Tout à fait, monsieur.

– Cela dit…

Cela dit, l'individu en question se trouvait en salle d'interrogatoire. Il s'était épanché dans un pub bondé de Leith, avait confié à qui voulait bien l'entendre que c'était lui qui avait balancé le cadavre sous Dean Bridge.

«C'est moi !… T'en dis quoi, hein ? Plutôt fort, hein ? Moi ! Moi ! Moi ! C'est moi qu'ai fait le coup. Elle méritait pire. Toutes les mêmes, ces gonzesses ! »

Et patati, et patata. Le tout rapporté à la police par une serveuse effarouchée, en passe de fêter ses dix-neuf printemps le mois suivant et dont c'était le premier boulot…

Elle méritait pire… Toutes les mêmes, ces gonzesses… Mais le temps que les flics arrivent, monsieur était redevenu tout silencieux dans son coin, la mine boudeuse, la tête ployée sous le poids de la cigarette qu'il avait au bec. Sa pinte de bière paraissait elle aussi trop lourde pour son poignet qui flanchait, le liquide dégoulinant sur ses chaussures et le parquet.

– Monsieur, il paraît que vous avez toutes sortes de choses à raconter aux autres consommateurs… Ça vous dérange qu'on en parle une seconde ? Au poste, hein ? On a de quoi s'asseoir. Vous pourrez vous mettre à l'aise pour qu'on discute de tout ça.

Le lascar était confortablement installé, sans pour autant être passé à table. Aucune identité, aucune adresse. Personne au pub ne savait quoi que ce soit sur lui. Rebus était passé le voir, comme la plupart des agents en tenue et officiers présents dans les locaux, mais le visage ne lui disait rien. Un triste spécimen de l'espèce humaine. La trentaine bien sonnée, cheveux déjà grisonnants et clairsemés, visage marqué et mal rasé, poings égratignés.

– Comment as-tu chopé ces croûtes et ces éraflures ? Tu t'es battu ? Tu lui as flanqué quelques coups avant de la balancer à la flotte ?

Rien. Malgré sa mine apeurée, il n'était pas près de céder. Les chances de lui mettre la main au collet étaient plutôt minces, pour ne pas dire nulles. Du moment qu'il ne desserrait pas les dents, il se passait très bien d'un avocat.

– T'as déjà eu maille à partir avec nous, hein ? Tu connais la musique, alors tu fais l'huître. Si tu t'imagines que tu vas te tirer d'affaire comme ça, l'ami. À ta place…

Cela dit… On fit pression sur le légiste. S'agissait-il d'un accident, d'un suicide ou d'un meurtre ? Il devenait urgent que le Dr Curt apporte une réponse.

Et puis soudain, l'inconnu se mit à parler.

– J'étais bourré. J'ai raconté n'importe quoi. Je sais pas ce qui m'a pris.

Il s'en tint à cette version, qu'il répéta et affina. On tenta encore une fois de lui arracher son identité et son adresse.

– Je vous dis que j'étais bourré. C'est aussi simple que ça. Maintenant que je suis sobre, j'aimerais qu'on me laisse partir. Je suis désolé d'avoir raconté ces trucs-là. C'est bon, je peux y aller ?

Au pub, une fois débarrassé de l'importun, personne

n'avait l'intention de porter plainte. *Des videurs béné-voles*, songea Rebus. *Voilà ce qu'on est.* Allait-on vraiment le laisser filer dans la nature ? Pas si facilement.

– Avant qu'on puisse vous laisser partir, il nous faut un nom et une adresse.

– Puisque je vous dis que j'étais bourré. Laissez-moi partir…

– Ton nom !

– Non, laissez-moi…

Curt n'était toujours pas prêt à se prononcer. Il lui fallait encore une heure ou deux, le temps d'obtenir certains résultats d'analyses.

– Arrête tes conneries, mon gars. Tu le craches ton nom ?

– Je m'appelle William Glass. J'habite au 48, Semple Street, à Granton.

Le silence et quelques soupirs.

– Va vérifier, d'accord ? dit l'un des policiers à son collègue. Alors, cher monsieur, ce n'était pas si compliqué que ça de rompre le silence, hein ?

Ce qui fit sourire son collègue, lequel se sentit obligé d'ajouter :

– La glace est rompue, monsieur Glass !

– Dépêche-toi d'aller vérifier l'adresse, lui intima l'autre en se massant les tempes.

Ses migraines lui laissaient de moins en moins de répit.

Holmes fit part de la nouvelle à Rebus.

– Ils l'ont relâché.

– Ce n'est pas trop tôt ! On faisait fausse route ou je ne m'y connais pas.

124

Holmes entra dans le bureau et s'installa à son aise sur une chaise.

– On ne va pas rester à cheval sur les convenances juste parce que je suis votre supérieur hiérarchique, lui dit Rebus. Vous ne préférez pas vous asseoir, sergent ?

– Merci, monsieur. C'est pas de refus. Notre homme a laissé une adresse à Granton. Dans Semple Street.

– Ça ne donnerait pas dans Granton Road ?

– Tout à fait, dit Holmes en jetant un coup d'œil à la ronde. On se croirait dans un four ! Vous ne voulez pas ouvrir la fenêtre ?

– Elle est coincée, et le chauffage…

– Je sais : soit à fond, soit en panne. Quel endroit pourri, soupira Holmes en secouant la tête.

– Il suffirait de quelques travaux.

– C'est drôle, je ne vous croyais pas du genre sentimental.

– Sentimental ?

– Vis-à-vis de ce bâtiment. Moi, c'est St Leonard ou Fettes quand vous voulez !

– Ça manque trop de caractère, dit Rebus en faisant la grimace.

– Ce qui me fait penser : des nouvelles de l'élu de ces dames ?

– Ce calembour est plus usé que mon fond de culotte, Brian, dit Rebus en expirant par le nez et en laissant tomber son stylo. Tu ne voudrais pas le troquer contre un autre ? Tu ferais mieux de me demander des nouvelles de *madame* Jack. Réponse : rien. Que dalle. Nada. J'ai transmis le signalement du véhicule, et l'on se charge de contacter tous les hôtels chic. Pour l'instant, ça n'a rien donné.

– Et l'on en déduit que… ?

– Même réponse : rien. Elle a très bien pu décider de faire une retraite sur Iona, de se taper un berger ou d'aller marcher dans les Munros. On ne sait pas si madame en veut à son petit mari ou si elle n'est pas au courant.

– Et tout le fatras sur lequel je suis tombé, la braderie version sex-shop ?

– Oui, et alors ?

– Alors…

Holmes ne savait que répondre.

– Rien, en fait, fit-il.

– Tu viens de mettre le doigt dessus, sergent. Rien, en fait. En attendant, j'ai largement de quoi m'occuper, dit Rebus en posant solennellement la main sur une pile de paperasse. Et toi ?

– Oh, dit Holmes en se levant de sa chaise, j'ai de quoi faire, monsieur. Ne vous faites surtout pas de souci pour moi.

– Mais c'est tout à fait naturel que je m'inquiète pour toi, Brian. Tu es comme un fils pour moi.

– Et vous êtes comme un père pour moi, monsieur. *Impair* et gagne !

Rebus roula une feuille en boule, mais la porte se referma avant qu'il puisse armer son tir. Certains jours, on s'amusait comme des fous dans la flicaille. Un sourire était toujours bon à prendre. Il ne restait plus qu'à oublier Gregor Jack pour avoir vraiment l'esprit tranquille. Où se trouvait le député à cet instant ? Aux Communes ? En commission ? À subir les avances d'hommes d'affaires ou de lobbyistes ? Tout cela paraissait si loin du bureau de Rebus, de son univers.

William Glass… Non, ce nom n'évoquait rien. Bill Glass. Billy Glass. Will Glass. Willy Glass. Rien. Résidant au 48, Semple Street. Une minute… Semple Street à Granton ? Il se leva et alla prendre un dossier dans l'armoire. C'était bien cela. Une histoire de coup de poignard à Granton, remontant au mois précédent. Une blessure assez grave, mais rien de fatal. La victime était domiciliée au 48, Semple Street. Rebus se souvenait maintenant de l'endroit. Une maison divisée en meublés. Toutes les chambres étaient louées. À supposer que William Glass réside effectivement au 48, Semple Street, celui-ci vivait donc dans un meublé. Rebus décrocha son téléphone et appela Lauderdale à qui il raconta tout ça.

– En tout cas, quelqu'un s'est porté garant quand une voiture l'a déposé sur place. Les officiers avaient reçu la consigne de bien s'assurer qu'il vivait là, ce qui semble être le cas. Et il s'appelle effectivement William Glass.

– Oui, mais ces meublés se louent à la semaine. Dès que le locataire touche ses allocations hebdomadaires, il en remet la moitié au logeur, peut-être même davantage. Je veux simplement dire que ça ne vaut pas grand-chose comme adresse. Il peut s'envoler quand ça lui chante.

– Vous voilà soudain pris de soupçons, John ? J'avais l'impression que vous étiez d'avis qu'on faisait fausse route.

Ce Lauderdale avait toujours la question qu'il fallait, celle qui laissait Rebus sans réponse.

– C'est vrai, monsieur, reconnut-il. Je tenais juste à vous informer.

– Je vous en suis reconnaissant, John. C'est toujours préférable d'être au courant…

Il marqua un léger temps d'arrêt, sans doute pour donner à Rebus l'occasion de rallier son camp.

– Des progrès concernant les livres du professeur Costello ? enchaîna-t-il.

– Non, monsieur, soupira Rebus.

– Dans ce cas, je ne vous retiens pas davantage. Salut, John.

– Au revoir, monsieur.

Rebus se passa la paume sur le front. Il faisait vraiment une sacrée chaleur. On se serait cru à une répétition générale pour l'enfer calviniste.

On installa un ventilateur en état de marche, et une heure plus tard la température baissa d'un cran supplémentaire quand le Dr Curt jeta un froid.

– Il s'agit d'un meurtre, déclara-t-il. De façon quasi certaine. J'ai fait part de mes conclusions à mes collègues, et ils partagent mon avis.

Il se lança dans une explication où il était question d'écume mousseuse, de poings serrés et de diatomées. Ou comment faire la différence entre immersion et noyade. La victime, une jeune femme dans les vingt-cinq, trente-cinq ans, avait absorbé une quantité considérable d'alcool avant de mourir. Mais elle était déjà morte au moment de tomber à l'eau, la cause probable du décès étant un coup reçu à l'arrière du crâne. L'attaque était venue de la droite et l'agresseur était droitier.

De qui s'agissait-il ? La photo du cadavre se prêtait mal aux pages d'un quotidien que les gens feuilletaient au petit déjeuner. On avait diffusé le signalement, avec un descriptif des vêtements, mais personne ne l'avait identifiée. Aucune pièce d'identité, ni sac à main ni portefeuille, rien dans les poches.

– On va encore fouiller les environs, voir si on peut dénicher un sac ou des papiers. Elle avait forcément quelque chose sur elle.

– Et la rivière, monsieur ?

– C'est sans doute un peu tard, mais oui, il faut tenter le coup.

Et le Dr Curt continuait de livrer ses explications à qui voulait bien lui prêter l'oreille.

– Voyez-vous, l'alcool a troublé l'eau. Et les poissons… (sourire onctueux, à son habitude)… ont commencé à festoyer. Quelques heures de plus et il ne nous restait que les arêtes !

– Oui, monsieur. Je vois, monsieur.

Rebus eut la chance d'échapper à tout ça. Par la faute d'un calembour encore plus mauvais que ceux du légiste, il s'était attiré les bonnes grâces de Curt. Mais il avait confiance en Holmes : un jour le sergent sortirait un jeu de mots encore plus atroce et le médecin jetterait son dévolu sur un nouveau confident… Rebus prit donc soin de l'éviter et gagna le bureau de Lauderdale. L'inspecteur en chef venait de raccrocher son téléphone. En apercevant Rebus, il afficha une mine glaciale. Rebus devina pourquoi.

– Je viens d'envoyer quelqu'un au meublé de Glass.

– Et il a filé, ajouta Rebus.

– Oui, confirma Lauderdale qui tenait toujours le combiné. Il n'a pas laissé grand-chose.

– On ne devrait pas avoir trop de peine à le récupérer, monsieur.

– Vous n'avez qu'à vous en charger, John. Il doit toujours se trouver en ville. Ça fait quoi ?… une heure maximum qu'il a quitté le poste. Il est peut-être encore à Granton.

– On va tout de suite se rendre sur place, monsieur.

Rebus était ravi d'avoir l'occasion de se dégourdir les jambes.

– Et puis, John…

– Oui, monsieur ?

– Inutile de prendre cet air suffisant, d'accord ?

La journée fut donc bien remplie et la soirée arriva rapidement. Sans qu'on ait pour autant mis la main sur William Glass. Ni à Granton, ni à Pilmuir, ni à Newhaven, ni à Inverleith, ni à Canonmills, ni à Leith, ni à Davidson's Mains… On eut beau ratisser les bus et les pubs, la côte, les jardins botaniques, les gargotes et les terrains de sport. Aucune famille ni aucun ami, juste quelques renseignements élémentaires communiqués par les services sociaux. Et tout ça pour un type qui était peut-être innocent, Rebus en était bien conscient. Mais il représentait l'unique et infime piste du moment, alors on s'y accrochait comme à une bouée. L'image n'était pas très heureuse, étant donné les circonstances, mais le Dr Curt était le premier à dire que beaucoup d'eau aurait coulé sous le pont avant qu'on ne coince l'assassin.

Rebus se présenta chez Lauderdale pour lui faire part du résultat des courses.

– Rien, monsieur.

Certains jours, rien ne marchait. Rebus, qui se sentait lessivé, à ramasser à la petite cuiller, n'avait qu'un zéro pointé comme récompense de ses efforts. Éreinté comme il l'était, il déclina l'invite d'aller prendre un verre avec Holmes et ne se posa aucune question quant à sa destination. Il fila en direction d'Oxford Terrace, où l'attendaient les soins du Dr Patience Aitken, sans compter Lucky le chat, les perruches moqueuses, les poissons tropicaux et le hérisson apprivoisé dont il n'avait toujours pas fait la connaissance.

Le mercredi matin, Rebus appela Gregor Jack à la première heure. Le député avait la voix fatiguée, après avoir passé le mardi à Londres et la soirée à « des mondanités ridicules, et ne vous gênez pas pour le répéter ». Il faisait preuve d'une jovialité inhabituelle qui sonnait faux ; Rebus ne doutait pas que la découverte du contenu de la poubelle y soit pour quelque chose. Ils étaient donc deux à se sentir sur les rotules. Mais pas pour le même salaire.

– Vous avez des nouvelles de votre épouse, monsieur Jack ?

– Toujours rien.

Cela devenait agaçant.

– Et vous, inspecteur ? Du nouveau ?

– Non, monsieur.

– Comme on dit, pas de nouvelles, bonnes nouvelles.

D'ailleurs, j'ai lu ce matin que cette pauvre noyée de Dean Bridge avait été assassinée.

– Oui, malheureusement.

– Voilà qui me permet de relativiser mes petits ennuis. Cela dit, ma section locale se réunit ce matin. Les problèmes ne font peut-être que commencer. Vous me tenez au courant, hein ? Si vous apprenez quoi que ce soit, j'entends.

– Bien entendu, monsieur Jack.

– Merci, inspecteur. Au revoir.

– Au revoir, monsieur.

Rien que de très poli et formel, comme il seyait à leurs relations. Pas question de lui glisser ne serait-ce que « bonne chance pour la réunion ». Rebus se doutait de l'accueil qui attendait Jack devant sa section. Les militants n'appréciaient jamais que leur député soit mêlé à un scandale. Des questions seraient posées, auxquelles il faudrait bien répondre…

Rebus ouvrit un tiroir de son bureau et prit la liste des amis d'Elizabeth Jack. Son « cercle ». L'antiquaire Jamie Kilpatrick, brebis galeuse d'une famille d'aristos. Tout comme Lady Matilda Merriman, réputée s'être envoyée en l'air avec un ancien membre du gouvernement. Julian Kaymer, artiste de son état. Martin Inman, propriétaire foncier. Louise Patterson-Scott, épouse en instance de divorce du magnat de la grande distribution…

La liste était longue. Comme l'avait dit Jack lui-même en notant les noms, il s'agissait pour la plupart de « pique-assiette et fêtards professionnels ». Surtout de vieilles fortunes, conformément aux informations de Chris Kemp, et pas grand-chose à voir avec la bande de Gregor Jack. Par contre, un cas bizarre figurait parmi eux, une exception manifeste. Cela avait sauté aux yeux de Rebus alors même que Jack griffonnait le nom.

– Barney Byars ? Vous êtes sérieux ? Le Routier Crade ?

– C'est ça. Le transporteur.

– Il n'est pas tout à fait à sa place parmi ces gens, non ?

Jack lui avait répondu franchement.

– En fait, Barney est un de mes vieux copains de classe. Mais au fil du temps, il s'est lié d'amitié avec Liz. Ça arrive parfois.

– Malgré tout, je le vois mal à sa place dans ce groupe...

– Vous seriez étonné, inspecteur. Croyez-moi, vous seriez étonné.

Jack avait prononcé chaque mot soigneusement ; Rebus ne doutait pas une seconde de son sérieux. Mais tout de même... Originaire lui aussi du Fife, Byars était une célébrité locale. À l'école, il s'était fait une réputation d'auto-stoppeur hors pair : il se vantait souvent de passer le week-end à Londres sans dépenser un penny. Par la suite, il avait sillonné la France, l'Espagne, l'Italie et l'Allemagne. Tombé sous le charme des poids lourds et de leur univers, il avait économisé, passé son permis et s'était acheté son premier camion... et était devenu le plus gros transporteur indépendant. Rebus se souvenait d'avoir croisé un camion Byars en train de manœuvrer péniblement dans Piccadilly Circus, au cours d'un séjour à Londres l'année précédente.

Justement, Rebus était payé pour interroger les gens susceptibles de lui apprendre quelque chose sur les faits et gestes de Liz Jack. Il laissait à d'autres les cas pénibles, comme Jamie Kilpatrick ou le peu engageant Julian Kaymer. En revanche, il se réservait Barney Byars. Encore une ou deux semaines à ce train-là et il pourrait s'acheter un carnet pour faire signer des autographes.

Coup de chance, Barney Byars se trouvait à Édimbourg, pour « décrocher des clients » aux dires de la jeune femme qui répondit au téléphone. Rebus lui laissa son numéro et Byars en personne le rappela dans l'heure. Il avait un après-midi chargé et devait dîner avec « quelques connards », mais lui proposa de prendre un verre à six heures. Rebus se demanda dans quel grand hôtel il allait se voir convier et fut stupéfait, et même un peu déçu, quand Byars suggéra le *Sutherland Bar*, dont il était lui-même un habitué.

– Très bien, monsieur Byars. Va pour six heures.

Ce qui signifiait qu'il avait toute la journée devant lui. L'enquête sur les livres volés était toujours en cours, bien entendu. Eh bien, il n'avait pas l'intention de retenir son souffle en attendant un résultat. Peut-être que les ouvrages finiraient par refaire surface, peut-être que non. Ceux-ci avaient très probablement déjà franchi l'Atlantique. Ensuite il y avait William Glass, soupçonné de meurtre, planqué quelque part dans un passage dérobé ou une ruelle pavée. Il finirait bien par montrer le bout de son nez pour toucher ses allocations. Enfin, à condition de se montrer moins malin qu'il ne l'avait été jusque-là. Non, il semblait plutôt du genre rusé. Auquel cas il se tiendrait à l'écart des services sociaux et de son meublé. Oui, mais il aurait tôt ou tard besoin d'argent.

Il fallait en toucher un mot aux clochards, aux déshérités de la ville. Glass serait condamné à faucher ou faire la manche. Il croiserait d'autres mendiants. Il suffisait de faire circuler son signalement, pourquoi pas en promettant une récompense de dix livres, et laisser à d'autres le soin de faire le boulot. L'idée méritait d'être soufflée à Lauderdale. Sauf que Rebus ne tenait pas à rendre trop de services à l'inspecteur en chef, de crainte que celui-ci ne s'imagine avoir la cote.

– Une cote mal taillée, se murmura-t-il à lui-même.

Avec un sens parfait de l'à-propos, Brian Holmes entra dans le bureau à cet instant, tenant un sachet en papier et un gobelet en polystyrène.

– C'est quoi ? lui demanda Rebus, soudain affamé.

– C'est vous le flic, à vous de deviner.

Il sortit un sandwich du sac et l'agita sous le nez de Rebus.

– Du corned-beef ?

– Raté. Pastrami et pain de seigle.

– Beurk…

– Et un déca filtre, dit Brian en retirant le couvercle du gobelet pour humer son contenu. Ça vient du nouveau *delicatessen* qu'a ouvert au croisement.

– Nell ne te prépare pas de sandwichs ?

– Vous savez, les femmes ont obtenu l'égalité des droits…

Rebus en était bien convaincu. Il lui suffisait de penser à l'inspecteur Gill Templer, avec ses revendications féministes et ses livres de psychologie. Aux exi-

gences du Dr Patience Aitken. Et même à la vie éman-
cipée d'Elizabeth Jack. Des femmes insoumises…
Mais, songea-t-il, il y avait aussi Cath Kinnoul. On
trouvait encore quelques victimes.

– Alors, c'est comment ?

Holmes contemplait son sandwich dans lequel il
venait de mordre une bouchée.

– Pas mauvais, répondit-il. Curieux.

Pastrami… Ça, c'était le genre de sandwichs qu'on
ne verrait pas de sitôt au *Sutherland Bar*.

Barney Byars se fit attendre. Il n'arriva qu'à six
heures vingt-cinq alors que Rebus était au *Sutherland*
depuis moins cinq. Mais il fut récompensé de sa
patience.

– Désolé du retard, inspecteur. Un connard voulait
me sucrer cinq pour cent sur un contrat de quatre mille
livres, et régler à soixante jours par-dessus le marché !
Vous vous imaginez mon cash flow ? Je lui ai gen-
timent fait comprendre qu'on avait une flotte de
camions, pas de pousse-pousse !

Le tout entonné avec un bel accent du Fife et nettement plus fort que le niveau sonore ambiant, où se
mêlaient quelques conversations et la télé en bruit de
fond. Assis au bar, Rebus se leva et suggéra de s'installer à une table. Mais Byars avait déjà pris place sur
le tabouret voisin et posa ses bras musclés sur le
comptoir. Il jeta un coup d'œil aux pompes et fit un
geste du menton vers la bière de Rebus.

– Ça vaut quoi ?

– Pas mal.

– Je vais en prendre une pinte.

136

Poussé par l'admiration, la crainte ou simplement le désir de bien servir ses clients, le barman se tenait justement à proximité.

– On vous remet la même chose, inspecteur ?

– C'est bon, merci.

– Mettez-moi aussi un whisky, commanda Byars. Un double, pas le dé à coudre habituel. Gardez la monnaie, dit-il en tendant un billet de cinquante livres au barman avant de pousser un éclat de rire tonitruant. Je plaisante !

Le jeune employé, peu expérimenté, fixa la grosse coupure comme si celle-ci menaçait de lui exploser dans la main.

– Euh… Vous n'auriez pas plus petit ?

Son accent de la côte ouest était marqué d'intonations efféminées. Rebus ne donnait pas cher de son avenir au *Sutherland*.

Exaspéré, Byars refusa malgré tout de laisser payer Rebus et dénicha au fond d'une poche deux billets froissés d'une livre et quelques pièces. Il reprit le billet de cinquante livres et poussa les pièces vers le barman, puis adressa un clin d'œil à Rebus.

– Je vais vous confier un secret, inspecteur. Quitte à choisir, je préfère toujours avoir un billet de cinquante plutôt que cinq de dix. Vous voulez que je vous dise pourquoi ? Vous pouvez avoir les poches bourrées de billets de dix livres, les gens s'en foutent. Par contre, sortez leur un gros biffeton et on vous prend pour Crésus. On peut casser la croûte ? lança-t-il au serveur qui rangeait la monnaie dans le tiroir-caisse.

Le jeune homme fit volte-face, comme s'il venait de recevoir un projectile.

– Euh… je crois qu'on a un peu de potage qui reste de midi.

Byars fit non de la tête.

– Une part de tourte ou un sandwich ?

Le serveur mit la main sur un sandwich qui traînait dans un coin. On aurait dit du corned-beef, mais c'était du « bon reusebif » décréta Byars.

– Ça fait une livre dix, monsieur.

Le transporteur sortit une fois de plus son gros billet, s'esclaffa et le remplaça par une coupure de cinq livres.

– Santé ! dit-il en levant sa pinte vers Rebus.

Tous deux burent une gorgée.

– Ça se laisse boire, déclara Byars.

– Je croyais que vous aviez un dîner, fit remarquer Rebus en indiquant le sandwich.

– Ouais, mais c'est moi qui invite. Comme ça, je mangerai moins et ça me reviendra moins cher. Je devrais pondre un bouquin. Le genre *Cent trucs pour réussir dans les affaires*. À propos, vous connaissez la signification de TVA ?

– Tous des Voleurs ces Anglais ? répondit Rebus sans grande conviction.

– Tondre les Vaches Aussi !

Byars avait repris son porte-voix. Il rigola et croqua dans son sandwich à pleines dents, mâchonnant sans cesser de glousser. Il était trapu mais pas très grand, dans les un mètre soixante-cinq. Il portait un jean relativement neuf, un polo blanc et un blouson de cuir. Dans ce genre de pub, de quoi passer pour… pour un type quelconque, à vrai dire. Rebus imaginait le froid qu'il devait jeter dans les grands hôtels et les bars chic. Ce n'était jamais qu'une image : le type coriace, terre à terre, qui a bossé dur et en exige autant de la part des autres, toujours à son profit.

Son sandwich terminé, il fit tomber les miettes de son pantalon.

– Vous êtes du Fife, déclara-t-il d'un air détaché en humant son whisky.

– Oui, reconnut Rebus.

– Ça se voit. Gregor Jack aussi, vous savez. Vous m'avez dit que vous vouliez parler de lui. À propos de cette histoire de bordel, j'imagine ? J'ai trouvé ça dur à avaler. Mais pas autant que ce sandwich, dit-il en pointant du menton l'assiette vide.

– Non, ce n'est pas tout à fait au sujet de cette… enfin, de M. Jack… mais plutôt de sa femme.

– Lizzie ? Quel est le problème ?

– On ne sait pas très bien où elle est passée. Vous auriez une idée ?

Byars demeura impassible.

– Connaissant Lizzie, vous feriez mieux d'alerter Interpol. Elle pourrait se trouver aussi bien à Istanbul qu'à Inverness.

– Qu'est-ce qui vous fait dire Inverness ?

Byars sembla pris au dépourvu.

– C'est le premier nom qui m'est passé par la tête… Mais je vois à quoi vous pensez, dit-il en hochant la tête. Vous vous demandez si elle n'est pas à Deer Lodge, qui se trouve par là-haut. Vous avez vérifié ?

Rebus opina du chef.

– Quand avez-vous vu Mme Jack pour la dernière fois ?

– Il y a environ quinze jours. Ça doit remonter à trois week-ends, je peux vérifier. D'ailleurs, c'est drôle, c'était justement à Deer Lodge. Une fête en week-end. Surtout des gens de la Meute… (Il détacha le regard de son verre.) Je vais vous expliquer…

– C'est bon, je sais ce qu'est la Meute. Il y a trois week-ends, vous dites ?

– Ouais, mais je veux bien vérifier.

– Une fête en week-end… vous voulez dire une fête qui a duré tout le week-end ?

– Juste quelques amis… Rien que de très honorable… (Un éclat surgit dans son regard.) Ah, je vois où vous voulez en venir. Vous êtes donc au courant pour les soirées de Liz ? Non, là c'était tout à fait innocent. Dîner, quelques verres, balade le dimanche. Pas vraiment mon verre de gin, mais puisque Liz m'avait invité…

– Vous préférez ses autres fêtes ?

– Bien sûr ! répondit Byars avec un éclat de rire. La jeunesse ne dure qu'un temps, inspecteur. Je veux dire, il n'y a rien d'illégal à ça, n'est-ce pas ?

Il avait l'air réellement curieux, et à juste titre. Comment se faisait-il qu'un policier soit au courant des fameuses soirées ? Qui avait pu lui en parler, si ce n'est Gregor, et qu'avait-il dit au juste ?

– Pour autant que je sache, monsieur. Vous ne voyez donc aucune raison qui aurait pu pousser Mme Jack à disparaître ?

– J'en vois plusieurs.

Byars avait vidé ses deux verres mais ne semblait pas disposé à commander autre chose. Il bougeait sans cesse sur son tabouret, comme s'il n'arrivait pas à trouver une position confortable.

– Cette histoire qui est sortie dans la presse, pour

commencer. À sa place, je me tiendrais à l'écart. Vous ne croyez pas ? Je sais bien que ça vaudrait mieux pour l'image de Gregor d'avoir une épouse fidèle à ses côtés, mais si on se place de son point de vue à elle...

– D'autres raisons ?

Byars mit un pied par terre.

– Un amant, suggéra-t-il. Il l'a peut-être emmenée à Tenerife pour quelques ébats au soleil...

Il adressa un clin d'œil à Rebus, puis ses traits redevinrent sérieux, comme s'il venait de penser à quelque chose.

– Il y a eu l'histoire des coups de fil, reprit-il.

– Les coups de fil ?

Il se leva complètement.

– Des appels anonymes. Lizzie m'en a touché un mot. Ils étaient destinés à Gregor, jamais à elle. C'est couru, quand on navigue dans ces eaux-là. Un type appelle, se présente comme monsieur ou Lord Untel, demande à parler à Gregor. Mais la personne raccroche avant que celui-ci ait le temps de prendre le téléphone. C'est ce que Liz m'a raconté.

– Et ces coups de fil l'inquiétaient ?

– Oh oui, on sentait que ça la tracassait. Elle essayait de le cacher, mais ça se voyait. Gregor a pris ça à la rigolade, bien entendu. Il ne peut pas se laisser démonter par ce genre de choses. Je crois même que Lizzie m'a parlé de lettres anonymes, que Gregor aurait déchirées sans les montrer à personne. Vous devriez en toucher un mot à Lizzie... Ou à Gregor, bien sûr, ajouta-t-il après un silence.

– Bien sûr.

– Bon, fit Byars en lui tendant la main. Vous

connaissez mon numéro si vous avez besoin de me joindre, inspecteur.

– Tout à fait, dit Rebus en lui serrant la main. Merci de votre aide, monsieur Byars.

– C'est quand vous voulez. Et puis, si vous souhaitez faire un tour à Londres, j'ai des camions qui font le trajet quatre fois par semaine : ça ne vous coûtera pas un penny et vous pourrez vous mettre la note de frais dans la poche !

Il lança un ultime clin d'œil, adressa un large sourire à la cantonade et fit une sortie aussi peu discrète que son arrivée. Le barman vint débarrasser l'assiette et les verres. Rebus remarqua que le jeune homme portait une cravate à pince, comme tous ses collègues du *Sutherland*. Quand un client cherchait à vous agripper, il se retrouvait avec un bout de tissu entre les mains.

– Monsieur n'était pas en train de parler de moi, par hasard ?

– Quoi ? fit Rebus en clignant des yeux. Qu'est-ce qui vous fait croire ça ?

– J'ai cru entendre mon nom.

Rebus vida son verre et déglutit. Le gosse ne s'appelait tout de même pas Gregor, ni Lizzie…

– C'est quoi votre nom ?

– Penny.

Rebus avait déjà parcouru plus de la moitié du trajet quand il s'aperçut qu'il ne se rendait pas vers Stock-bridge, et les réconforts de Patience Aitken, mais à Marchmont où l'attendait son appartement laissé en plan. Tant pis. Chez lui, ça sentait le renfermé et il faisait froid. Un mug de café oublié à côté du téléphone lui rappela Glasgow – un univers de culture en blanc et vert[1].

Quand la moisissure gagnait le salon, autant ne pas s'aventurer dans la cuisine. Rebus s'installa dans son fauteuil préféré et écouta les messages sur le répondeur. Pas grand-chose. Gill Templer, qui se demandait ce qu'il devenait ces derniers temps. Comme si elle ne le savait pas… Sa fille Samantha, qui venait de se trouver un appart à Londres et lui laissait le numéro et l'adresse. Deux appels sans message.

– Faites comme ça vous chante…

Il éteignit le répondeur, prit son calepin et composa le numéro de Gregor Jack. Il voulait lui demander pourquoi il n'avait rien dit des coups de fil anonymes. Le Pouilleux. À supposer que quelqu'un soit véritablement décidé à le plumer, Gregor Jack ne semblait pas s'en inquiéter outre mesure. Sans être résigné, il n'avait pas du tout l'air ennuyé. À moins de jouer la comédie avec Rebus… Et que penser de Rab Kinnoul, assassin à l'écran ? Que fabriquait-il à toujours délaisser sa femme ? Et Ronald Steele, le libraire qui « n'était jamais là où on croyait » ? Étaient-ils tous de mèche ? Il ne s'agissait pas de soupçonner toute l'espèce humaine… ni d'ériger le pessimisme en religion. Il savait que quelque chose ne tournait pas rond, sans pouvoir mettre le doigt dessus.

Apparemment, tout le monde était sorti. Ou bien on ne voulait pas répondre. À moins qu'on n'ait décroché, ou…

---

1. Couleurs portées par les footballeurs du Celtic de Glasgow.

– Allô ?

Rebus consulta sa montre – sept heures et quart légèrement passées.

– Mademoiselle Greig ? Ici l'inspecteur Rebus. On peut dire qu'il vous fait bosser tard.

– On peut en dire autant pour vous, inspecteur. Qu'y a-t-il, cette fois ?

Le ton impatient. Urquhart lui avait peut-être donné la consigne de ne pas se montrer trop sympathique. On avait peut-être découvert qu'il lui avait soutiré l'adresse de Deer Lodge.

– Je souhaite toucher un mot à monsieur Jack, si possible.

– Désolée, ce n'est pas possible. Il participe à une réception ce soir.

Un rien de suffisance dans la voix.

– Ah… Comment s'est passée la réunion ce matin ?

– Quelle réunion ?

– Je croyais qu'il était convoqué devant sa section locale.

– Ah, ça. Je pense que ça s'est très bien passé.

– Il a donc sauvé sa tête ?

Elle eut un rire forcé.

– Ils seraient fous de se séparer de lui.

– Malgré tout, ça doit être un soulagement.

– Je n'en sais rien. Il a passé l'après-midi à jouer au golf.

– Veinard !

– Je crois qu'un député a tout de même le droit de se détendre un après-midi par semaine. Vous ne pensez pas, inspecteur ?

144

– Mais si, tout à fait. Je suis entièrement de votre avis…

Il marqua un silence. À vrai dire, il ne savait plus trop quoi lui demander. Mais il voulait la faire parler, en espérant que dans le cours de la conversation Helen Greig lui dévoilerait quelque chose qu'il ignorait.

– Au fait, reprit-il, à propos des coups de téléphone…

– Quels coups de téléphone ?

– Les appels anonymes que M. Jack a reçus.

– Je ne vois pas de quoi vous voulez parler. Désolée, mais je dois y aller. Ma mère m'attend à huit heures moins le quart.

– Très bien, mademoiselle G…

Elle avait déjà raccroché. Jouer au golf par un après-midi pareil ? Jack devait être un mordu. Une pluie battante s'était mise à tomber à la mi-journée. Rebus jeta un coup d'œil par un carreau crasseux. Il ne pleuvait plus mais la chaussée rutilait. Soudain, son appartement lui parut plus froid et solitaire que jamais. Il décrocha le combiné et appela Patience Aitken. Pour la prévenir qu'il arrivait. Elle lui demanda où il était.

– Chez moi.

– Ah bon ? Tu es passé prendre des affaires ?

– C'est ça.

– Si tu avais un costume de plus, ça ne serait pas du luxe.

– O.K.

– Amène aussi quelques-uns de tes bouquins chéris, puisque tu ne partages pas mes goûts.

– Les histoires romantiques, ça n'a jamais été mon truc, Patience.

Dans la vie comme en littérature, songea-t-il. Certains de ses «bouquins chéris» étaient éparpillés par terre. Il en ramassa un au hasard, tenta en vain de se rappeler quand il l'avait acheté et le reposa.

– Tu peux apporter tout ce que tu veux, John. Tu sais qu'on a la place.

On ?

– O.K., Patience. À tout à l'heure.

Il poussa un soupir en raccrochant et jeta un coup d'œil à la ronde. Même après tant d'années, il restait des places vides sur les étagères là où s'étaient trouvés les bibelots de Rhona, son ex-femme. Ainsi que dans la cuisine, à l'emplacement du sèche-linge et de son lave-linge chéri qu'elle avait emporté. On voyait toujours aux murs les contours rectangulaires où étaient accrochés ses posters et tableaux. On n'avait pas refait la peinture depuis… quand ça, au juste ? 1981 ou 1982. *Argh*, ça n'avait pas l'air si moche. Et puis quoi encore ? On aurait dit un squat.

Qu'as-tu fait de ta vie, John Rebus ? Réponse : pas grand-chose. Gregor Jack était plus jeune et lui avait mieux réussi. Idem pour Barney Byars. Connaissait-il quelqu'un de plus âgé avec une moins bonne situation que la sienne ? Personne, hormis les mendiants du centre-ville avec qui il avait passé l'après-midi – sans résultat, mais avec le sentiment désagréable d'être à sa place…

Qu'est-ce qui lui prenait ?

– Tu donnes dans le morbide, mon vieux !

S'apitoyer sur soi n'était pas la solution. La solution, c'était de s'installer avec Patience… Pourtant, il était loin d'en être convaincu. Pourquoi voyait-il cela comme un problème de plus ?

Il appuya sa tête contre le dossier du fauteuil. Me voilà coincé, songea-t-il, entre un coussin et un nid douillet. Il demeura longtemps à fixer le plafond. Dehors, il faisait nuit et brouillard. Quand les brumes de la mer du Nord enveloppaient Édimbourg, la ville semblait basculer dans le passé. On s'attendait presque à croiser des sergents recruteurs dans les rues de Leith, à entendre les sabots sur les pavés et les cris « Gare ! Gare à l'eau ! » dans High Street.

S'il vendait son appartement, il pourrait s'offrir une nouvelle voiture, envoyer un peu d'argent à Samantha. S'il vendait... S'il s'installait chez Patience... Avec des si...

Si la merde était de l'or, comme lui disait toujours son père, t'aurais un chtiouf au cul !

Le vieux ne lui avait jamais expliqué ce qu'était un « chtiouf ».

Bon sang, qu'est-ce qui lui faisait penser à ça ?

Ça n'allait pas fort. Il n'arrivait pas à penser clairement, pas dans ce taudis. Son appartement recelait peut-être trop de souvenirs, bons et mauvais. À moins que ce ne soit simplement l'humeur de la soirée.

Ou bien le visage de Gill Templer, qui surgissait sans cesse dans son esprit – sans y être invité, voulait-il croire.

5

Au fil de l'eau

Un cambriolage avec coups et blessures… voilà qui mettait en jambes par un jeudi matin bruineux. La victime avait été hospitalisée, le visage tuméfié et bandé. Rebus était passé l'interroger et se trouvait dans le pavillon à Jock's Lodge, pour superviser le relevé des empreintes et l'enquête de voisinage, quand il reçut la nouvelle de Great London Road. Ce fut Brian Holmes qui l'appela.

– Qu'est-ce que c'est, Brian ?

– On a un nouveau cadavre.

– Un nouveau cadavre ?

– Dans une rivière.

– Merde… Où ça ?

– En dehors de la ville. Vers Queensferry. Encore une femme. C'est une promeneuse qui l'a retrouvée…

Il se tut pendant qu'on lui remettait quelque chose. Rebus l'entendit marmonner des remerciements à la personne qui s'éloignait.

– Ça pourrait être un coup de Glass, reprit Holmes après avoir avalé une gorgée de café. On s'est dit qu'il avait dû rester en ville, mais il a tout aussi bien pu filer vers le nord. Queensferry n'est pas si loin que ça, et on peut s'y rendre à travers champs sans être obligé de longer la route. Si j'étais fugitif, c'est ce que je ferais.

En effet. Rebus connaissait les environs, pour y être passé pas plus tard que l'autre jour. Des petites routes, très peu de circulation, à l'abri des regards curieux... Au fait, n'y avait-il pas un cours d'eau, quasiment une rivière qui passait devant la maison des Kinnoul ?

– Brian...

– Ce n'est pas tout, l'interrompit Holmes. La femme qui a retrouvé le cadavre... devinez qui c'est.

– Cathy Gow, répondit-il nonchalamment.

– Qui ça ? fit Holmes, l'air interloqué. Non, pas du tout. C'est la femme de Rab Kinnoul. Vous savez, l'acteur. C'est qui, cette Cathy Gow ?

C'était un endroit à flanc de coteau, en amont de la propriété des Kinnoul. Tout à fait accessible à pied, mais le paysage était un peu déprimant pour une balade. Une petite route passait à une cinquantaine de mètres du torrent, avant de rejoindre une voie plus importante qui serpentait jusqu'à la côte. Pour atteindre cet endroit, de deux choses l'une : descendre depuis la route, ou passer à pied devant la maison des Kinnoul.

– Aucune trace de voiture ? demanda Rebus à Holmes.

Tous deux avaient remonté la fermeture de leur blouson pour se protéger du vent mordant et du crachin.

– Vous songez à une voiture précise ? La chaussée est goudronnée. Je suis allé jeter un coup d'œil. Aucune trace de pneu.

– Ça mène où ?

150

– La route se transforme en un chemin de ferme qui conduit, je vous le donne en mille… à une ferme.

Holmes se dandinait d'un pied sur l'autre pour se réchauffer, sans grand résultat.

– Il faudrait passer à la ferme et vérifier…

– J'ai envoyé quelqu'un sur place.

Rebus opina du chef. Holmes avait l'habitude : il prenait telle ou telle décision et Rebus passait derrière lui pour s'assurer qu'il n'avait rien négligé.

– Et Mme Kinnoul ?

– Elle est chez elle. Une agent lui a préparé du thé bien sucré.

– Veillez à ce qu'elle ne prenne pas trop de calmants. On a besoin de sa déposition.

Voyant la mine interloquée de Holmes, Rebus lui parla de son premier passage.

– Et M. Kinnoul ?

– Il est parti tôt ce matin. C'est pour ça que Mme Kinnoul est sortie se promener. Elle aime marcher le matin quand elle est seule, nous a-t-elle expliqué.

– Sait-on où il se trouve ?

Holmes haussa les épaules.

– Parti pour le boulot, c'est tout ce qu'elle a pu nous dire. Elle ne sait pas où il est, ni pour combien de temps il en a. D'après elle, il devrait rentrer dans la soirée.

Rebus hocha la tête d'un air pensif. Ils se tenaient sur la route. Les autres étaient au bord du torrent, en contrebas. Le cours d'eau était en crue, après tout ce qu'il avait plu. Quasiment assez large et profond pour parler d'une « rivière ». Les « autres » comprenaient notamment des policiers en cuissardes, qui plongeaient le bras dans l'eau glaciale, cherchant à tâtons des indices depuis longtemps charriés par les flots. Les techniciens de la police scientifique, qui s'affairaient autour du cadavre. Les spécialistes de l'identification, armés d'appareils photo et de caméscopes. Et le Dr Curt, vêtu d'un imperméable qui claquait au vent et dont le col était retroussé. Il vint à leur rencontre en déclamant les premiers vers de *Macbeth*.

– « Quand notre trio sera-t-il à nouveau réuni, sous l'orage, les éclairs ou la pluie ? Cette maudite lande… » et cætera. Bonjour, inspecteur.

– Bonjour, docteur Curt. Qu'est-ce que vous avez pour nous ?

Le légiste retira ses lunettes et essuya quelques gouttes de pluie sur les verres.

– Une double pneumonie, répondit-il en les chaussant de nouveau. Ça vous apprendra à sortir par un temps pareil.

– Accident, meurtre ou suicide ? s'enquit Rebus.

Le Dr Curt fit claquer sa langue et secoua la tête d'un air navré.

– Vous savez très bien que je ne tire jamais de conclusions hâtives, inspecteur. Je reconnais volontiers que cette pauvre femme a passé moins longtemps dans l'eau que la précédente, néanmoins…

– Combien de temps ?

– Une journée tout au plus. Mais avec le poids de l'eau et tout le reste… les débris… elle est un peu abîmée. À vrai dire, on a eu de la chance de la retrouver.

– Comment ça ?

– Le sergent ne vous a pas raconté ? Son poignet s'est pris dans une branche morte. Sans cela, elle aurait très certainement été emportée par le torrent, sans doute jusqu'à la mer.

Rebus songea au cours de la rivière, qui contournait les rares foyers d'habitation. En effet : un corps qui tombait dans le torrent à cet endroit avait toutes les chances de disparaître sans laisser de traces.

– A-t-on une idée de qui il s'agit ?

– On n'a retrouvé aucune pièce d'identité sur le cadavre. Mais elle porte plusieurs bagues, et une robe très élégante. Ça vous dit de jeter un coup d'œil ?

– Pourquoi pas. Allons-y, Brian.

Holmes ne bougea pas.

– Je l'ai déjà vue tout à l'heure, monsieur. Mais je ne veux surtout pas vous retenir.

Rebus descendit donc le talus derrière le légiste, en se faisant la réflexion qu'il n'était pas simple de trimballer un cadavre sur cette pente. Mais il y avait toujours la solution de le faire rouler jusqu'en bas... l'entendre tomber à l'eau, sans se douter qu'il s'était accroché à une branche morte... Encore fallait-il amener la personne jusque-là, morte ou vivante, ce qui nécessitait forcément une voiture. William Glass saurait-il se débrouiller pour voler un véhicule ? Pourquoi pas, ça semblait à la portée de n'importe qui. Des gamins en culotte courte étaient capables de vous montrer comment faire.

– Comme je vous l'ai expliqué, disait Curt, elle est un peu abîmée. Je n'ai pas pu déterminer si les coups ont été reçus *ante* ou *post mortem*. D'ailleurs, concernant la noyée de Dean Bridge...

– Oui ?

– Elle avait eu des relations sexuelles récemment.

On a des traces de sperme dans le vagin. On devrait pouvoir établir un profil génétique. Ah, nous y voilà…

Le corps était étendu sur une bâche en plastique. C'était en effet une jolie robe d'été, très chic, mais déchirée. Et tachée de boue, comme le visage… Les traits bouffis, quelques éraflures… Les cheveux ramenés en arrière, une blessure au crâne… Rebus déglutit vivement. Avait-il eu un pressentiment ? Il ne savait pas trop. Mais les photos qu'il avait vues ne lui laissaient aucun doute.

– Je sais qui c'est, dit-il.

– Comment ?

Les techniciens de la police scientifique le dévisagèrent d'un air incrédule. Sans doute alerté par ce tableau, Brian Holmes les rejoignit en dévalant la pente.

– Je vous dis que je sais qui c'est. Enfin, je crois… Non, je suis sûr de moi. Elle s'appelle Elizabeth Jack. Ses amis l'appelaient Liz ou Lizzie. Elle est… elle était mariée à Gregor Jack, le député.

– Nom de Dieu, murmura le Dr Curt.

Holmes et Rebus se dévisagèrent, à court de mots.

Le problème de l'identification n'était pas réglé pour autant, bien entendu. Loin s'en fallait. Il y avait tout lieu de penser qu'on avait affaire à une mort suspecte. Néanmoins, la question devait faire l'objet d'une décision en bonne et due forme de la part du représentant du procureur général, à savoir le gentleman en pleine discussion avec le Dr Curt, un monsieur qui opinait gravement du chef tandis que le légiste gesticulait avec la fougue d'un Italien surexcité. Ce dernier expliquait pour la centième fois, avec une passion intacte, la circulation des diatomées à l'intérieur du cadavre, à un interlocuteur qui blêmissait à vue d'œil.

L'équipe d'identification était toujours là, à filmer et photographier, obligée de s'interrompre toutes les trente secondes pour essuyer les objectifs. La pluie avait tendance à redoubler, sous un ciel gris anthracite à perte de vue. L'adjoint du procureur général convint qu'une autopsie s'imposait. Le cadavre serait transféré à la morgue d'Édimbourg, à Cowgate, où l'on procéderait à son identification formelle avec la participation de deux personnes ayant connu la victime de son vivant et deux policiers ayant vu le cadavre *in situ*. Et s'il s'avérait qu'il ne s'agissait pas, tout compte fait, d'Elizabeth Jack, Rebus serait dans de beaux draps. En observant le cadavre qu'on emportait, il étouffa un éternuement. Le Dr Curt n'avait peut-être pas tort en pronostiquant une double pneumonie. L'étape suivante allait de soi : chez les Kinnoul. Avec un peu de chance, il aurait droit à une tasse de thé bien chaud. L'équipe de la police scientifique s'entassa humidement dans une voiture et rentra au QG de Fettes.

– Viens, Brian. Allons voir comment se porte Mme Kinnoul.

Cath Kinnoul avait l'air en état de choc. Un médecin était passé la voir, mais il était déjà reparti quand Rebus et Holmes arrivèrent. Ils retirèrent leurs blousons trempés dans le vestibule et Rebus toucha un mot discret à la femme agent.

– Aucune nouvelle du mari ?

– Non, monsieur.

– Comment va-t-elle ?

– Elle est plongée dans une douce torpeur.

Rebus prit son air le plus frigorifié et pitoyable. Sans trop de peine. Sa jeune collègue lut dans ses pensées et sourit.

– Vous voulez que je fasse du thé ?

– Une boisson chaude sera la bienvenue, croyez-moi.

Cath Kinnoul était assise dans un des énormes fauteuils du salon. On aurait dit qu'elle allait s'y engloutir. Elle semblait avoir rajeuni de moitié depuis leur première rencontre, et peser trois fois moins.

– C'est moi de nouveau, lança Rebus d'un ton faussement enjoué.

– Inspecteur… Rebus ?

– C'est ça. Et voici le sergent Holmes. Évitez de l'appeler Sherlock, ça ne le fait plus rire ! N'est-ce pas, sergent ?

Holmes comprit que le numéro du duo comique visait à redonner un peu de tonus à Cath Kinnoul. Il hocha vigoureusement la tête. Puis il parcourut la pièce d'un regard désabusé, espérant y découvrir un joli feu de bûches ou de charbon, mais il n'y avait même pas ne serait-ce qu'un feu au gaz devant lequel se réchauffer. Il aperçut simplement un petit appareil électrique, à peine rougeoyant, et deux radiateurs. Il opta pour l'un d'eux et s'en approcha, en décollant discrètement son pantalon de sa jambe. Il fit mine d'observer les photos accrochées au mur. Rab Kinnoul aux côtés d'un acteur de télévision… d'un comique… d'un animateur de jeux télévisés…

156

– Mon mari, expliqua Mme Kinnoul. Il travaille à la télévision.

– Vous n'avez aucune idée de ce qu'il avait à faire aujourd'hui, madame Kinnoul ? s'enquit Rebus.

– Non, répondit-elle doucement. Aucune idée.

Deux personnes ayant connu la défunte de son vivant… En tout cas, songea Rebus, inutile de compter sur Cath Kinnoul. Celle-ci serait au trente-sixième dessous si elle apprenait qu'il s'agissait de Liz Jack, sans parler d'avoir à identifier le cadavre… Quelqu'un se chargeait de prévenir Gregor Jack, qui viendrait à la morgue accompagné de Ian Urquhart ou Helen Greig, l'un comme l'autre susceptible de fournir la deuxième confirmation. Inutile de tracasser Cath Kinnoul.

– Vous m'avez l'air trempés, dit-elle. Vous voulez boire quelque chose ?

– Notre collègue est partie faire du thé, répondit Rebus qui comprit aussitôt qu'elle pensait à un autre genre de boisson. Mais un petit remontant serait le bienvenu, si ça ne vous dérange pas trop.

– Le placard de droite, dit-elle en indiquant le buffet du menton. Servez-vous, je vous en prie.

Rebus lui aurait volontiers proposé de les accompagner, mais quelle dose de calmants son médecin lui avait-il prescrite ? Sans compter ce qu'elle avait pu prendre de son propre chef. Il servit du Glenmorangie dans deux grands verres et en tendit un à Holmes qui ne quittait pas son radiateur.

– Fais gaffe à la vapeur, lui glissa Rebus.

La policière revint avec le thé sur un plateau et manqua de froncer les sourcils en apercevant le whisky.

157

– À la vôtre ! lança Rebus en vidant son verre cul sec.

À la morgue, Gregor Jack parut à peine reconnaître Rebus, à qui Ian Urquhart glissa sur le ton de la confidence que le député avait dû quitter sa permanence. Celle-ci se tenait d'ordinaire le vendredi, mais Jack voulait être présent le lendemain aux Communes pour un débat concernant un certain projet de loi. Comme il se trouvait justement à Édimbourg le mercredi, on avait décidé de déplacer la permanence au jeudi pour avoir le vendredi de libre.

Rebus l'écouta sans rien dire, en se demandant pourquoi il lui racontait tout ça. Urquhart était visiblement sur les nerfs et avait besoin de parler. La morgue avait souvent cet effet sur les gens. Si en plus votre employeur était sur le point d'affronter un deuxième scandale coup sur coup... Si en plus votre boulot menaçait de devenir nettement plus compliqué...

– Comment s'est passée la partie de golf ? lui demanda Rebus.

– Quelle partie de golf ?

– Hier.

– Ah, fit Urquhart. Vous parlez de Gregor. Je n'en sais rien. Je n'ai pas eu le temps de lui en parler.

Urquhart n'était donc pas de la partie. Le silence s'éternisa, à tel point que Rebus pensa que la conversation en était arrivée au point mort, mais le besoin de parler était trop fort.

– Ils jouent régulièrement ensemble, reprit Urquhart. Gregor et Ronald Steele. Presque tous les mercredis après-midi.

Le fameux Suey, candidat au suicide dans sa jeunesse.

Rebus essaya de poser la question suivante sur le ton de la plaisanterie.

– Quand est-ce que Gregor trouve le temps de bosser ?

Urquhart parut stupéfait.

– Il ne fait que ça ! Ces parties de golf... je ne lui connais quasiment aucun autre loisir.

– Mais il n'a pas l'air d'être souvent à Londres.

– Ouais, la circonscription passe en premier. Gregor y tient beaucoup.

– Soignez vos électeurs et ils prendront soin de vous, c'est ça ?

– En quelque sorte.

Ce n'était plus le moment de bavarder. On était sur le point de procéder à l'identification. Gregor Jack, qui n'avait déjà pas très bonne mine les jours précédents, avait l'air d'une poupée de chiffon en loques.

– Mon Dieu, cette robe...

Il semblait sur le point de s'évanouir, mais Urquhart le soutenait d'une main ferme.

– Si vous pouviez regarder le visage, suggéra quelqu'un. Il faut qu'on soit sûrs et certains...

Tous les regards se portèrent sur le visage. Oui, songea Rebus. C'est bien cette personne que j'ai vue au bord du torrent.

– Oui, dit Gregor Jack d'une voix tremblante. C'est ma... C'est Liz.

Rebus ne put retenir un soupir de soulagement.

Personne ne s'était soucié de Sir Hugh Ferrie, ni de sa réaction.

– Mettons simplement… dit le superintendant Watson. Eh bien… que la pression se fait un peu sentir.

Fidèle à lui-même, Rebus ne put tenir sa langue.

– Sur qui veut-il faire pression ? Qu'est-ce qu'on peut faire de plus ?

– Sir Hugh estime qu'on aurait déjà dû coincer William Glass.

– Mais on ne sait même pas…

– Voyons, nous savons tous que Sir Hugh est un sanguin. Mais il n'a pas entièrement tort…

Traduction : il a des amis haut placés, songea Rebus.

– Il n'a pas entièrement tort, poursuivit Watson, et on se passerait bien de la tempête médiatique qui va forcément éclater. Je demande simplement un petit coup de collier pour l'enquête, à tous les niveaux. On doit interpeller ce Glass, tenir tout le monde informé et boucler le rapport d'autopsie le plus vite possible.

– Ce n'est pas une simple formalité, dans le cas d'une noyade.

– John, vous connaissez assez bien le Dr Curt, n'est-ce pas ?

– On s'appelle par notre nom de famille.

– Vous ne pourriez pas lui filer un coup de coude amical ?

– Et s'il me rend le coup ?

Watson afficha la mine du tonton sympathique qui perd patience avec un neveu surdoué.

– À vous de frapper plus fort. Je sais qu'il a trop de boulot, ses cours à la fac, ses travaux de recherche et Dieu sait quoi. Mais plus on attend et plus les médias risquent de compléter les blancs à coups de spéculations. Je vous demande de lui toucher un mot, John. Histoire de lui faire passer le message, entendu ?

Le message ? Quel message ? Le Dr Curt fit sa réponse habituelle : Inutile de me demander d'aller plus vite… La distinction entre la noyade et la simple immersion est une affaire délicate… Ma réputation professionnelle… Pas question de commettre une erreur… de confondre vitesse et précipitation… Les vertus de la patience… Les petits ruisseaux font les grandes rivières…

Un point de vue exprimé dans le bureau du docteur, entre deux rendez-vous. L'unité Médecine légale du département de pathologie, tiraillée entre la faculté de médecine et la faculté de droit, était néanmoins hébergée par la première dans ses locaux de Teviot Place. Rebus n'y trouvait rien à redire. Les étudiants en droit des affaires n'avaient pas à frayer avec des personnes qui raffolaient de cadavres…

– … les diatomées, ânonnait le Dr Curt. Une peau de lavandière… Écume teintée de sang… Poumons déformés…

Quasiment une litanie, qui ne les avançait pas à grand-chose.

Examens des tissus… diatomées… toxicologie… fractures… diatomées… Curt faisait une fixation sur ces algues minuscules.

– Des algues monocellulaires, le reprit le légiste.

Rebus inclina la tête respectueusement.

– Eh bien, dit-il en se levant, faites au plus vite.

Hein, docteur ? Si je n'étais pas au poste, vous pouvez toujours essayer sur mon téléphone monocellulaire.

– Je vais faire au plus vite, acquiesça Curt en gloussant. Au fait, je peux déjà vous dire une chose avec certitude.

Il se leva à son tour et ouvrit la porte de son bureau.

– Quoi donc ?

– Mme Jack se faisait épiler. Chatte épilée craint l'eau froide !

Teviot Place se trouvant à deux pas de Buccleuch Street, Rebus décida de passer chez *Suey Books*. Sans grand espoir de croiser Ronald Steele, qui n'était jamais là où on croyait. Un homme qui s'affairait en coulisses, loin des regards. La boutique était ouverte, avec la vieille bécane devant. Rebus poussa la porte avec méfiance.

– C'est bon, retentit une voix au fond du magasin. Raspoutine est en vadrouille.

Il referma la porte et se dirigea vers la caisse. La jeune femme se trouvait là, toujours occupée à noter des prix. Avec les rayonnages qui croulaient déjà sous les bouquins, Rebus se demanda où iraient ces nouveaux livres.

– Comment vous saviez que c'était moi ?

– La vitrine, répondit-elle en pointant le menton vers la devanture. Elle a l'air très sale vue de l'extérieur, mais d'ici on voit bien dehors. Comme une glace sans tain.

Rebus jeta un coup d'œil vers la rue. En effet – il faisait tellement sombre dans le magasin qu'on distinguait parfaitement l'extérieur.

162

– Aucun signe de vos livres, si c'est pour ça que vous êtes là.

Lentement, Rebus opina du chef. Non, ce n'était pas la raison de sa visite.

– Et Ronald n'est pas là, ajouta-t-elle en consultant l'énorme cadran de sa montre. Il a une demi-heure de retard. Il a dû être retenu.

Rebus continuait de hocher la tête. Steele lui avait dit le nom de la jeune femme. Comment s'appelait-elle, déjà…

– Et hier, il est passé au magasin ?

– On était fermés, dit-elle en faisant non de la tête. Toute la journée. J'étais mal fichue, je n'ai pas pu travailler. En début d'année universitaire, ça marche plutôt bien le mercredi, étant donné qu'il n'y a pas de cours l'après-midi, mais à cette époque c'est très calme…

Vaseline, songea Rebus. Vaporisateur… Vanessa ! Elle s'appelait Vanessa.

– Merci tout de même. Et si jamais vous tombez sur un de mes bouquins…

– Tiens ! Voilà justement Ronald.

Rebus se retourna au moment où la porte volait. Ronald Steele la referma bruyamment et s'engagea dans l'allée centrale, mais il trébucha et se retint à une étagère. Son regard tomba sur le dos d'un ouvrage qu'il sortit du rayonnage.

– *Comme un poisson dans l'eau*, dit-il. Dans l'eau…

Il balança le livre de toutes ses forces, dans une étagère à un mètre ou deux, et celui-ci retomba par terre, ouvert. Puis il se mit à prendre des livres au hasard et à les jeter rageusement n'importe où, les yeux rougis de larmes.

Vanessa quitta son bureau en criant et se précipita vers lui, mais Steele la repoussa violemment, puis repoussa Rebus, et disparut derrière une porte au fond du magasin. On entendit une autre porte claquer.

– C'est quoi là-bas ? s'enquit Rebus.

– Les toilettes, répondit Vanessa en s'accroupissant pour ramasser les livres. Quelle mouche l'a piqué ?

– Il a peut-être appris une mauvaise nouvelle, suggéra Rebus.

Il l'aida à remettre de l'ordre, puis se redressa et lut la quatrième de couverture de *Comme un poisson dans l'eau*. L'illustration de la jaquette représentait une jeune femme minaudant sur une chaise longue tandis qu'un séducteur ténébreux se penchait dans son dos, approchant ses lèvres de ses épaules nues.

– J'ai bien envie de vous l'acheter, dit-il. Ça m'a l'air tout à fait mon genre.

Vanessa prit le livre et le dévisagea, son incrédulité en partie masquée par le choc de la scène dont elle venait d'être témoin.

– Cinquante pence, annonça-t-elle doucement.

– Très bien, acquiesça Rebus.

Après l'identification formelle, tandis que l'autopsie suivait son cours habituel et éprouvant, on entama les interrogatoires. Ce n'était pas les questions qui manquaient. On commença par Cath Kinnoul. En douceur, avec son mari à ses côtés et une bonne dose de calmants dans le sang. Non, elle n'avait pas vu le cadavre de près. Elle avait compris d'assez loin. Elle avait vu la robe, avait su qu'il s'agissait… d'une robe. Rentrant précipitamment à la maison, elle avait prévenu la police. Elle avait composé le 999, comme on était censé faire en cas d'urgence. Non, elle n'était pas retournée du côté du torrent. D'ailleurs, elle n'y retournerait sans doute jamais.

Et M. Kinnoul, qu'avait-il fait de sa matinée ? Des réunions d'affaires. Avec des associés et partenaires potentiels. Il cherchait à lancer une chaîne de télé privée, et leur serait reconnaissant de ne pas ébruiter l'information. Et la soirée de la veille ? Il l'avait passée chez lui, avec son épouse. Ils n'avaient rien vu ni entendu ? Absolument rien. Ils avaient regardé la télé, des cassettes d'anciennes séries avec M. Kinnoul… *Knife Ledge*. L'assassin du petit écran.

– Vous devez connaître quelques ficelles du métier, monsieur Kinnoul.

– Comment jouer la comédie, vous voulez dire ?

– Non, comment tuer.

Et puis il y avait le cas de Gregor Jack… Rebus ne voulut pas s'en occuper. Il lirait les comptes rendus et les procès-verbaux ultérieurement. Il préférait ne pas s'impliquer. Il en savait trop ; avec ses préjugés, il risquait fort de se montrer injuste. Il laissa à ses collègues le soin de voir Gregor Jack, Ian Urquhart, Helen Greig, et toute la bande des mignons et acolytes d'Elizabeth Jack. Car il ne s'agissait plus d'une simple disparition, mais d'une morte.

Jamie Kilpatrick, Lady Matilda Merriman, Julian Kaymer, Martin Inman, Louise Patterson-Scott, et même Barney Byars. Les interrogatoires étaient en cours. Certains d'entre eux en subiraient peut-être un second. On avait un blanc de plusieurs jours à remplir. Un trou considérable dans la vie d'Elizabeth Jack. Qu'avait-elle fait au cours de sa dernière semaine d'existence ? Où s'était-elle rendue ? Qui avait-elle vu ? Quand était-elle morte ?

– Dépêchez-vous, docteur Curt…

Crac ! Schlac ! Schploung !

Comment était-elle morte ? Où était passée sa voiture ?

Rebus lut l'ensemble des rapports et des notes. Il éplucha l'interrogatoire de Gregor Jack, et celui de Ronald Steele. Un agent fut envoyé au club de Braidwater pour vérifier l'histoire de la partie de golf. Rebus lut très attentivement l'interrogatoire de Steele. Celui-ci reconnaissait volontiers qu'Elizabeth Jack lui reprochait de ne pas être très marrant. « Elle avait raison, j'imagine. Je ne suis pas vraiment du genre fêtard. Et je n'ai pas les moyens. Elle aimait les flambeurs. » Une pointe d'amertume ? Ou simplement l'amère vérité ?

Rebus ajoutait une question à la liste déjà longue : Elizabeth Jack avait-elle jamais quitté Édimbourg ?

Et la traque de William Glass se poursuivait en parallèle. À supposer qu'il se soit bien rendu à Queensferry, où irait-il ensuite ? Vers l'ouest à Bathgate, Linlithgow ou Bo'Ness ? Vers le Fife au nord, en traversant le Forth ? Les forces de police étaient en alerte, le signalement du fugitif était diffusé un peu partout. Liz Jack était-elle vraiment passée à Deer Lodge ? Comment Glass avait-il fait pour se volatiliser ? Y avait-il un lien entre la mort de Mme Jack et la virée de son mari dans un bordel d'Édimbourg ?

Cette dernière piste était fortement creusée par la

presse, qui penchait en faveur du suicide d'Elizabeth Jack. Les turpitudes du mari… découvertes pendant qu'elle faisait une retraite… sur le chemin du retour, elle décide qu'elle ne peut pas faire face… elle veut se rendre chez son ami, l'acteur Rab Kinnoul… mais le désespoir est trop fort et, ayant entendu parler du meurtre de Dean Bridge, elle choisit de mettre un terme à ses jours… elle se jette dans le torrent qui passe devant chez les Kinnoul. Point final.

Sauf que ça ne s'arrêtait pas là. Pour les journaux, les choses ne faisaient que commencer. Il fallait reconnaître que tous les ingrédients étaient réunis : l'acteur célèbre, l'homme politique en vue, le sexe et le cadavre. Pour les manchettes, on était un peu perdu, ne sachant quel angle privilégier : *Trompée dans un bordel, noyée dans un ruisseau…* Ou bien : *L'acteur et le député unis par un suicide dramatique* ? Effectivement, il y avait de quoi s'emmêler les pinceaux.

Et le mari éprouvé ? Amis et collègues prenaient soin de le tenir à l'écart des médias. En revanche, il était toujours disposé à répondre aux questions de la police, pour clarifier tel ou tel point. Tandis que son beau-père se répandait d'interview en interview, mais se contentait de réponses lapidaires et de commentaires cinglants pour les enquêteurs.

– Qu'est-ce que vous voulez que je vous dise ? Trouvez-moi l'enflure qui a fait ça, et après on causera. J'exige qu'on mette cet animal derrière des barreaux ! Et vaudrait mieux qu'ils soient solides, sans quoi je les écarterai pour étrangler ce salopard de mes propres mains !

– Croyez-moi, Sir Hugh, nous faisons tout notre possible.

– Mais est-ce suffisant, moi je vous le demande ?

– Nous faisons tout ce que nous pouvons.

Ce qui ne laissait qu'une ultime question : y avait-il un coupable ? Seul le Dr Curt était capable de fournir la réponse.

6

Cambrousse

Rebus fourra quelques affaires dans un sac de voyage. Il s'agissait en fait d'un sac de sport que lui avait offert Patience Aitken le jour où elle avait brusquement décidé qu'il devait prendre soin de son corps. Ils s'étaient inscrits dans un club, avaient acheté de jolies tenues et s'y étaient rendus quatre ou cinq fois. Ils avaient fait du squash, s'étaient offert quelques séances de massage et de sauna, avaient nagé et survécu aux équipements dernier cri de la salle de gym, s'étaient essayés au jogging… mais passaient le plus clair de leur temps au bar du club, ce qui n'était pas très malin avec les consommations deux fois plus chèrcs qu'au pub tout à fait sympathique situé au coin de la rue.

Le sac de sport s'était donc reconverti en sac de voyage. De toute manière, Rebus n'emmenait que le strict minimum. Une seule chemise de rechange, slip et chaussettes, brosse à dents, appareil photo, blouson imperméable. Aurait-il besoin d'un lexique de conversation courante ? Probablement, mais l'ouvrage en question n'existait sans doute pas. Il lui faudrait aussi un peu de lecture pour s'occuper le soir. Il tomba sur *Comme un poisson dans l'eau* et le flanqua dans le sac.

À cet instant, le téléphone sonna. Mais il se trouvait chez Patience, qui avait un répondeur. Malgré tout… Il se rendit dans le salon, écouta l'annonce enregistrée par Patience, puis le début du message de la personne qui appelait.

– Brian Holmes à l'appareil, je cherche à joindre…
Rebus décrocha.

– Brian ? Qu'est-ce qui se passe ?

– Ah, vous êtes encore là. J'avais peur que vous soyez déjà parti pour la cambrousse.

– J'étais sur le point de filer.

– Vous ne voulez pas faire un détour par le poste ?

– Pourquoi donc ?

– Parce que le Dr Curt est sur le point de se prononcer…

Noyade et immersion étaient deux phénomènes bien distincts. Premier cas de figure : un corps (conscient ou inconscient) tombe à l'eau (seul ou avec de l'aide) et se noie. Seconde hypothèse : c'est un cadavre que l'on jette à l'eau, pour le faire disparaître ou mettre la police sur une fausse piste. Dans ce cas, déterminer la cause et l'heure du décès s'avérait plus délicat. La rigidité cadavérique ne survenait pas toujours. Les contusions et multiples lésions pouvaient très bien provenir des pierres et autres débris flottant dans l'eau.

En revanche, si l'on constatait une expulsion d'écume par la bouche et le nez quand on appuyait sur le torse, c'était le signe que la personne était en vie au moment de l'immersion. Idem pour la présence de diatomées dans le cerveau, la moelle épinière, les reins et ainsi de suite. Les diatomées, comme le Dr Curt ne se lassait jamais d'expliquer, étaient des micro-organismes capables de franchir la membrane pulmonaire et qui se propageaient donc dans le sang dès lors que le cœur battait toujours.

D'autres indices pouvaient être utiles. La présence de matière vaseuse dans les bronches indiquait que de l'eau avait été inhalée. Quand une personne vivante tombait à l'eau, elle tentait d'agripper quelque chose (de se rattraper aux branches, en quelque sorte) et le cadavre avait donc les poings serrés. La peau rougie, la perte des cheveux et des ongles, un certain gonflement – tout cela pouvait servir à estimer combien de temps le cadavre avait passé dans l'eau.

Comme le fit remarquer le Dr Curt, certains examens étaient en cours. Les résultats des analyses toxicologiques ne seraient pas connus avant plusieurs jours. Il faudrait donc attendre pour savoir si la victime avait de la drogue ou de l'alcool dans le sang. Aucune présence de sperme dans le vagin, mais le mari avait expliqué à la police que son épouse « supportait mal la pilule » et avait toujours opté pour le préservatif…

Ce pauvre diable de Jack avait dû être embarrassé pour répondre, songea Rebus. Mais ce n'étaient pas les questions gênantes qui manquaient…

– Pour l'instant, dit Curt alors que tous l'imploraient silencieusement d'en venir au but, nous avons une série de négatives. Pas d'écume à la bouche ni aux narines… Pas de matière vaseuse… Pas de poings serrés… Qui plus est, la rigidité cadavérique porte à croire que le décès est survenu avant l'immersion, et que le cadavre a été entreposé dans un espace confiné. Comme vous pourrez le constater sur les clichés, les jambes sont repliées de manière très peu naturelle.

À cet instant, tout le monde comprit... Mais le légiste n'avait toujours pas énoncé son verdict.

– Je dirais que le cadavre était dans l'eau depuis huit heures minimum, vingt-quatre maximum. Quant à fixer l'heure du décès, qui est antérieur cela va de soi, il est survenu peu de temps avant, quelques heures tout au plus.

– Et la cause du décès ?

Le légiste sourit.

– Les photos du crâne montrent clairement une fracture sur la partie droite. Elle a reçu un coup violent par-derrière. Je dirais que la mort a été quasi instantanée...

Il lui restait quelques informations à leur livrer, mais rien de capital. Ça chuchotait beaucoup parmi les officiers de police. Rebus devinait ce qui se disait : la méthode est la même que pour le meurtre de Dean Bridge. En fait, pas du tout. La femme retrouvée à Dean Bridge avait été tuée sur place, le meurtrier n'avait pas eu à transporter son cadavre. Et puis, le crime était survenu en ville, sur un chemin en bord de rivière, et non pas... où donc était morte Liz Jack ? N'importe où. Cela avait pu se produire n'importe où. Tandis que ses collègues murmuraient entre eux qu'il fallait impérativement coincer William Glass, les pensées de Rebus suivaient un autre cours : l'urgence était de retrouver la BMW de Liz Jack. De toute manière, son baluchon était prêt et Lauderdale lui avait donné le feu vert. Le constable Moffat devait le retrouver là-bas, et Gregor Jack lui avait remis les clés.

– Voilà, mesdames, messieurs, déclara Curt. Un meurtre, telle est mon opinion. Un meurtre. Pour le reste, je m'en remets à vous et au laboratoire de la police scientifique.

– Vous êtes prêt à partir ? dit Lauderdale en voyant le sac de Rebus.

– Tout à fait, monsieur.

– Bonne pêche, inspecteur... Au fait, comment s'appelle l'endroit, déjà ?

– Où faut-il avoir les moyens pour être un maçon[1] ?

– Je ne vous suis pas... Ah, oui : Deer Lodge.

Rebus adressa un clin d'œil à son supérieur et fila vers sa voiture.

L'Écosse avait ceci d'agréable qu'elle changeait de visage tous les cinquante kilomètres. Un changement de caractère, de paysage, de dialecte. Cela dit, coincé dans une voiture, on avait peu de chance de s'en rendre compte. Les routes se ressemblaient toutes, ainsi que les stations-service. Et même les villes, avec leur longue rue principale en ligne droite, bordées de supérettes, de magasins de chaussures, de boutiques de lainages, de *fish and chips*... Les enseignes se fondaient les unes dans les autres. Mais on pouvait faire l'effort de ne pas s'arrêter à ces images, de voir au-delà. Un petit pays, songea Rebus, et pourtant très varié. À l'école, leur professeur de géographie leur enseignait que l'Écosse se divisait en trois régions : Uplands du

---

1. Jeu de mots sur *deer* (cerf) et *dear* (coûteux), et *lodge* qui signifie à la fois « refuge » et « loge » au sens maçonnique.

Sud, Lowlands et Highlands… quelque chose dans ce goût. La géographie n'expliquait pas grand-chose. Enfin, ça restait à voir. Il se rendait plein nord, où les gens n'avaient rien en commun avec les habitants des villes du Sud et des villages côtiers.

Il fit un arrêt à Perth où il acheta quelques provisions – des pommes, du chocolat, une bouteille de whisky, des chewing-gums, une boîte de dattes, du lait… Dans le Nord, on n'était pas sûr de pouvoir s'approvisionner. Tant qu'on restait dans les coins touristiques, pas de problème, mais si par malheur on s'en écartait…

À Blairgowrie, il s'arrêta dans un *fish and chips* et s'installa à une table au formica fendu. Des frites copieusement assaisonnées de sel, de vinaigre et de roux brun. Deux tranches de pain de mie blanc recouvertes d'une fine couche de margarine. Une tasse de thé marron foncé. Il retira la panure du haddock pour la déguster en premier.

– On dirait que ça vous a plu, lui dit la femme du cuisinier en passant un coup de torchon sur la table voisine.

Pour s'être régalé, il s'était régalé. D'autant plus que Patience ne serait pas là pour humer son haleine, y traquer le sodium, le cholestérol, les féculents… Il parcourut la liste de tentations affichée au-dessus du comptoir : boudin noir, boudin blanc, haggis, saucisse fumée, saucisse panée, *steak pie*, tarte aux épices, poulet frit… avec des oignons ou des œufs marinés en accompagnement. Comment résister ? Il s'acheta un sachet de frites à grignoter en conduisant.

On était mardi. Cinq jours s'étaient écoulés depuis la découverte du cadavre d'Elizabeth Jack, sans doute six depuis son décès. Les gens avaient la mémoire courte, comme le savait Rebus. La photo de Liz Jack était parue dans la presse, toutes les télés l'avaient diffusée, sans compter plusieurs centaines d'affiches placardées par la police. Pourtant, aucun témoin n'avait fourni le moindre renseignement. Obligé de bosser comme un damné, Rebus n'avait quasiment pas vu Patience du week-end. Puis cette idée lui était venue, une nouvelle piste à creuser.

Il s'enfonçait dans un paysage de plus en plus sauvage et silencieux. Glenshee fut traversé au plus vite. L'endroit avait quelque chose de vide et sinistre, qui vous fichait le moral à zéro. Le Coude du Diable était un passage moins dangereux que dans ses souvenirs d'enfance ; la route était désormais toute droite, on avait gommé le virage. Braemar… Balmoral… Juste avant Ballater, il prit la direction de Cockbridge et Tomintoul, via un tronçon de route qui était le premier à fermer chaque hiver à cause de la neige. Une nature désolée ? Oui, c'était le terme qui convenait. Mais elle avait aussi de quoi impressionner. Le paysage se poursuivait à n'en plus finir. De profondes vallées creusées par les glaciers, de gigantesques moraines. Leur professeur de géo était un inconditionnel.

Il approchait du but. Il consulta ses notes, griffonnées à partir des indications de Moffat et de Gregor Jack. Gregor Jack…

Le député avait cherché à le voir, mais Rebus ne lui en avait pas donné l'occasion. C'était trop risqué de s'impliquer. Non pas qu'il soupçonne Jack de dissimuler quoi que ce soit. Quoique… Le reste de la clique, par contre, les Rab Kinnoul, Ronald Steele et autres Ian

Urquhart… Il y avait à coup sûr… Non, peut-être pas à coup sûr… mais bon, il y avait… *Argh*, il ne savait pas comment l'exprimer. À vrai dire, il avait envie de penser à autre chose. Jongler avec les permutations, les supputations et les conjectures… Eh bien, ça lui fichait le tournis.

– À gauche puis à droite… longer une plantation de sapins… jusqu'au bout de la côte… franchir le portail… On se croirait dans *La Chasse au trésor*.

La voiture avait décidé de ne pas faire des siennes (touchons du bois). Et pour en toucher, il n'avait qu'à baisser son carreau et tendre le bras. Ce n'était plus une plantation mais une forêt. La route était sillonnée de profondes ornières, et au centre l'herbe poussait dru. Quelques nids-de-poule étaient comblés de gravier. Rebus faisait à peine du dix à l'heure, ce qui ne l'empêchait pas d'avoir la tête projetée de droite à gauche et les os secoués comme dans un sac de prunes. Il avait peine à croire qu'on puisse trouver un lieu d'habitation par ici. Avait-il tourné au mauvais endroit ? Mais les traces qu'il suivait paraissaient assez récentes, et puis il n'avait aucune envie de faire demi-tour, d'autant qu'il ne repéra aucun endroit assez large pour faire la manœuvre.

Au bout d'un moment, la chaussée s'améliora. Il roulait désormais sur du gravillon. Au sortir d'un long virage en pente, une maison se dressa soudain devant lui. Une Metro de la police était garée dans l'herbe. Un ruisseau coulait devant l'entrée principale. Il n'y avait pas de jardin à proprement parler, juste les prés qui s'étendaient jusqu'aux bois, et l'odeur de pin humide qui flottait dans l'air. Au loin, derrière la maison, le terrain s'élevait fortement. Rebus descendit de voiture et sentit ses nerfs se remettre en place. La portière de la Metro s'était déjà ouverte et il en sortit un garçon de ferme en tenue de policier.

On aurait dit un jeu concours Guinness – quels sont le poids et la taille maximaux pour tenir à l'avant d'une Mini Metro ? Et le garçon n'avait pas plus d'une petite vingtaine d'années. Il afficha un large sourire rubicond.

– Inspecteur Rebus ? Je suis l'agent Moffat.

Rebus serra la main, de la taille d'une pelle à charbon ; par contre la peau était très douce, presque fragile.

– Le sergent Knox comptait venir, poursuivit Moffat, mais il a eu un imprévu. Il vous présente ses excuses, en espérant que je ferai l'affaire. Je connais assez bien le coin.

Rebus se frotta le cou et sourit. Plantant ses pouces de part et d'autre de sa colonne vertébrale, il se redressa et expira longuement. Les vertèbres craquèrent et grincèrent.

– Ça fait une longue route, hein ? fit remarquer Moffat. Vous avez bien roulé. Ça fait à peine cinq minutes que je suis arrivé.

– Vous en avez profité pour jeter un nouveau coup d'œil ?

– Non, pas encore. Je me suis dit que ça valait mieux de vous attendre.

Rebus opina du chef.

– On va commencer par l'extérieur, dit-il. C'est vraiment grand. Quand on voit l'état du chemin, je m'attendais à quelque chose de plus modeste.

– Justement, la maison était là en premier. Avant, il

y avait un beau jardin, une allée bien entretenue, et quasiment pas de forêt. Avant ma naissance, bien sûr. Je crois que la maison date des années vingt. Ça appartenait aux Kelman. Et puis la famille a dû vendre peu à peu. Avant, il y avait du personnel pour entretenir les lieux. Plus maintenant, alors ça se dégrade.

– La maison m'a l'air plutôt en bon état.

– Ouais, mais vous verrez qu'il manque quelques ardoises, et les gouttières auraient besoin d'être changées.

Moffat avait le ton assuré du bricoleur confirmé. Ils firent le tour de la maison, un édifice en pierre à un étage, une solide bâtisse. Elle n'aurait pas dépareillé dans les faubourgs d'Édimbourg ; par contre elle avait de quoi surprendre dans une clairière au milieu de nulle part. Près de la porte arrière se trouvait une poubelle.

– Le ramassage des ordures vient jusqu'ici ? s'enquit Rebus.

– Oui, à condition d'apporter ses poubelles à la route.

Rebus souleva le couvercle, libérant une puanteur atroce. Les restes d'un saumon, des os de canard ou de poulet.

– Je suis surpris que les bêtes ne se soient pas servies, dit Moffat. Les cerfs et les chats sauvages.

– Oui, on dirait bien que ça traîne depuis un certain temps.

– Je ne dirais pas qu'il s'agit des ordures de la semaine passée, monsieur, si c'est là que vous voulez en venir.

– Tout à fait, acquiesça Rebus en dévisageant Moffat. Mme Jack s'est absentée de chez elle toute la

178

semaine dernière, et même quelques jours avant. Elle conduisait une BMW noire. Soi-disant qu'elle était ici.

– En tout cas, les personnes à qui j'ai parlé ne l'ont pas vue.

– On va voir si on en apprend un peu plus à l'intérieur, dit Rebus en brandissant la clé.

Mais il retourna d'abord à sa voiture où il prit deux paires de gants en plastique transparent.

– Je ne suis pas sûr que ce soit la bonne taille, dit-il en tendant une paire au constable.

Le jeune homme parvint à les enfiler.

– Bon, dit Rebus. Faites bien attention de ne rien toucher, même si vous portez des gants. Vous risquez d'effacer ou d'abîmer des empreintes. N'oubliez pas qu'il s'agit d'un meurtre, pas d'une infraction au code de la route ni d'un vol de bétail. Compris ?

– Oui, monsieur, dit Moffat en reniflant. Les frites étaient bonnes ? Je sens le vinaigre d'ici.

– Allons-y, dit Rebus en claquant la portière.

À l'intérieur ça sentait le moisi. Du moins dans le couloir. Rebus franchit une première porte grande ouverte et se retrouva dans une pièce qui s'étendait sur toute la longueur de la maison. La déco visait au confort. Trois canapés, deux fauteuils, poufs et coussins. Télé et magnétoscope, une chaîne hi-fi à même le sol ; une enceinte était renversée. Et il y avait un sacré désordre.

Des mugs, des tasses et des verres, pour commencer. Rebus renifla un mug. Du vin. Enfin, qui avait eu le temps de tourner au vinaigre. Des bouteilles vides de bourgogne, de champagne et d'armagnac. Et des taches partout – par terre, sur les coussins, et sur un mur où un verre s'était fracassé. Des cendriers débordant de mégots, une glace à main en partie dissimulée sous un coussin. Rebus se pencha pour y jeter un coup d'œil. Des traces de poudre blanche sur les bords. De la coke. Il se garda d'y toucher et se dirigea vers la chaîne pour voir quel genre de musique on écoutait. Surtout des cassettes. Fleetwood Mac, Eric Clapton, Simple Minds… et de l'opéra. *Don Giovanni* et *Les Noces de Figaro*.

– Une petite fête, monsieur ?

– Certes, mais ça remonte à quand ?

Rebus avait l'impression que le désordre ambiant s'était accumulé au fil de plusieurs soirées. Quelques bouteilles semblaient avoir été poussées à l'écart pour dégager une petite oasis où se dressaient une bouteille solitaire et deux mugs, l'un comportant des traces de rouge à lèvres sur le rebord.

– À votre avis, ils étaient combien ? demanda-t-il à l'agent.

– Une demi-douzaine, monsieur.

– Vous avez peut-être raison. Ça fait tout de même beaucoup d'alcool, pour six.

– Peut-être qu'ils ne se donnent pas la peine de nettoyer entre deux fêtes.

Rebus s'était fait exactement la même réflexion.

– On va continuer la visite.

La pièce d'en face, qui donnait sur le devant et avait dû servir de salle à manger ou de salon à une époque, faisait office de dortoir. Un matelas et quelques sacs de couchage se partageaient la place. Deux bouteilles vides traînaient là aussi, mais aucun verre. Des posters étaient punaisés aux murs. Une paire de chaussures masculines reposait sur le matelas. Du 43. Une chaussette bleue dans l'une d'elles.

Au rez-de-chaussée il ne restait plus que la cuisine. Le micro-ondes occupait une place de choix. Des boîtes de conserve vides (bisque de homard et ragoût de gibier), des sachets de «pop-corn spécial micro-ondes». Les deux bacs de l'évier étaient pleins de vaisselle sale et d'une eau grisâtre. Sur une table pliante se trouvaient des bouteilles de limonade, des briques de jus d'orange et une bouteille de cidre. Il y avait également une grande table en pin, tachée de soupe mais débarrassée. En revanche, le sol tout autour était jonché de détritus : paquets de chips vides, un cendrier renversé, des gressins, des couverts, un tablier plastifié et des serviettes.

– C'est ce qu'on appelle débarrasser en vitesse, fit remarquer Moffat.

– En effet. Vous avez vu *Le facteur sonne toujours deux fois* ? Le remake, avec Jack Nicholson ?

Moffat fit non de la tête.

– Mais je l'ai vu dans *Shining*.

– Ça n'a rien à voir. Il y a une scène dans le film où… vous en avez forcément entendu parler… Jack Nicholson et la femme du patron font le ménage sur la table de la cuisine pour y faire tagadac-pan-pan.

Moffat contempla la table d'un air méfiant.

– Non…

Visiblement, l'idée ne lui avait jamais effleuré l'esprit.

– Quel film, vous dites ?

– Peu importe, c'était juste une idée comme ça.

Ensuite ils montèrent au premier. La salle de bains était la pièce la plus propre de la maison. Une pile de magazines était posée à côté des toilettes, mais il s'agissait de vieux numéros qui ne leur apprirent rien. Il y avait aussi deux chambres. L'une était spartiate comme celle d'en bas mais l'autre avait plus d'allure, avec un lit à baldaquin plus ou moins récent, une armoire, une commode et une coiffeuse. Détail incongru, la tête empaillée d'une vache des Highlands était accrochée au-dessus du lit. Rebus regarda ce qui traînait sur la coiffeuse – poudres, rouges à lèvres, parfums, fards. L'armoire contenait surtout des vêtements féminins, mais également quelques jeans et velours côtelés d'homme. Gregor Jack n'avait su dire quels habits sa femme avait emportés ; il n'était même pas sûr qu'elle ait pris quoi que ce soit avant de remarquer la disparition de sa petite valise verte.

Justement, une valise verte dépassait légèrement sous le lit. Rebus la tira et l'ouvrit. Vide. Ainsi que la plupart des tiroirs. « On garde une tenue de rechange sur place, avait expliqué Jack à la police. En dépannage. »

Rebus contempla le lit. Oreillers rebondis, couette sans un pli. Signe qu'on était passé récemment ? Impossible à dire. Voilà, c'était la dernière pièce. Il avait fait cent cinquante kilomètres pour apprendre quoi, en fin de compte ? Que la valise verte, celle que Liz avait emportée aux dires de Gregor Jack, se trouvait là. Quoi d'autre ? Que dalle. Il s'assit sur le lit, dépité. Entendant un froissement sous ses fesses, il se releva et souleva la couette. Le lit était tapissé de quotidiens. Plusieurs exemplaires du même journal dominical, avec un titre identique : *Le député coffré dans un nid d'amour.*

Elle était donc venue ici, et elle était au courant. Pour la descente de police, l'Opération Chalut. À moins que quelqu'un d'autre ne soit passé pour semer de faux indices... Non, s'en tenir aux évidences. Un autre détail attira son regard. Il écarta un oreiller. Derrière, un collant noir était noué au montant du baldaquin. Et un autre sur celui d'en face. Moffat observait la scène d'un air interloqué, mais Rebus jugea qu'il en avait assez appris pour cette fois. Cela dit, le scénario ne manquait pas d'intérêt : attachée au lit, abandonnée sur place. Moffat avait très bien pu passer et jeter un coup d'œil sans se rendre compte qu'elle se trouvait à l'étage. Non, ça n'aurait jamais marché. Pour séquestrer quelqu'un, on ne se servait pas de collants. Les collants, c'était pour les jeux sexuels. Pour immobiliser, il fallait quelque chose de plus solide, de la corde ou des menottes... Comme celles qu'on avait retrouvées dans la poubelle de Gregor Jack ?

Rebus savait donc maintenant que Liz Jack était au courant. C'était déjà ça. Mais pourquoi n'avait-elle pas cherché à joindre son mari ? Il n'y avait pas de téléphone à Deer Lodge.

– Où est la cabine téléphonique la plus proche ? demanda-t-il à Moffat qui continuait de fixer les collants avec intérêt.

– Environ à deux kilomètres et demi, sur la route devant la ferme Cragstone.

Rebus consulta sa montre – quatre heures.

– O.K., j'aimerais y jeter un coup d'œil et ce sera bon pour aujourd'hui. Mais je tiens à ce qu'on passe la maison au peigne fin pour relever les empreintes. Ça ne devrait pas manquer. Ensuite, on fera le tour des magasins, des stations-service, des pubs et des hôtels de la région. Disons dans un rayon de trente kilomètres.

– Ça fait pas mal d'endroits, dit Moffat avec une moue dubitative.

– Une BMW noire, poursuivit Rebus sans relever. Je crois qu'ils ont prévu de réimprimer des affichettes. Avec la photo de Liz Jack, la description du véhicule et son numéro d'immatriculation. Si elle est venue par ici, ce qui semble bien être le cas, il y a forcément quelqu'un qui l'a vue.

– Ouais… Vous savez, les gens sont très réservés par ici.

– Mais ils ne sont pas aveugles pour autant, hein ? Et avec un peu de chance, ils ne sont pas tous amnésiques. Plus vite on passe voir cette cabine et plus vite je pourrai me poser.

En fait, Rebus prévoyait de dormir dans sa voiture et d'empocher le montant d'une nuit d'hôtel. Mais le temps n'avait rien de folichon et l'idée de passer la nuit à l'étroit, comme un canif mal replié… En chemin vers la cabine téléphonique, il s'arrêta donc devant un cottage qui faisait *bed and breakfast* et frappa à la porte. Méfiante au premier abord, la vieille dame qui vint ouvrir finit par admettre qu'elle avait une chambre de libre. Il lui dit qu'il repasserait d'ici une heure, ce qui lui laissait le temps « d'aérer » la chambre. Puis il remonta dans sa voiture et suivit Moffat, qui conduisait très prudemment.

184

La ferme Cragstone ne payait pas trop de mine. Un modeste sentier reliait la route à quelques bâtiments : la maison, une étable, des remises et une grange. La cabine téléphonique se trouvait à cinquante mètres de l'autre côté de la route, face au chemin, sur un terre-plein où ils purent garer leurs deux voitures. C'était une cabine rouge à l'ancienne.

– Ils n'osent pas la remplacer, expliqua Moffat. Mme Corbie, qui habite la ferme, serait dans tous ses états.

Rebus ne comprit pas tout de suite, jusqu'au moment d'ouvrir la cabine. D'abord, on avait recouvert le sol avec les chutes d'une belle moquette bien épaisse. Et puis ça sentait le déodorant, et on avait disposé un bouquet de fleurs des champs dans un pot de verre sur la tablette à côté de l'appareil.

– C'est plus propre que chez moi, dit Rebus. J'ai bien envie de m'installer ici.

– C'est Mme Corbie, dit Moffat en souriant. Elle trouve que ça ferait mauvais genre d'avoir une cabine mal entretenue, vu qu'elle habite à côté. Elle y fait le ménage depuis des lustres.

Dommage, tout de même. Rebus avait l'espoir de dénicher quelque chose, une trace ou un indice. Rien n'avait dû échapper à la fée du logis.

– J'aimerais parler à Mme Corbie.

– On est mardi. Mme Corbie va chez sa sœur tous les mardis.

Rebus indiqua la route, où une voiture venait de freiner sec, son clignotant indiquant qu'elle tournait dans l'allée de la ferme.

– Et lui ?

Moffat jeta un coup d'œil et eut un sourire mitigé.

– C'est son fils Alec. Il est du genre casse-cou. Ce n'est pas lui qui nous apprendra quoi que ce soit.

– Ça lui arrive d'avoir affaire à vous ?

– Surtout des excès de vitesse. Les jeunes du coin aiment bien faire la course. Des chauffards en herbe. On ne peut pas leur en vouloir : les ados n'ont pas grand-chose pour s'occuper.

– Et vous, Moffat ? Vous n'êtes pas si vieux que ça, et pourtant vous avez résisté à la tentation de faire des bêtises.

– J'avais l'Église, monsieur. Croyez-moi, la crainte de Dieu, ça n'est pas rien…

Mme Wilkie, la logeuse de Rebus, était un sacré phénomène. La chambre était confortable, un rien surchargée de galons et de volants, mais le lit était moelleux et il y avait une télé noir et blanc avec un écran de trente centimètres. Mme Wilkie lui avait montré la cuisine en disant qu'il pouvait se faire du thé ou du café à sa guise. Puis elle lui avait indiqué la salle de bains, avec eau chaude à volonté, où il pourrait tout à fait se faire couler un bain. Après quoi, elle lui avait encore montré la cuisine, en répétant qu'il pouvait se faire du thé ou du café à sa guise.

Rebus n'avait pas eu le cœur de l'interrompre. C'était un tout petit bout de bonne femme, avec un filet de voix. Elle avait profité de l'heure de battement pour mettre sa plus belle tenue d'hôtesse de *bed and breakfast*, y compris un rang de perles. Elle devait approcher des quatre-vingts ans. Veuve depuis le décès de son cher Andrew en 1982, elle faisait chambre d'hôte « pour la compagnie autant que pour l'argent ». Elle avait la chance de souvent tomber sur des clients intéressants, comme cet acheteur de confitures allemand, qu'elle avait hébergé plusieurs nuits à l'automne…

– Et voici votre chambre. J'ai un peu aéré et…

– C'est parfait. Merci.

Il posa son sac sur le lit, remarqua son froncement de sourcils et le reprit pour le mettre par terre.

– C'est moi qui ai cousu le dessus-de-lit. On m'a conseillé d'en faire une activité professionnelle, mais à mon âge ! (Elle gloussa.) C'est un monsieur allemand qui me l'a suggéré. Il était en Écosse pour acheter des confitures. Vous vous rendez compte ? Je l'ai eu plusieurs nuits…

Le devoir finit par se rappeler à son bon souvenir. Elle allait leur préparer un petit quelque chose à souper. Souper ? Rebus jeta un coup d'œil à sa montre – à moins qu'elle ne se soit arrêtée, il n'était pas encore cinq heures et demie. Cela dit, un repas chaud était toujours bon à prendre. Moffat lui avait indiqué comment se rendre au pub le plus proche – « un pub à touristes, avec les prix qui vont avec » – avant de le quitter pour rejoindre Dufftown et ses multiples tentations. La crainte de Dieu…

Il venait à peine de retirer son pantalon quand la porte s'ouvrit et Mme Wilkie apparut.

– C'est toi, Andrew ? J'ai cru entendre du bruit.

Son regard vitreux avait quelque chose de lointain. Rebus resta pétrifié et déglutit lentement.

– Va préparer le souper, dit-il doucement.

– Oui, tu dois avoir faim. Ça fait si longtemps que tu es parti…

L'idée d'un petit bain rapide le tenta. Il commença par jeter un coup d'œil dans la cuisine, où il vit Mme Wilkie à ses fourneaux, en train de fredonner. Il se rendit donc dans la salle de bains. La porte ne fermait pas à clé ; le verrou cassé pendouillait. Il ne vit rien qu'il puisse coincer contre le battant mais décida de prendre le risque et ouvrit les deux robinets. L'eau coulait fort et très chaude. La baignoire se remplit en un rien de temps. Il se déshabilla et se glissa dedans. Il avait les épaules tendues par la conduite et se les massa du mieux qu'il put. Puis il releva les genoux pour enfoncer le torse et la tête sous l'eau. Immersion. Il pensa au Dr Curt, aux différences entre noyade et immersion. La peau fripée… la perte des ongles et des cheveux… de la vase dans les bronches…

Un bruit le fit remonter à la surface. Il se frotta les yeux, cilla et vit Mme Wilkie qui le fixait, un torchon à la main.

– Oh ! Mon Dieu ! Je suis navrée…

Elle recula derrière la porte.

– J'avais complètement oublié que vous étiez là. Je voulais juste… Ne vous en faites pas, ça peut attendre.

Rebus serra très fort les paupières et se laissa couler sous les vagues…

Le repas fut quelque peu surprenant mais étonnamment délicieux. Quenelles de fromage, pommes de terre à l'eau et carottes, puis du pudding en boîte accompagné de crème anglaise en brique.

– C'est tellement pratique, fit remarquer Mme Wilkie.

Le choc de trouver un homme nu dans sa baignoire

semblait l'avoir ramenée au temps présent et ils passèrent le repas à discuter de la météo, des touristes et du gouvernement. Quand ils eurent terminé, il proposa de faire la vaisselle, et fut soulagé d'essuyer un refus. Le ventre plein, lavé et pomponné, il demanda une clé à sa logeuse et se rendit au pub *Les Bruyères*.

Personnellement, il n'aurait jamais baptisé un pub comme ça. Il entra par la salle feutrée du bar. Comme c'était désert, il franchit une porte battante et pénétra dans la partie pub. Deux types et une femme plaisantaient devant le comptoir tandis que le barman remplissait avec application des verres au bouchon-doseur. Le trio se tourna vers Rebus qui se posta pas très loin d'eux.

– Bonsoir.

De vagues hochements de tête, sans vraiment faire attention à lui. Le patron posa trois doubles whiskys sur le comptoir et le salua à son tour.

– Vous n'avez qu'à vous servir la même chose, dit l'un des types en tendant un billet de dix livres.

– Merci, fit le barman. Je me prendrai une rasade tout à l'heure.

Derrière les bouteilles et les verres, un miroir occupait tout le mur, ce qui permettait à Rebus d'observer le trio sans en avoir l'air. Celui qui s'était exprimé avait l'accent anglais. Il n'y avait que deux voitures dans le parking : une Renault Cinq cabossée et une Daimler. Rebus pensait savoir qui étaient leurs propriétaires respectifs.

– Je vous sers quoi ? lui demanda le barman, à qui devait appartenir la Renault.

– Un demi.

– Très bien.

C'était tout de même étonnant de voir trois touristes anglais avec des moyens en train de boire un verre dans la salle commune. Peut-être n'avaient-ils pas remarqué que *Les Bruyères* proposait à sa clientèle le confort d'une salle plus cosy. Tous trois avaient mauvaise mine, manifestement parce qu'ils avaient trop bu. Le visage de la femme était saisissant. Une fausse blonde platine aux pommettes trop rouges et aux cils trop noirs. Chaque fois qu'elle tirait sur sa cigarette, elle penchait la tête en arrière pour recracher la fumée vers le plafond. Rebus tenta de compter les rides sur son cou. Ça marchait peut-être comme les anneaux pour un arbre.

– Tenez.

Sa bière fut posée devant lui, sur un dessous de bock.

– C'est calme ce soir, dit-il en tendant un billet de cinq livres.

– C'est le milieu de semaine et la saison touristique n'est pas tout à fait commencée, récita le barman qui avait dû faire la même remarque au trio. Mais ça va s'animer plus tard.

Il se dirigea vers la caisse.

– On est prêt pour la tournée suivante ! lança l'Anglais, le seul à avoir terminé son whisky.

Un peu plus jeune que la femme, il avait dans les trente-cinq, quarante ans. Svelte et bien mis de sa personne, mais avec quelque chose de peu recommandable. Cela tenait à sa posture, légèrement voûtée et l'air menaçant, comme sur le point de s'effondrer ou de bondir. Et il balançait légèrement la tête en même temps qu'il baissait ses paupières endormies.

Le dernier membre du trio était le plus jeune, trente-cinq ans environ. Il fumait des cigarettes françaises en contemplant les bouteilles alignées au-dessus du comptoir. À moins qu'il ne soit en train de m'observer, songea Rebus, comme je ne me prive pas de le faire. Ce n'était pas du tout exclu. En tout cas, il tapotait la cendre de sa cigarette avec beaucoup d'affectation. Et Rebus remarqua qu'il n'avalait pas la fumée mais la conservait dans sa bouche avant de la recracher d'un coup. Il était assis sur un grand tabouret, tandis que les deux autres restaient debout.

Rebus devait bien en convenir, il était intrigué. Un petit trio des plus surprenants. Et il n'était pas au bout de ses surprises…

Deux personnes entrèrent dans la salle voisine, visiblement avec l'intention de s'y installer. Le barman alla servir ces nouveaux clients, ce qui déclencha une conversation entre la femme et les deux types.

– Il est gonflé ! Il aurait pu nous servir.

– Allons, Jamie, on ne va pas mourir de soif.

– Parle pour toi. J'ai à peine senti mon premier verre. On aurait mieux fait de commander des quadruples !

– Si ça te rend grincheux, lui dit-elle, tu n'as qu'à finir le mien.

– Je ne suis pas grincheux, bougonna le type à la posture voûtée.

– Très bien. Va te faire foutre.

Rebus se retint de sourire. Elle avait sorti ça l'air de rien, comme un propos tout à fait respectueux.

– Va te faire foutre toi-même, Louise.

– Chut, les mit en garde le fumeur de cigarettes françaises. Vous oubliez que nous ne sommes pas seuls.

Les deux autres se tournèrent vers Rebus, lequel garda les yeux fixés droit devant lui en portant son verre à ses lèvres.

– Ah oui ? fit Grincheux. Moi j'te dis qu'on est seuls.

Cette remarque parut mettre un terme à l'échange. Le barman revint.

– Si vous aviez l'amabilité de nous remettre la même chose…

La soirée s'anima. Trois habitués arrivèrent et s'installèrent à une table pour jouer aux dominos. Rebus se demanda s'il s'agissait de figurants payés pour ajouter une touche de couleur locale. Pour ce qui était de l'ambiance, c'était encore plus morose qu'un match amical entre Meadowbank et Thistle-Raith Rovers. Deux autres clients entrèrent et prirent place entre Rebus et le trio. Ils paraissaient vexés d'avoir été précédés au comptoir, et qu'on ait eu l'affront de se mettre à côté de leur place attitrée. Ils burent en silence, la mine renfrognée, en échangeant des regards chaque fois que l'Anglais et ses amis disaient quoi que ce soit.

– Écoutez, dit la fausse blonde, vous comptez rentrer ce soir ? Sinon, on ferait mieux de trouver un endroit où dormir.

– Et si on passait la nuit au Lodge ?

Rebus posa son verre.

– Ne sois pas ignoble, rétorqua-t-elle.

– Je pensais qu'on était venus pour ça.

– Je n'arriverais jamais à dormir là-bas.

– C'est pour ça qu'on appelle ça une veillée !

Le rire de l'Anglais résonna dans le bar silencieux, puis s'évanouit. Un domino claqua sur une table, puis un autre. Rebus abandonna son verre et s'approcha du trio.

– Je vous ai bien entendu parler d'un Lodge ?

L'Anglais cilla doucement.

– Qu'est-ce que ça peut vous faire ?

– Je suis inspecteur de police, annonça Rebus en sortant sa carte.

Le couple taciturne vida ses verres d'un trait et quitta le pub. Bizarre, mais la carte avait parfois cet effet.

– De quel Lodge parliez-vous ?

Tous trois avaient soudain l'air très sobres. Ils jouaient la comédie avec beaucoup de talent. Des années d'expérience.

– Eh bien, inspecteur, dit l'Anglais, en quoi cela vous regarde-t-il ?

– Tout dépend de quel Lodge vous parliez, monsieur. Nous avons un poste de police très correct à Dufftown. Si vous préférez vous y rendre…

– Deer Lodge, déclara le fumeur de clopes françaises. C'est la maison d'une amie.

– C'était, corrigea la femme.

– Vous êtes donc des amis de Lizzie Jack ?

Acquiescement, suivi de présentations. L'Anglais était en fait écossais. L'antiquaire Jamie Kilpatrick. La femme n'était autre que Louise Patterson-Scott, épouse – séparée – du magnat de la grande distribution. Et le troisième était le peintre Julian Kaymer.

– J'ai déjà parlé à la police, expliqua ce dernier. Ils m'ont appelé hier.

En effet, tous trois avaient été interrogés au sujet des déplacements de Mme Jack. Ils ne l'avaient pas vue depuis plusieurs semaines.

– Moi je l'ai eue au téléphone, déclara Mme Patterson-Scott. Quelques jours avant son départ en vacances. Elle ne m'a pas dit où elle comptait aller, juste qu'elle avait besoin de s'isoler quelques jours.

– Que faites-vous ici tous les trois ? s'étonna Rebus.

– C'est une veillée funèbre, répondit Kilpatrick. Un signe d'amitié, notre façon de porter le deuil. Alors foutez le camp et laissez-nous tranquilles.

– Ne faites pas attention à lui, inspecteur, intervint Julian Kaymer. Il est un peu bourré.

– Pas du tout. Je suis juste contrarié.

– Ému ? suggéra Rebus.

– Exactement, inspecteur.

Kaymer poursuivit les explications.

– C'est moi qui ai eu l'idée. On s'est téléphoné, on avait du mal à y croire, on était tous sous le choc. Alors j'ai suggéré qu'on fasse un tour par ici. La dernière fois qu'on était tous réunis, c'était à Deer Lodge.

– Pour une fête ? demanda Rebus.

– Il y a un mois, acquiesça Kaymer avec un hochement de tête.

– On s'en est mis plein la tronche, renchérit Kilpatrick.

– On a donc décidé de venir boire un verre à la mémoire de Lizzie, enchaîna Kaymer. Juste un aller-retour. Mais certains n'étaient pas libres. Les obligations diverses. Nous voici tous les trois.

– Oui, dit Rebus. En fait, j'aimerais bien que vous jetiez un coup d'œil à l'intérieur de la maison, mais on ne verrait pas grand-chose de nuit. Par contre, je ne tiens pas du tout à ce que vous y alliez seuls. Le relevé des empreintes n'a pas encore été effectué.

Ils parurent interloqués. Rebus se souvint que Curt n'avait dévoilé ses conclusions que le matin même.

– Vous n'êtes pas au courant ? Il s'agit désormais d'une chasse au meurtrier. Mme Jack a été assassinée.

– Quoi ? Putain…

– Je crois que je vais…

Et Louise Patterson-Scott, épouse du blablabla, vomit sur la moquette. Julian Kaymer se mit à pleurer et Jamie Kilpatrick devint livide. Le barman contemplait la scène, horrifié, et les joueurs de dominos interrompirent leur partie. L'un d'eux dut retenir son chien qui voulait mener sa petite enquête. L'animal se recroquevilla sous la table et lécha ses babines poilues…

Un peu de couleur locale gracieusement offerte par John Rebus.

On finit par leur trouver un hôtel, aux environs de Dufftown. Rebus avait envisagé de demander à Mme Wilkie si elle avait des chambres de libres, mais s'était ravisé. Le trio passerait la nuit à l'hôtel et retrouverait Rebus le lendemain matin à Deer Lodge. De bonne heure : certains devaient repartir assez vite pour le boulot. Quand il rentra au cottage, Mme Wilkie tricotait devant son radiateur à gaz en regardant un film à la télé.

– Je vous dis bonsoir, madame Wilkie, dit-il en glissant la tête dans l'entrebâillement.

– Bonne nuit, fiston. N'oublie pas ta prière. Je viendrai te border tout à l'heure.

Il se fit un mug de thé et gagna sa chambre où il

coinça la poignée en plaçant une chaise devant la porte. Il ouvrit la fenêtre pour aérer, alluma sa télé et se laissa tomber sur le lit. Le poste marchait mal ; l'image s'étirait à la verticale. Il préféra éteindre et fouilla dans son sac où il trouva *Comme un poisson dans l'eau*. Vu qu'il n'avait rien d'autre à lire et ne se sentait pas du tout fatigué... Il entama le premier chapitre.

Le lendemain matin, il se réveilla avec un sentiment d'inquiétude. Ça ne l'aurait qu'à moitié surpris de se retourner et découvrir Mme Wilkie allongée à côté de lui. Allez, Andrew, c'est l'heure du devoir conjugal... Il se retourna. Pas de Mme Wilkie. Par contre, elle se trouvait derrière la porte et cherchait à entrer.

– Monsieur Rebus... Monsieur Rebus...

Un coup léger, puis plus fort.

– On dirait que la porte est coincée, monsieur Rebus ! Vous êtes réveillé ? Je vous ai fait du thé.

Il sauta du lit et s'habilla en quatrième vitesse.

– Une seconde, madame Wilkie...

Mais la vieille dame paniquait.

– Monsieur Rebus, vous êtes enfermé ! La porte est coincée ! Je vais appeler le menuisier ! Mon Dieu...

– Attendez, madame Wilkie... Je crois que c'est bon.

Sans prendre le temps de boutonner sa chemise, il s'appuya de tout son poids contre la porte pour la maintenir close, en même temps qu'il retirait la chaise et tendait le bras pour la poser le plus près possible du lit. Puis il frappa bruyamment l'encadrement avant d'ouvrir.

– Vous ne vous êtes pas fait mal, monsieur Rebus ? C'est la première fois que ça arrive. Mon Dieu...

Il prit la tasse et reversa dedans le thé qui avait débordé dans la soucoupe.

– Merci, madame Wilkie. Vous avez quelque chose sur le feu ? demanda-t-il en reniflant.

– Seigneur, le petit déjeuner !

Elle descendit l'escalier en catastrophe. Rebus s'en voulait un peu de lui avoir fait le coup de la porte coincée. Après le petit déjeuner, il lui montrerait qu'elle marchait très bien, qu'elle n'avait pas du tout besoin d'appeler un artisan à la rescousse. En attendant, il avait envie de se réveiller en douceur. Il était sept heures et demie. Le thé était froid, mais dehors il faisait très doux pour la saison. Il resta assis sur le lit et mit de l'ordre dans ses pensées. Quel jour était-on ? Mercredi. Qu'avait-il à faire ce jour-là ? Dans quel ordre allait-il procéder ? Il devait retrouver les trois énergumènes au Lodge. Et puis il devait passer voir Mme Corbie. Il y avait autre chose, une idée qui lui était venue en fin de soirée, dans la torpeur entre veille et sommeil. Après tout, pourquoi pas ? Dès lors qu'il se trouvait dans le coin. Il passerait un coup de fil après le petit déjeuner. Il sentit une odeur de graillon. Ça le changerait du muesli et des céréales multifibres de Patience. D'ailleurs, il avait complètement oublié de l'appeler la veille. Il le ferait sans faute ce jour-là, juste histoire de lui faire un petit coucou. Il pensa à elle quelques instants. Patience et sa ménagerie. Puis il termina de s'habiller et descendit.

Arrivé le premier à Deer Lodge, il ouvrit la porte et se rendit dans le salon, où il sentit immédiatement que quelque chose avait changé. C'était mieux rangé.

Enfin, il fallait le dire vite. Mettons qu'il y avait moins de désordre. La moitié des bouteilles avaient disparu. Se demandant si autre chose s'était volatilisé, il fouilla parmi les coussins mais ne put mettre la main sur la petite glace. Merde ! Il se précipita dans la cuisine. Les éclats de verre du carreau fracassé étaient éparpillés par terre et dans l'évier. Ici, le bazar restait intact. Par contre, le micro-ondes avait disparu. Il monta à l'étage. Lentement… La maison semblait déserte, mais on ne savait jamais. Rien de changé dans la salle de bains et la petite chambre. Ni dans la chambre principale. Une seconde… En fait, si : les collants n'étaient plus attachés aux montants du lit mais gisaient innocemment par terre. Rebus s'accroupit et en ramassa un. Puis il le laissa retomber et redescendit, plongé dans ses pensées.

Un cambriolage, bien entendu. On casse un carreau et on fauche le micro-ondes. C'était l'impression qu'on voulait donner. Sauf qu'un petit malfrat ne se donnerait jamais la peine d'emporter des bouteilles vides et un miroir de poche. Sans parler de dénouer des collants attachés à un montant de lit. Mais peu importait dès lors que les indices avaient disparu. Il n'y avait plus que la bonne foi de Rebus pour l'attester.

« Oui, monsieur. Je sais que j'ai vu une glace à main dans le salon. Par terre, avec des traces de poudre blanche… »

« Et vous êtes bien certain que ce n'est pas votre imagination qui vous joue des tours, inspecteur ? Vous vous trompez peut-être… »

Non, bien sûr que non, mais il était trop tard. Pourquoi faire disparaître des bouteilles vides ? Et seulement quelques-unes… Réponse évidente : parce que sur celles-là figuraient certaines empreintes. Et la glace ? Peut-être aussi une histoire d'empreintes…

Tu aurais pu y penser, John. Espèce de crétin !

Triple crétin.

Il n'avait qu'à s'en prendre à lui-même. Qui avait demandé aux trois énergumènes de ne pas se rendre à Deer Lodge, en leur précisant bien qu'on n'avait pas encore relevé les empreintes ? Et il les avait laissés filer dans la nature, sans faire surveiller la maison. Il aurait fallu qu'un agent passe la nuit sur place.

Quel crétin !

C'était forcément un des trois, non ? La femme ou bien un des deux types. Mais dans quel but ? Pour qu'on ne puisse pas prouver qu'ils étaient venus là ? Pourquoi donc ? Ça ne collait pas. Vraiment pas.

Crétin…

Il entendit une voiture arriver et se garer. Il sortit et vit la Daimler. Kilpatrick était au volant, Patterson-Scott à ses côtés, et Julian Kaymer descendit à l'arrière. Kilpatrick semblait nettement plus décontracté que la veille.

– Permettez que je vous salue, inspecteur.

– Bonjour, monsieur Kilpatrick. Comment était l'hôtel ?

– Moyen, je dirais. Sans plus.

– Plutôt correct, intervint Kaymer.

– Julian, dit Kilpatrick en se tournant vers lui, qui est habitué à l'excellence comme moi ne fait plus la différence entre « moyen » et « plutôt correct ».

Kaymer lui tira la langue.

– Voyons, les enfants ! les gourmanda Patterson-Scott.

Tous trois semblaient avoir le cœur léger.

– Vous êtes bien guillerets, observa Rebus.

– Une bonne nuit de sommeil et un petit déjeuner copieux, dit Kilpatrick en se tapotant le ventre.

– Vous avez passé la soirée à l'hôtel ?

Sa question les interloqua.

– Vous ne seriez pas sortis faire un tour en voiture ?

– Non, répondit Kilpatrick d'un ton méfiant.

– C'est votre voiture, n'est-ce pas, monsieur Kilpatrick ?

– Oui…

– Et vous avez conservé les clés sur vous hier soir ?

– Écoutez, inspecteur…

– Oui ou non ?

– J'imagine que oui. Dans la poche de mon blouson.

– Que vous avez accroché dans votre chambre ?

– C'est exact. Bon, on peut entrer ?

– Avez-vous reçu de la visite dans votre chambre ?

– Inspecteur, intervint Patterson-Scott, peut-être que si vous nous expl…

– Quelqu'un s'est introduit dans Deer Lodge au cours de la nuit. On a touché à d'éventuels indices. C'est très grave, madame.

– Et vous pensez que l'un d'entre nous…

– Je ne pense rien du tout, madame. Mais il fallait une voiture pour se rendre ici, et M. Kilpatrick dispose justement de la sienne.

– Mais Julian et moi avons aussi le permis, inspecteur.

200

– Oui, dit Kaymer. De toute manière, on est allés boire un dernier cognac dans la chambre de Jamie...

– N'importe lequel de vous trois aurait donc pu prendre la voiture ?

Kilpatrick haussa les épaules d'un air exaspéré.

– Je ne vois toujours pas ce qui vous fait penser qu'on...

– Comme je l'ai déjà dit, monsieur Kilpatrick, je ne pense rien du tout. Je sais simplement qu'une enquête pour meurtre est en cours, que cette maison est le dernier endroit où on ait la trace de Mme Jack, et maintenant quelqu'un cherche à faire disparaître des indices. (Il marqua un silence.) Je ne sais rien de plus. Bon, nous allons entrer. Surtout, ne touchez à rien. J'ai quelques questions à vous poser.

En fait, une seule chose l'intéressait : la maison se trouvait-elle plus ou moins dans l'état où ils l'avaient laissé après leur dernière fête ? Mais c'était trop leur demander. Oui, ils se souvenaient d'avoir bu du champagne, de l'armagnac, et beaucoup de vin. Ils se souvenaient d'avoir fait du pop-corn au micro-ondes. Certains étaient repartis le soir même en voiture, dans l'état qu'on pouvait imaginer. D'autres s'étaient endormis là où ils étaient affalés, ou avaient titubé vers les diverses chambres. Non, Gregor n'était pas là. Il n'aimait pas les fêtes. En tout cas, pas celles de sa femme.

– Il est un peu rasoir, notre ami Gregor, fit remarquer Kilpatrick. Enfin, je me faisais cette idée avant l'histoire du bordel. Comme quoi...

Pourtant, il y avait eu une autre soirée, plus récemment. Celle dont Barney Byars lui avait parlé au pub. Avec la bande de Gregor, la Meute. Qui d'autre était au courant du voyage de Rebus ? Qui d'autre savait ce qu'il risquait de trouver sur place ? Qui d'autre avait intérêt à brouiller les pistes ? Gregor Jack était au courant. Il avait pu en parler à ses amis. Et si ce trio n'y était pour rien… Le pseudo-cambrioleur était peut-être quelqu'un d'autre…

– Ça fait bizarre de se dire qu'on ne fera plus jamais la fête ici, soupira Louise Patterson-Scott. Que Liz ne reviendra plus… qu'elle est partie…

Elle se mit à sangloter, à chaudes larmes. Jamie Kilpatrick l'enlaça et elle enfouit son visage dans sa poitrine. Elle tendit la main et attira Julian Kaymer vers elle, pour qu'il rejoigne leur étreinte.

Ils n'avaient quasiment pas bougé quand l'agent Moffat arriva.

Rebus, du coup, pensa à bien verrouiller l'écurie et confia à Moffat le soin de monter la garde. Ce qui n'était pas du tout pour plaire au jeune homme. Mais l'équipe de la police scientifique serait sans doute là avant midi, avec le sergent Knox.

– Vous trouverez de la lecture dans la salle de bains, dit-il au constable. Attendez, j'ai encore mieux…

Il ouvrit sa portière, fouilla dans son sac et en sortit *Comme un poisson dans l'eau.*

– Inutile de me le rendre. Mettons que c'est un petit cadeau.

La Daimler ayant déjà filé, il se mit au volant, adressa un geste de la main à Moffat et démarra. Il s'était enfilé le roman la veille, de la première à la

202

dernière phrase, plus déplorables les unes que les autres. Il s'agissait d'une niaiserie romantique, relatant les amours tumultueuses d'un jeune sculpteur italien et d'une femme mariée, riche mais désœuvrée. Le jeune homme arrive en Angleterre pour réaliser une œuvre commandée par le mari. Au début, la femme se sert de lui comme d'un jouet, mais elle finit par tomber amoureuse. D'abord subjugué, le Transalpin finit par jeter son dévolu sur la nièce de la dame... Et ainsi de suite.

Rebus avait l'impression que c'était seulement le titre qui avait poussé Ronald Steele à s'emparer du bouquin sur l'étagère pour le balancer rageusement. Oui, seulement le titre (qui désignait aussi la sculpture réalisée par le jeune homme). *Comme un poisson dans l'eau...* ou Liz Jack, dont le corps venait d'être repêché. D'ailleurs, songea Rebus, qui cherchait à noyer le poisson ?

Arrivé à la ferme Cragstone, il se gara dans la cour, semant la panique parmi les poules et les canards. Mme Corbie se trouvait chez elle et le fit passer dans la cuisine où flottait une délicieuse odeur de pâtisserie. La grande table était maculée de farine et de quelques chutes de pâte reluisante. Rebus ne put s'empêcher de penser au *Facteur sonne toujours deux fois*.

– Asseyez-vous, lui ordonna-t-elle. Je viens de faire du thé.

Rebus eut droit à une tasse de thé et des scones aux raisins de la veille, accompagnés de beurre frais et de confiture de fraise.

– Vous n'avez jamais songé à ouvrir un *bed and breakfast*, madame Corbie ?

– Moi ? Je n'aurais jamais la patience !

Elle s'essuya les mains sur son tablier blanc. Un vrai tic chez elle.

– Cela dit, poursuivit-elle, ce n'est pas la place qui manque. Mon mari est décédé l'an passé, je suis toute seule avec Alec.

– Vraiment ? Pour vous occuper d'une ferme de cette taille ?

Elle fit la moue.

– De toute façon, on court à la ruine. Alec, ça ne l'intéresse pas du tout. C'est lamentable, mais on n'y peut rien. On a deux ouvriers, mais comment voulez-vous qu'ils soient motivés quand lui ne l'est pas ? On ferait mieux de vendre. Alec n'attend que ça. C'est peut-être ce qui me retient de le faire…

Elle fixa ses mains, puis se frappa les cuisses.

– Non mais, qu'est-ce qui me prend de dire des choses pareilles ? Bon, qu'est-ce que je peux faire pour vous ?

Pour la première fois de sa carrière, Rebus avait le sentiment d'avoir en face de lui quelqu'un avec la conscience tranquille. En général, les gens vous demandaient beaucoup plus vite que ça ce que vous faisiez là. Mais ceux qui n'étaient pas pressés de vous poser la question se divisaient en deux catégories : ceux qui savaient très bien pourquoi la police débarquait, et ceux qui n'en avaient pas la moindre idée. Rebus en vint donc droit au but.

– Madame Corbie, j'ai remarqué que vous entretenez très bien la cabine téléphonique. Je me demandais si vous auriez remarqué quelque chose de louche récemment. Du côté de la cabine, j'entends.

– Voyons, laissez-moi réfléchir… dit-elle en se plaquant une paume sur la joue. Non, je ne vois pas… Vous pensez à quoi au juste, inspecteur ?

Rebus fut incapable de la regarder droit dans les yeux – parce qu'il sentait qu'elle s'était mise à mentir.

– Une femme, peut-être. En train de passer un coup de fil. Vous auriez pu retrouver un bout de papier, par exemple, avec un numéro de téléphone. Ça pourrait être tout et n'importe quoi.

– Non, non, rien dans la cabine.

Il durcit le ton.

– Et autour de la cabine, madame Corbie ? Je pense surtout à la semaine dernière, le mardi ou le mercredi…

– Vous prendrez bien un autre scone, inspecteur, dit-elle en secouant la tête.

Il ne se fit pas prier et mastiqua doucement, en silence. Mme Corbie réfléchissait. Elle se leva pour jeter un coup d'œil à ce qui cuisait dans le four, puis leur resservit du thé et se rassit. Elle posa les mains sur ses cuisses et les fixa longuement. Comme elle ne disait rien, il s'exprima.

– Vous étiez bien là mercredi dernier ?

Elle fit oui de la tête.

– Mais pas le mardi. Tous les mardis je vais chez ma sœur. Par contre, je n'ai pas bougé du mercredi.

– Et votre fils ?

Elle haussa les épaules.

– Il était peut-être bien ici, ou à Dufftown. Il est toujours en vadrouille.

– Il est ici en ce moment ?

– Non, il est en ville.

– Quelle ville ?

– Il n'a pas dit. Juste qu'il sortait faire un tour…

Rebus se leva et s'approcha de la fenêtre. Elle donnait sur la cour, où les poules filaient des coups de bec aux pneus de sa voiture. Un volatile était juché sur le capot.

– Peut-on voir la cabine de la maison, madame Corbie ?

– Euh… oui, du salon. Mais on s'y tient pas souvent. Moi, en tout cas. Je préfère me mettre ici, dans la cuisine.

– Je pourrais y jeter un coup d'œil ?

D'emblée, on devinait qui passait le plus clair de son temps dans le salon. Canapé, table basse et téléviseur étaient situés dans un axe parfait. D'innombrables mugs brûlants avaient laissé des traces circulaires sur la table. Au pied du canapé traînaient un cendrier, un énorme sac de chips presque vide et trois cannettes de bière vides. Mme Corbie fit claquer sa langue et se baissa pour faire le ménage. Rebus se dirigea vers la fenêtre. On distinguait la cabine au loin. Il se pouvait qu'Alec Corbie ait vu quelque chose. Mais c'était tout de même peu probable. Ça ne méritait pas de s'attarder dans la région. Il laisserait au sergent Knox le soin d'interroger le garçon.

– Bon. Merci de votre aide, madame Corbie.

Son soulagement fut manifeste.

– Ah… Très bien, inspecteur. Je vais vous raccompagner.

Rebus avait tout de même une dernière carte à jouer. Il sortit dans la cour et jeta un coup d'œil à la ronde.

– J'adorais les fermes quand j'étais gamin. J'avais

un copain qui habitait une ferme. (Un mensonge sans vergogne.) J'y passais tous les soirs après le dîner. C'était génial… (Il se tourna vers elle, les yeux émerveillés, un sourire nostalgique aux lèvres.) Ça vous dérange si je fais un petit tour ?

– Oh…

Plus aucune trace de soulagement. À la place une peur panique. Il en fallait plus pour le dissuader. Bien au contraire. Avant qu'elle ait le temps de réagir, il se dirigea vers la porcherie et le poulailler, jeta un coup d'œil à l'intérieur et poursuivit son inspection. Il passa parmi les poules et les canards, et fila droit vers la grange. De la paille au sol et une forte odeur de bétail. Des box en béton, des tuyaux, un robinet qui fuyait. Des flaques d'eau par terre. Une vache qui n'avait pas bonne mine le fixa depuis sa stalle en clignant des yeux. Mais le bien-être du cheptel n'était pas son problème. Contrairement à la bâche dans un coin.

– Qu'est-ce qui se trouve là-dessous, madame Corbie ?

– Ça appartient à Alec ! s'écria-t-elle. Je vous défends d'y toucher ! Ça n'a rien à voir avec…

Mais il avait déjà retiré la bâche d'un coup sec. Que s'attendait-il à trouver en dessous ? Quelque chose ? Rien du tout. En tout cas, pas une BMW noire Série 3, dont le numéro d'immatriculation correspondait à celui d'Elizabeth Jack. Il inspira longuement et se retint de pousser un cri de joie, mais fit tout de même claquer sa langue.

– Ça alors, madame Corbie ! C'est justement la voiture que je cherchais.

Mais Mme Corbie n'écoutait plus.

– C'est un bon garçon, il ne pense pas à mal… Je ne sais pas ce que je deviendrais sans lui.

Et ainsi de suite. Rebus fit le tour de la voiture, sans rien toucher. Ça tombait bien que la police scientifique soit en route. Ils n'allaient pas chômer…

Tiens, qu'est-ce que ça pouvait bien être ? Une forme compacte, sur la banquette arrière. Il se pencha pour regarder par le carreau fumé.

– Toujours s'attendre à l'imprévu, mon cher John, se murmura-t-il à lui-même.

C'était un micro-ondes.

7

Duthil

Rebus appela Édimbourg pour faire son rapport et demander l'autorisation de prolonger d'une journée son séjour dans le Nord. Lauderdale sembla impressionné par la découverte de la voiture, mais Rebus omit de lui parler du cambriolage à Deer Lodge. Ensuite, il attendit qu'Alec Corbie rentre chez lui – en état d'ivresse au volant d'un véhicule, mais là n'était pas la question – pour l'arrêter et le conduire au poste de Dufftown. La police locale n'avait jamais connu pareil déploiement d'effectifs : le sergent Knox fut contraint de quitter Deer Lodge pour rejoindre la ferme. On aurait dit le frère aîné de l'agent Moffat, ou son cousin germain.

– Je veux que la police scientifique passe cette voiture au peigne fin, lui expliqua Rebus. En priorité. Deer Lodge attendra.

– Va falloir une dépanneuse, fit Knox en se frottant le menton.

– Un camion-remorque serait préférable.

– Je vais voir ce que je peux faire. Vous voulez qu'on l'emmène où ça ?

– N'importe où, pourvu qu'il y ait un toit et que ce soit surveillé.

– Le garage de la police ?

– Ça fera l'affaire.

– Et on cherche quoi, au juste ?

– Dieu seul le sait.

Rebus retourna dans la cuisine où Mme Corbie, installée à sa table, contemplait ses biscuits carbonisés. Il ouvrit la bouche pour dire quelque chose, mais préféra se taire. Certes, elle s'était rendue complice en mentant pour protéger son fils. Mais on avait récupéré le garçon, c'était l'essentiel. Du plus discrètement qu'il put, Rebus sortit de la maison et démarra, en fixant son capot où une poule lui avait laissé un petit souvenir…

Il profita des locaux du poste de police de Dufftown pour l'interrogatoire d'Alec Corbie.

Corbie était assis en face de lui, de l'autre côté d'une table. Tous deux fumaient. Le sergent Knox, adossé au mur derrière Rebus, avait décliné l'offre d'une cigarette. Corbie affichait un vernis d'indifférence macho qui eut vite fait de se craqueler.

– Il s'agit d'une enquête pour meurtre, lui lança Rebus. On a retrouvé la voiture de la victime dans ta grange. On va relever les empreintes, et si les tiennes s'y trouvent, je serai obligé de t'inculper pour meurtre. Si tu as quelque chose à dire pour ta défense, tu ferais mieux de causer.

Notant l'effet de ses paroles, il en avait remis une couche.

– T'es dans le ketchup jusqu'au cou, mon gars, alors

commence par le début et ne t'avise pas d'oublier quoi que ce soit.

Corbie, comme dans la fable, lâcha son fromage. Le ramage n'était pas magnifique, plutôt un honnête croassement. Avant toute chose, il demanda un cachet de paracétamol.

– J'ai super mal à la tête.

– C'est un risque quand on commence à boire dès le matin, lui rétorqua Rebus.

En fait, il savait que c'était plutôt l'absence d'alcool qui vous fichait la migraine. Les cachets furent avalés avec un verre d'eau. Corbie toussota et s'alluma une nouvelle cigarette. Rebus écrasa la sienne. Le goût de nicotine l'écœurait de plus en plus.

– La voiture était sur l'aire de stationnement près de la cabine, commença Corbie. Ça faisait des heures, alors j'suis allé jeter un coup d'œil. Les clés étaient sur le contact. Je l'ai fait démarrer et je l'ai ramenée à la ferme.

– Pourquoi ?

Il haussa les épaules.

– C'est fait pour rouler, non ? Ha, ha, pour rouler les mécaniques !

Il prit l'air malin, mais les deux policiers demeurèrent de marbre.

– Ouais, en fait c'était un peu comme un trésor, hein ? Tout bénef pour celui qui le trouve.

– Tu n'as pas pensé que le propriétaire risquait de revenir ?

Nouveau haussement d'épaules.

– J'y ai pas vraiment réfléchi. J'ai surtout pensé que

mes potes seraient malades de jalousie en me voyant débarquer en ville au volant d'une BM.

– Tu comptais faire la course avec ? lui demanda le sergent Knox.

– Ouais.

– Ils vont sur les petites routes où ils font la course à deux, expliqua Knox à l'intention de Rebus.

Les « chauffards en herbe », comme les appelait Moffat.

– Tu n'as donc pas vu la propriétaire ?

Corbie fit la moue.

– Ce qui signifie ?

– Peut-être. Il y avait une autre voiture garée là. Un couple était en train de s'engueuler à l'intérieur. Je les ai entendus de la cour.

– Qu'est-ce que tu as vu exactement ?

– Juste la BMW, et l'autre bagnole garée devant.

– Tu n'as pas bien vu l'autre voiture ?

– Non, mais j'entendais les cris. J'ai l'impression qu'il y avait un type et une nana.

– Et ils se disputaient à quel sujet ?

– Aucune idée.

– Vraiment ?

Corbie secoua vigoureusement la tête.

– Bon, fit Rebus. Et ça s'est passé le… ?

– Mercredi. Le matin. Peut-être vers midi.

Rebus hocha la tête d'un air pensif. Il faudrait se pencher sur les alibis…

– Où était ta mère pendant ce temps-là ?

– Dans la cuisine, comme d'hab.

– Et tu lui as parlé de cette scène ?

– Je vois pas l'intérêt, répondit Corbie en secouant la tête.

Rebus hocha de nouveau la tête. Le mercredi matin. Le jour-même où Elizabeth Jack avait été assassinée. Une dispute sur une aire de stationnement…

– Tu es bien sûr qu'ils s'engueulaient ?

– Je sais de quoi je parle. La nana criait comme une dingue.

– Autre chose, Alec ?

Il parut se détendre en voyant qu'on l'appelait par son prénom. Il allait peut-être se tirer d'affaire, pourvu qu'il leur raconte…

– Eh bien, l'autre voiture a disparu mais la BMW était toujours là. On ne voyait pas s'il y avait quelqu'un à l'intérieur, à cause des vitres teintées, mais la radio était allumée. Ensuite, l'après-midi…

– La voiture est donc restée là toute la matinée ?

– C'est ça. Ensuite, l'après-midi…

– À quelle heure exactement ?

– J'en sais rien. Je crois bien qu'il y avait des courses de chevaux à la télé.

– Continue.

– Eh bien, j'ai jeté un coup d'œil par la fenêtre et y avait une autre bagnole. À moins que ce ne soit la même.

– T'avais toujours du mal à la voir.

– Je l'ai vue un peu mieux que la première. Je n'ai pas pu reconnaître le modèle, mais elle était bleue, bleu clair. J'en suis quasiment sûr.

On vérifierait les voitures… La Daimler de Jamie Kilpatrick n'était pas bleue. Pas plus que la Saab de Gregor Jack. Ni la Land Rover de Rab Kinnoul.

– Et puis ça s'est remis à s'engueuler comme du poisson pourri, poursuivit Corbie. Je pense qu'ils étaient dans la BMW, vu qu'à un moment le volume de la radio est monté d'un cran.

Rebus salua son sens de l'observation d'un hochement de tête approbateur.

– Et ensuite ?

Corbie haussa les épaules.

– C'est redevenu silencieux. Quand j'ai jeté un coup d'œil la fois d'après, l'autre voiture était repartie mais pas la BMW. Un peu plus tard, je suis sorti dans la cour et j'ai fait un tour dans les champs. Histoire de regarder d'un peu plus près. À l'avant, la portière côté passager était entrouverte. Je n'ai aperçu personne dans les parages, alors j'ai traversé la route. Les clés étaient sur le contact…

Il eut un ultime haussement d'épaules. Il avait raconté tout ce qu'il avait à dire. Et son récit ne manquait pas d'intérêt. Deux autres voitures ? À moins que celle du matin ne soit revenue l'après-midi ? Qui Liz Jack avait-elle appelé de la cabine ? Avec qui s'était-elle disputée ? Le volume de la radio qui montait d'un cran… Pour couvrir une engueulade ou parce qu'on avait malencontreusement tourné le bouton en se débattant ? Rebus avait le tournis. Il proposa une pause café. On leur apporta trois gobelets en plastique, avec du sucre et quatre biscuits chocolatés dans une assiette. Les jambes croisées, Corbie semblait à l'aise sur sa chaise. Il fumait les cigarettes à la chaîne. Quant à Knox, il en était à son deuxième biscuit…

– Bien, fit Rebus. Maintenant, passons au micro-ondes.

Le micro-ondes ? Rien de plus simple : un nouveau trésor, trouvé au bord de la route.

– Tu ne crois tout de même pas qu'on va gober ça ? lança Knox d'un ton railleur.

Mais Rebus était disposé à le croire.

– C'est la vérité, insista Corbie sans se démonter. Que vous y croyiez ou non, sergent Knox. Je faisais un tour en voiture c'matin et je l'ai aperçu dans un fossé. Incroyable : quelqu'un l'avait balancé là. Il m'avait l'air nickel, alors je l'ai ramené à la maison.

– Mais pourquoi le cacher ?

Corbie se déplaça sur son siège.

– Ma mère m'aurait accusé de l'avoir fauché. En tout cas, elle m'aurait jamais cru que je l'avais trouvé comme ça. Alors j'ai décidé de l'planquer en attendant d'avoir une bonne explication…

– Il y a eu un cambriolage hier soir, dit Rebus. À Deer Lodge. Tu sais où c'est ?

– C'est la baraque du député, celui qui s'est fait pincer au bordel.

– Tu connais donc l'endroit. Je pense que ce micro-ondes vient de là-bas.

– Mais ce n'est pas moi qui l'ai chouré !

– On ne tardera pas à le savoir. Dès qu'on aura relevé les empreintes.

– Vous ne faites que ça, relever des empreintes ! railla Corbie. On croirait entendre ma mère en train de faire ses carreaux !

– Une dernière chose, dit Rebus en se levant. Qu'as-tu raconté à ta mère pour la voiture ?

– Pas grand-chose. Je lui ai dit que je la gardais pour un pote.

Elle n'avait pas dû y croire une seconde. Mais en perdant son fils, elle risquait de perdre la ferme.

– Bien, Alec. Le moment est venu de mettre tout ça par écrit. Tout ce que tu viens de nous raconter. Le sergent Knox va prendre ta déposition. Et si on n'est pas convaincus que tu nous as dit toute la vérité, lança-t-il en s'arrêtant sur le pas de la porte, il sera toujours temps de parler de conduite en état d'ébriété. Pigé ?

Il avait pas mal de route à faire pour rentrer chez Mme Wilkie. Rebus songea qu'il aurait mieux fait de prendre une chambre d'hôtel à Dufftown. Malgré tout, le trajet lui donna l'occasion de réfléchir. Il avait passé un coup de fil du poste, pour remettre un certain rendez-vous au lendemain matin. Il avait donc le reste de la journée pour lui. Le ciel était bas au-dessus des collines. Le beau temps n'avait pas tenu. C'était exactement le souvenir qu'il gardait des Highlands – un endroit couvert et menaçant. D'épouvantables drames s'y étaient déroulés par le passé, massacres et migrations forcées, querelles d'une violence inouïe. Et même quelques affaires de cannibalisme, avait-il vaguement le souvenir.

Qui avait tué Liz Jack ? Et pour quel mobile ? Le mari était toujours le premier suspect. Libre à d'autres de suivre cette piste. Pour sa part, Rebus n'y croyait pas une seconde. Pourquoi ?

Oui, pourquoi ?

Eh bien, il n'y avait qu'à regarder les faits. Le mercredi matin, Jack avait participé à une réunion de sa section locale, puis il avait joué au golf et le soir il était à une réception… *Dixit* qui ? Jack lui-même et Helen

Greig. En plus, sa voiture était blanche. Le bleu et le blanc ne se confondaient pas. Et puis, quelqu'un cherchait manifestement à lui nuire. C'était cette personne que Rebus devait démasquer. Pouvait-il s'agir de Liz Jack ? Il y avait songé. Mais il y avait aussi les coups de fil anonymes… si l'on se fiait à Barney Byars. Helen Greig n'avait pu (voulu ?) confirmer la chose. Rebus se fit la réflexion que le moment était venu d'avoir un nouvel entretien avec Gregor Jack. Sa femme avait-elle des amants ? Au vu de ce qu'il avait pu apprendre sur son compte, la question méritait d'être reformulée : combien en avait-elle ? Un ? Deux ? Beaucoup plus ? Encore ne fallait-il pas se livrer à des conclusions hâtives. Après tout, il ne savait quasiment rien d'Elizabeth Jack. Mis à part ce que ses partisans et ses adversaires pensaient d'elle. Rien de plus. Sauf qu'à en juger d'après son choix d'amis et de mobilier elle n'avait pas beaucoup de goût…

Jeudi matin. Une semaine s'était écoulée depuis la découverte du cadavre.

Il se réveilla de bonne heure, sans être pressé de se lever, et ne fit rien pour empêcher Mme Wilkie de lui apporter son thé au lit. La soirée de la veille s'était déroulée à merveille. À aucun moment elle ne l'avait pris pour son défunt mari ou son fils. Elle ne méritait pas de trouver porte close. En plus du thé (chaud), il eut droit à quelques biscuits au gingembre. Dehors, il faisait frais et ça crachinait. Peu lui importait. Dès qu'il aurait réglé sa petite affaire, il regagnerait la civilisation.

Il avala rapidement son petit déjeuner et eut droit à la bise avant de quitter Mme Wilkie.

– Revenez à l'occasion ! lui lança-t-elle en le saluant du perron. J'espère que la confiture se vendra bien…

Ses essuie-glaces décidèrent de rendre l'âme au moment où la pluie redoublait. Il s'arrêta pour jeter un coup d'œil à la carte, puis sortit en vitesse pour tirer sur les balais. Ça lui était déjà arrivé une fois : ils étaient coincés et un petit coup avait suffi pour les relancer. Mais cette fois ils avaient abdiqué pour de bon. Et pas le moindre garagiste dans les environs. Il conduisit lentement et s'aperçut que son pare-brise était plus dégagé quand il pleuvait très fort. C'était la bruine qui lui posait le plus de problème : il ne voyait plus que de vagues silhouettes. Par contre, quand la pluie se mettait à tomber par paquets, c'était tellement violent et rapide que ça lui dégageait le pare-brise. Une bonne chose, car ce fut le déluge jusqu'à Duthil.

La clinique spécialisée de Duthil avait été pensée et conçue comme une institution modèle pour le traitement des délinquants malades mentaux. À l'image des autres établissements « spéciaux » parsemés à travers les îles Britanniques, il s'agissait ni plus ni moins d'un hôpital. Rien à voir avec une prison. Toute personne admise en son sein y était traitée en patient et non en détenu. Sa fonction était de soigner et non de punir, et les nouveaux locaux s'accompagnaient de méthodes et de théories au goût du jour.

Frank Forster, directeur médical de l'établissement, expliqua tout cela à Rebus dans son bureau agréable mais fonctionnel. Rebus avait eu une longue conversation téléphonique avec Patience la veille au soir, et celle-ci lui avait fait en gros le même topo.

Tout cela est très gentil, songea Rebus. Mais il s'agit néanmoins d'un centre de détention. À une différence près : on venait ici pour une durée indéterminée, sans peine fixe à purger. Le portail à l'entrée était actionné à distance par un gardien, et il avait remarqué que partout derrière lui on verrouillait les portes. Ce qui n'empêcha pas le Dr Forster de lui livrer son laïus sur les activités de loisirs, le ratio infirmiers/patients, la soirée dansante hebdomadaire... Avec une fierté manifeste. Et le type en faisait trop. Rebus savait à qui il avait affaire : un super attaché de presse chargé de vanter les mérites de sa clinique spécialisée, où l'on privilégiait la compassion et le traitement. À l'image de Broadmoor, les hôpitaux de l'administration pénitentiaire faisaient l'objet de critiques depuis quelques années. Pour éviter de s'en attirer, il fallait soigner ses relations publiques. Et le Dr Forster présentait bien. D'abord, c'était quelqu'un de jeune, son cadet de plusieurs années. Le teint frais, la taille svelte, le sourire facile...

Il faisait penser à Gregor Jack. L'enthousiasme, l'énergie, l'image lisse. Tout ce qui, aux yeux de Rebus, symbolisait les élections présidentielles américaines. Maintenant, cela s'était généralisé. Les asiles avaient succombé à leur tour. Et ce n'étaient pas les fous qui avaient pris les commandes mais les hommes de communication.

– Nous accueillons un peu plus de trois cents patients, disait Forster, et nous mettons un point d'honneur à ce que le personnel en connaisse le plus grand nombre possible. Et je ne parle pas de les connaître de vue, mais par leur nom. Et même leur prénom. Je ne gère pas un asile, inspecteur. Dieu merci, cette époque est depuis longtemps révolue.

– Mais votre établissement est sécurisé.

– Oui.

– Vous avez affaire à des criminels malades mentaux.

Forster sourit.

– Vous auriez peine à le croire en voyant la plupart de nos patients. Savez-vous qu'une majorité d'entre eux… soixante pour cent, me semble-t-il… ont un QI supérieur à la moyenne ? Je suis sûr que certains d'entre eux sont plus intelligents que moi !

Un rire, cette fois. Puis les traits redevinrent sérieux, empreints de compassion.

– Bon nombre de nos patients souffrent de confusion mentale, de délires. On a des dépressifs et des schizophrènes. Mais je vous assure que cela n'a rien à voir avec les fous qu'on montre au cinéma. Prenez Andrew Macmillan, par exemple.

Le dossier était prêt sur son bureau. Il l'ouvrit.

– Il est avec nous depuis l'ouverture de la clinique. Avant ça, il se trouvait… dans un cadre nettement moins recommandable. Avant d'arriver chez nous, il ne faisait aucun progrès. Maintenant, il se montre plus loquace et semble prêt à participer à certaines des activités que nous proposons. Je crois savoir qu'il est très fort aux échecs.

– Mais est-il toujours dangereux ?

Forster éluda la question.

– Il est sujet à des crises de panique… un peu

d'hyperventilation, mais rien à voir avec les angoisses aiguës d'avant, dit-il en refermant le dossier. Je dirais, inspecteur, qu'Andrew Macmillan est sur la voie d'une guérison totale. Bien. Que lui voulez-vous ?

Rebus lui parla donc de la Meute, de l'amitié entre Mack-Macmillan et Gregor Jack, du meurtre d'Elizabeth Jack, laquelle s'était justement trouvée à soixante et quelques kilomètres de Duthil.

– Je me suis demandé si elle ne lui aurait pas rendu visite.

– Nous allons vérifier ça, dit Forster en feuilletant le dossier. C'est curieux, je ne vois rien ici concernant son amitié avec M. Jack, ni le surnom de M. Macmillan. Mack, c'est bien ça ? dit-il en prenant un crayon. Je le note… Je vois tout de même que M. Macmillan a écrit à plusieurs députés… ainsi qu'à d'autres personnalités. Effectivement, il y a notamment M. Jack… (Il continua à lire en silence, puis referma la chemise et décrocha son téléphone ?) Audrey ? Apporte-moi le registre des visites… disons pour le mois écoulé.

Duthil n'avait rien d'une attraction touristique et, comme on dit, loin des yeux, loin du cœur. Les visites étaient donc assez rares et quelques minutes suffirent pour trouver ce que Rebus cherchait. Elizabeth Jack était passée un samedi, le lendemain de l'Opération Chalut, mais avant que l'affaire n'éclate au grand jour.

– Eliza Ferrie, lut Rebus. Patient : Andrew Macmillan. Amie du patient. Arrivée : 15h ; sortie : 16h30.

– C'est l'horaire habituel des visites, expliqua Forster. Les patients ont le droit de recevoir leurs visiteurs en salle de loisirs, mais j'ai pensé que vous préféreriez voir Andrew dans son service.

– Son service ?

– Une grande chambre, à vrai dire. Avec quatre lits. Mais nous employons le terme de « service » qui marque… souligne serait peut-être une expression plus heureuse… l'atmosphère hospitalière. Andrew est dans le service Kinnoul.

Rebus tressaillit.

– Pourquoi le service Kinnoul.

– Je vous demande pardon ?

– Pourquoi ce nom ?

Forster sourit.

– En hommage à l'acteur. Vous connaissez forcément Rab Kinnoul ? Lui et son épouse figurent parmi nos donateurs.

Rebus décida de ne pas lui dévoiler que Cath Kinnoul faisait partie de la Meute, qu'elle avait connu Macmillan à l'école. Ça ne le regardait pas. Cela dit, les Kinnoul venaient de monter dans son estime. Du moins Cath. Apparemment, elle n'avait pas oublié son ami d'enfance. *Plus personne ne m'appelle Gowk.* Liz Jack lui avait également rendu visite, sous couvert de son nom de jeune fille et d'une variante de son prénom. Ce qui pouvait se comprendre. La presse en aurait fait ses choux gras. *La femme du député et le tueur fou.* Elle ne pouvait pas se douter qu'un autre scandale couvait…

– Peut-être qu'à la fin de votre visite, disait le Dr Forster, vous souhaiterez faire un petit tour de notre établissement ? La piscine, la salle de gym, les ateliers…

222

– Des ateliers ?

– Du bricolage de base. Un peu de mécanique.

– Vous voulez dire que vous confiez des tournevis et des clés à molette aux patients ?

Forster rigola.

– Et on les compte soigneusement à la fin de chaque séance !

Une idée vint à Rebus.

– De la mécanique, vous dites ? Ce serait trop demander que quelqu'un jette un coup d'œil à mes essuie-glaces ?

Forster se mit à rire de plus belle, mais Rebus secoua la tête.

– Je suis sérieux.

– Dans ce cas, je vais voir ce qu'on peut faire, dit Forster en se levant. C'est quand vous voulez, inspecteur.

– Je suis prêt, dit Rebus sans grande conviction.

Ils empruntèrent une série interminable de couloirs et l'infirmier qui l'escortait n'arrêtait pas de déverrouiller des portes et de les refermer derrière eux. Il portait un énorme trousseau de clés à la ceinture. Rebus tenta de lui faire la conversation mais n'eut droit qu'à des réponses sèches. Un seul incident se produisit. Au moment où ils passaient devant une porte ouverte, une main surgit et agrippa Rebus. Un petit vieillard au regard luisant lui marmonna quelque chose, ses lèvres bougeant à peine.

– Rentre dans ta chambre, Homère, lui ordonna l'infirmier en desserrant les doigts qui retenaient le blouson de Rebus.

Le type lui obéit.

– Pourquoi l'appelez-vous Homère ? demanda Rebus dès qu'il eut retrouvé un rythme cardiaque normal.

– Parce que c'est son nom, répondit l'infirmier en le dévisageant.

Ils continuèrent de marcher en silence.

Conformément aux dires de Forster, on entendait très peu de gémissements, de grognements et de cris à vous glacer le sang, et l'on voyait très peu de mouvements, sans parler de gestes violents. Ils traversèrent une grande salle où des personnes regardaient la télé. Forster avait expliqué qu'on interdisait les programmes en tant que tels, leur contenu n'étant pas prévisible. Les patients avaient donc droit à un régime quotidien de cassettes vidéo triées sur le volet. *La Mélodie du bonheur* semblait particulièrement appréciée. Tous fixaient l'écran en silence.

– Ils sont sous calmants ? demanda Rebus.

L'infirmier devint soudain très loquace.

– On ne se prive pas pour leur faire avaler tout ce qu'on peut. Ça leur évite de faire des bêtises.

L'image de compassion en prenait un coup…

– Il n'y a aucun mal à leur filer des pilules, poursuivit-il. C'est prévu dans le MHA.

– Le MHA ?

– Le Mental Health Act. La loi indique clairement que les techniques sédatives font partie du traitement.

Rebus eut le sentiment d'un argumentaire appris par cœur à l'intention des visiteurs qui posaient des questions gênantes. L'infirmier avait une sacrée carrure :

pas très grand mais très large d'épaules, et musclé des bras.

– Vous faites de la muscu ? lui demanda Rebus.

– Avec les patients ?

– Non, je parlais de vous, dit Rebus en souriant.

– Ah… fit l'infirmier, l'air amusé. Ouais, je m'entretiens. En général, c'est tout pour les patients et rien pour le personnel. Mais nous on a une salle de gym correcte. Assez sympa. Par ici…

Une nouvelle porte fut ouverte, donnant sur un couloir où une pancarte indiquait le « service Kinnoul », derrière une porte qui elle n'était pas fermée à clé.

– Par ici, dit l'infirmier d'un ton ferme en la poussant. Contre le mur !

Rebus crut un instant que le commandement s'adressait à lui, avant d'apercevoir un homme grand et mince qui se leva de son lit et se dirigea vers le mur opposé où il se retourna vers eux.

– Les mains au mur ! ordonna l'infirmier.

Andrew Macmillan plaqua ses paumes de main contre le mur derrière lui.

– Écoutez, dit Rebus, est-ce vraiment…

Macmillan eut un sourire narquois.

– Ne vous en faites pas, dit l'infirmier. Avec ce qu'on lui a injecté, il ne risque pas de mordre. Vous n'avez qu'à vous asseoir là.

Il indiqua une table sur laquelle était disposé un échiquier. Il y avait deux chaises et Rebus s'installa sur celle qui faisait face à Macmillan. Les quatre lits étaient inoccupés. La pièce était claire, avec des murs peints en jaune citron. Un pâle rayon de soleil s'infiltrait par les trois fenêtres étroites munies de barreaux.

Manifestement décidé à rester, l'infirmier se posta derrière Rebus, à qui cela rappela la scène au commissariat de Dufftown, avec le sergent Knox et Corbie.

– Bonjour, dit Macmillan d'une voix douce.

Sa calvitie avait dépassé le stade naissant. Son long visage n'avait rien d'émacié. Rebus lui trouva un air sympathique.

– Bonjour, monsieur Macmillan. Je suis l'inspecteur Rebus.

En entendant cela, Macmillan manifesta un vif intérêt et fit un pas en avant.

– Contre le mur, déclara l'infirmier.

Le patient se figea et recula.

– Vous êtes là pour inspecter l'hôpital ? demanda-t-il.

– Non, monsieur. Je suis inspecteur de police.

– Ah bon… (Ses traits s'affaissèrent légèrement.) Je me disais que vous étiez peut-être là pour… Vous savez, on ne nous traite pas correctement… Voilà, c'est dit. Je serai sans doute puni pour vous avoir dit ça. On me mettra même peut-être à l'isolement. Tout est rapporté, la moindre dissension. Mais il faut bien que je mette les gens au courant, sinon rien ne changera. J'ai des amis influents, inspecteur… Des amis haut placés.

Rebus estima que cette dernière remarque était faite moins à son intention qu'à celle de l'infirmier. De toute manière, le Dr Forster était désormais au courant grâce à lui.

– … des amis à qui je peux faire confiance. Il faut que les gens sachent, voyez-vous. On censure notre courrier, on surveille nos lectures. Je n'ai même pas le droit de lire *Das Kapital*. Et on nous bourre de médicaments. Les malades mentaux... j'entends ceux dont la justice a décrété qu'ils l'étaient... ont moins de droits que les assassins les plus endurcis. Les assassins sains d'esprit, faut-il préciser. Vous trouvez que c'est juste ? Vous trouvez cela... humain ?

Rebus n'avait aucune réponse toute faite. De toute façon, il ne voulait pas s'écarter de son but.

– Vous avez reçu la visite d'Elizabeth Jack.

Macmillan se mit à réfléchir puis opina du chef.

– En effet. Mais quand elle vient, elle se fait appeler Ferrie, pas Jack. C'est notre secret.

– De quoi avez-vous parlé ?

– Pourquoi voulez-vous le savoir ?

Rebus, qui tripotait les pièces de l'échiquier, jugea qu'il ne devait pas être au courant du meurtre d'Elizabeth Jack. Comment aurait-il pu l'apprendre ? On ne tolérait aucune source d'information.

– Cela concerne une enquête... touchant M. Jack.

– Qu'est-ce qu'il a fait ?

– C'est ce que je cherche à découvrir, monsieur Macmillan, répondit Rebus avec un haussement d'épaules.

Macmillan avait tourné son visage vers le rayon de soleil.

– Le monde me manque, murmura-t-il. J'avais... tant d'amis.

– Vous avez gardé le contact ?

– Bien entendu ! Ils viennent me chercher pour le week-end. On va au cinéma et au théâtre, on passe nos soirées dans des bars. Vous ne pouvez pas savoir ce qu'on s'amuse ! (Il eut un sourire désabusé et se tapota la tempe.) Mais seulement là-dedans.

– Les mains sur le mur.

– Pourquoi ? fulmina-t-il. Pourquoi je serais obligé d'avoir les mains contre le mur ? Pourquoi je n'ai pas le droit de m'asseoir et d'avoir une conversation comme… comme… quelqu'un de normal ?

Plus sa colère montait et plus il baissait la voix. De la salive lui coulait à la commissure des lèvres, et une veine palpitait sur son front. Il inspira longuement, à deux reprises, puis inclina la tête.

– Je suis désolé, inspecteur. Vous savez, on me donne des calmants… Dieu sait quoi… ça produit… cet effet… sur moi.

– Ce n'est pas grave, monsieur Macmillan.

Mais intérieurement Rebus tremblait comme une feuille. Avait-il affaire à un fou ou à un type sain d'esprit ? Que devenait une personne équilibrée que l'on enchaînait à un mur ? Qui plus est, avec des chaînes immatérielles.

– Vous vouliez me parler… reprit Macmillan, à bout de souffle… d'Eliza Ferrie. En effet, j'ai reçu sa visite. Une vraie surprise. Je sais qu'ils ont une maison dans les environs, mais ils ne sont jamais venus me voir. Lizzie… Eliza… est venue une seule fois, il y a très longtemps. Quant à Gregor… c'est quelqu'un de très occupé, n'est-ce pas ? Elle aussi. J'ai des nouvelles…

Très certainement par l'entremise de Cath Kinnoul, songea Rebus.

– … Oui, elle est passée. On a passé une heure très

agréable. On a parlé du passé… des amis. De l'amitié.
Est-ce que leur couple bat de l'aile ?

– Qu'est-ce qui vous fait dire ça ?

Mack eut un sourire crispé.

– Elle est venue seule, inspecteur. Elle m'a expliqué
qu'elle prenait quelques jours de vacances toute seule.
Pourtant, un monsieur l'attendait dehors. C'était soit
Gregor, qui n'avait pas envie de me voir, ou bien un
de ses… amis.

– Comment le savez-vous ?

– C'est ce cher infirmier qui me l'a dit. Si vous avez
envie de faire des cauchemars ce soir, demandez-lui de
vous montrer la cellule d'isolement qui sert de puni-
tion. Forster ne vous a rien dit des cachots. Ils pourraient bien m'y jeter parce que j'ai dit tout ça.

– La ferme, Macmillan.

Rebus se tourna vers l'infirmier.

– C'est vrai ? lui demanda-t-il. Quelqu'un attendait
Mme Jack dehors ?

– Ouais, dans la voiture. Un type. Je l'ai aperçu par
une fenêtre. Il était descendu pour se dégourdir les
jambes.

– Il ressemblait à quoi ?

L'infirmier secoua la tête.

– Il était en train de remonter, je l'ai vu seulement de
dos.

– Et la voiture ?

– Une Série 3 noire, ça j'en suis sûr.

– Vous savez, inspecteur, il est très doué pour noter
ce genre de détail, sauf quand ça l'arrange.

– Taisez-vous, Macmillan.

– Je vous pose une question, inspecteur : si nous

nous trouvons dans une clinique, comment expliquer que tous nos soi-disant infirmiers appartiennent au syndicat des gardiens de prison ? Ce n'est pas un hôpital mais un entrepôt. Le problème, c'est que ceux qui ont la charge des malades mentaux ont quelques araignées au plafond.

Il s'éloignait du mur, à pas lents sur ses jambes anesthésiées, mais avec une énergie indéniable. Chacun de ses nerfs bouillonnait.

– Contre le mur…

– On a tous perdus la tête ! Je lui ai coupé la tête ! Oui, je lui…

– Macmillan ! dit l'infirmier en avançant vers lui.

– Mais ça remonte à si longtemps… Une autre…

– Je vous ai prévenu…

– Et j'ai tellement… tellement envie de…

– Bon, ça suffit.

L'infirmier lui attrapa les bras.

– … de toucher la terre.

Macmillan ne chercha pas à résister quand l'infirmier lui lia les bras et les jambes. Puis il l'allongea par terre.

– Si je le laisse sur son lit, il fait exprès de tomber et de se faire mal.

– Et vous tenez à éviter ça, dit Macmillan qui semblait apaisé malgré ses liens. Non, mon cher infirmier ne veut surtout pas que je me fasse mal…

Rebus ouvrit la porte et fit mine de sortir.

– Inspecteur !

– Oui, monsieur Macmillan ? dit Rebus en se retournant.

Macmillan parvint à regarder la porte.

– Touchez la terre pour moi… s'il vous plaît.

Rebus quitta la clinique sur des jambes nettement plus flageolantes qu'à son arrivée. Il se passerait très bien de voir la piscine et la salle de gym. À la place, il demanda à l'infirmier de lui montrer le quartier disciplinaire mais essuya un refus.

– Écoutez, vous n'êtes pas forcément d'accord avec ce qui se fait ici, et j'ai moi-même quelques réserves, mais vous avez pu voir ce qu'il en est. On nous explique que ce sont des patients, mais il n'est pas question de leur tourner le dos une seconde, ni de les laisser seuls. Ils pourraient se mettre à avaler des ampoules électriques, chier des Bic et des crayons, foutre un coup de boule dans la téloche. Je veux dire, ils peuvent très bien rester tranquilles mais on n'est jamais sûrs… jamais. Ne soyez pas trop sévère dans votre jugement, inspecteur. Je sais bien que ce n'est pas facile, mais essayez quand même.

Rebus lui souhaita bon courage pour la muscu avant de s'en aller. Dans la cour, il s'accroupit devant un parterre de fleurs et plongea la main dans la terre, écrasant une motte entre le pouce et l'index. C'était une sensation agréable. Comme de se trouver au grand air. Toutes ces choses qu'il avait tendance à négliger, comme la terre, l'air, et la liberté d'aller où il voulait.

Il porta son regard vers les fenêtres de la clinique, sans savoir laquelle correspondait à la chambre de Macmillan. Aucun visage le fixant, aucun signe de vie. Il se releva, gagna sa voiture et se réfugia dedans. Derrière le pare-brise, c'en était terminé de la brève apparition du soleil. La bruine avait repris, brouillant la vue. Il appuya sur un bouton… et les essuie-glaces se mirent en marche. Les balais allaient et venaient régulièrement. Il sourit et posa les mains sur le volant et se posa encore une fois la question : que devient une personne équilibrée que l'on enchaîne à un mur ?

Il fit un détour en rentrant dans le Sud. Quittant la voie express à Kinross, il passa devant le Loch Leven (où ses parents l'emmenaient souvent pique-niquer quand il était gamin), et prit à droite au croisement suivant, en direction du Fife et de ses villages miniers fatigués. Il était en terrain familier, c'est là qu'il était né et avait passé son enfance. Il connaissait les HLM grisâtres, les épiceries, les pubs sans âme. Les gens méfiants envers les étrangers, sans parler de leurs voisins et de leurs amis. Les paroles échangées à un coin de rue avec une rudesse de pugilat. Ses parents avaient toujours pris soin de les emmener ailleurs le week-end, son frère et lui. Le samedi on faisait les magasins à Kirkcaldy, et le dimanche de longs pique-niques au Loch Leven, coincés à l'arrière de la voiture avec les sandwichs aux rillettes de saumon, le jus d'orange et la Thermos de thé au goût de plastique.

Quant aux vacances d'été, c'était la caravane à St Andrews ou le *bed and breakfast* à Blackpool, où Michael s'attirait toujours des ennuis et appelait son grand frère à la rescousse.

– Pour la reconnaissance que ça m'a valu… marmonna-t-il.

Il approchait du but.

Les Transports Byars étaient basés dans un ancien village minier, au milieu d'une côte assez raide. Une école était située en face, de l'autre côté de la route.

C'était la sortie des classes, les gamins se filaient des coups de cartable et faisaient étalage d'un grand répertoire de gros mots. Certaines choses ne changeaient pas. Dans la cour du transporteur, il y avait des semi-remorques parfaitement alignés, deux voitures lambda et une Porsche Carrera. Aucune voiture bleue. Des baraques de chantier tenaient lieu de bureaux. Rebus se dirigea vers celle qui portait la pancarte « Direction » (en dessous, quelqu'un avait ajouté au feutre « big boss ») et frappa.

À l'intérieur, une secrétaire détacha le regard de son ordinateur. Il faisait une chaleur étouffante ; le chauffage au gaz installé au pied du bureau fonctionnait à plein régime. La dame tournait le dos à une porte, derrière laquelle on entendait la voix tonitruante et les éclats de rire de Byars. En l'absence d'autre voix, Rebus déduisit qu'il s'agissait d'une conversation téléphonique.

– Tu peux dire à ce merdeux de ramener son cul ici ! ... Malade ? *Malade ?* Dis plutôt qu'il est en train de tirer sa gonzesse ! Je peux pas lui en vouloir...

– Oui ? dit la secrétaire. Je peux vous aider ?

– Peu importe ce qu'il t'a raconté ! rugit Byars. Moi, j'ai une cargaison qu'aurait dû être à Liverpool hier !

– J'aimerais voir M. Byars.

– Si vous voulez bien vous asseoir, je vais voir si M. Byars est disponible. Quel est votre nom, je vous prie ?

– Inspecteur Rebus.

À cet instant, la porte derrière elle s'ouvrit et Byars sortit. Il tenait un téléphone sans fil d'une main et un document dans l'autre, qu'il tendit à sa secrétaire.

– C'est ça, mon gars, et j'ai une livraison de Londres qu'arrive le surlendemain…

Byars parlait de plus en plus fort. Rebus remarqua qu'il laissait traîner son regard sur les jambes de sa secrétaire, sans que celle-ci s'en aperçoive, et se demanda dans quelle mesure cette petite scène visait à épater la dame… Mais Byars remarqua soudain sa présence. Il mit une ou deux secondes à le reconnaître, puis lui adressa un salut de la tête.

– Écoute, mon gars, dit-il à son interlocuteur, je compte sur toi pour lui remonter les bretelles. Je lui souhaite d'avoir un arrêt de travail en bonne et due forme. Sinon, tu peux lui dire qu'il est viré, O.K. ?

Il coupa la communication et tendit vigoureusement la main à Rebus.

– Qu'est-ce qui vous amène dans notre fichu trou paumé, inspecteur ?

– Eh bien, je passais dans le coin et…

– Et mon cul ! Je veux bien croire qu'on a du passage mais faut avoir besoin de quelque chose pour s'arrêter. Et même à ceux-là, je leur conseille de filer tout droit. Mais je crois bien que vous êtes du coin, non ? Venez dans mon bureau. J'ai cinq minutes à vous consacrer. Sheena, mon ange, dit-il en posant la main sur l'épaule de sa secrétaire, appelle Pine-d'huître à Liverpool et dis-lui demain matin au plus tard.

– Je m'en occupe, monsieur Byars. Vous voulez que je fasse du café ?

– C'est pas la peine, Sheena. Je connais les goûts de la police, dit-il en adressant un clin d'œil à Rebus. Après vous, inspecteur ! Après vous.

Le bureau de Byars ressemblait à l'arrière-boutique

d'une librairie porno. On aurait dit que les murs tenaient grâce aux innombrables calendriers et posters de femmes nues. Il s'agissait pour l'essentiel de cadeaux publicitaires offerts par les clients et fournisseurs de Byars. Celui-ci remarqua l'air étonné de Rebus.

– Ça fait partie de l'image, expliqua-t-il. Quand un routier avec du poil au cul et des tatouages plein les bras débarque ici, il pense qu'il sait à quel genre de type il a affaire.

– Et quand c'est une femme qui entre ?

Byars fit claquer sa langue.

– Pareil pour elle. Et je ne vous dis pas qu'elle aurait tort.

Ici, la bouteille de whisky n'était pas cachée sous les dossiers au fond d'un tiroir mais dans une botte en caoutchouc. Et Byars renifla deux verres qu'il prit dans l'autre botte.

– Ça sent la rose, dit-il en les servant.

– Merci, dit Rebus en prenant son verre. Belle voiture.

– Hein ? Ah, dehors ? Ouais, une belle caisse. Pas une seule éraflure. Mais je ne vous parle pas des primes d'assurance. Elles sont plutôt raides ! À côté, cette colline est aussi plate qu'une table de billard. Santé !

Il vida son verre d'un trait et expira bruyamment. Rebus trempa les lèvres, puis examina son verre et la bouteille. Byars gloussa.

– Vous croyez que je vais filer du Glenlivet aux soiffards que je reçois ? Je suis un homme d'affaires, pas un Samaritain ! Ils regardent l'étiquette et ça leur en bouche un coin. Toujours l'image, comme les photos cochonnes sur les murs. Je verse un scotch bon marché dans la bouteille. Peu de gens s'en aperçoivent.

Rebus prit ça comme un compliment. L'image. Byars n'était rien d'autre : tout dans l'apparence et le superficiel. Était-il si différent que ça d'un acteur ou d'un politicien ? Ou d'un policier, tout compte fait. Tous dissimulaient leurs mobiles profonds à l'aide de quelques astuces.

– Alors, vous êtes là à quel sujet ?

Rien de compliqué. Il voulait que Byars lui parle de la soirée à Deer Lodge, apparemment la dernière qui s'y soit déroulée.

– On n'était pas très nombreux, lui confia Byars. Quelques-uns se sont débinés au dernier moment. Tom Pond devait venir, mais je n'ai pas le souvenir de l'avoir vu… non, en effet, il était déjà parti aux States. Suey était là.

– Ronald Steele ?

– Lui-même. Et Liz et Gregor, bien sûr. Et moi. Cathy Kinnoul aussi, mais pas son mari. Voyons, qui d'autre… ah, un couple qui bosse pour Gregor… Urquhart…

– Ian Urquhart ?

– C'est ça, et une jeune femme…

– Helen Greig ?

Byars s'esclaffa.

– Pourquoi vous me posez la question si vous êtes déjà au courant ? Je crois qu'on a fait le tour.

– Vous avez dit « un couple qui travaillait pour Gregor ». Vous avez eu l'impression qu'ils étaient ensemble ?

236

– Non, pas franchement ! Je crois bien qu'Urquhart est le seul qui n'a pas essayé d'aller au pieu avec elle.

– Et quelqu'un y est-il parvenu ?

– Je n'ai rien remarqué, mais je dois dire que, au bout de ma deuxième bouteille de champagne, en général je ne fais plus attention à grand-chose. Cette soirée n'avait rien à voir avec celles de Liz. C'était beaucoup moins déchaîné. Je veux dire, les gens se sont bien torchés, mais c'est tout.

– C'est-à-dire ?

– Enfin, vous voyez ce que je veux dire… Les amis de Liz, ça dépotait quelque chose de bien. Une sacrée bande de fêtards.

Il fixa une des photos affichées, comme plongé dans ses souvenirs.

Rebus imaginait très bien Byars buvant du petit-lait, fréquentant Patterson-Scott, Kilpatrick et le reste de la bande. Quant à eux, il les voyait bien… tolérer la présence d'un Byars, une sorte de « nouveau rustre ». Le transporteur était un joyeux drille, qui avait toujours une plaisanterie sur le bout de la langue. Sauf qu'ils devaient passer plus de temps à rire de lui que de ses blagues.

– Dans quel état se trouvait Deer Lodge ? demanda Rebus.

Byars fronça le nez.

– Une porcherie. Le ménage n'avait pas été fait depuis la dernière fête, quinze jours avant. Une fête de la bande à Liz. Gregor était fou. Liz était censée s'en occuper. On aurait dit un squat des années soixante. (Un sourire.) Je ferais mieux de me taire, en face d'un honorable représentant des forces de l'ordre, mais je n'ai même pas passé la nuit sur place. J'ai pris la route vers quatre heures du mat. Pinté comme c'est pas permis, mais je n'ai croisé personne à mettre en danger sur les routes. Tenez, je vais vous en raconter une bonne. Quand je suis arrivé, j'avais froid aux pieds. Je suis descendu pour ouvrir le garage… et j'ai vu que je n'avais pas de godasses ! Une seule chaussette ! Je me demande bien comment j'ai fait pour pas m'en apercevoir plus tôt !

8

Rancune et jalousie

John Rebus fut-il accueilli en héros ? Pas vraiment. Certains estimaient qu'il n'avait fait qu'ajouter au chaos de l'enquête. C'était peut-être bien le cas. Le superintendant Watson, par exemple, était toujours d'avis que William Glass était leur homme. Il écouta le rapport de Rebus sans broncher, tandis que l'inspecteur Lauderdale se balançait sur sa chaise, observant tour à tour le plafond d'un air pensif et son pantalon aux plis impeccables. On était vendredi matin. Une odeur de café flottait dans l'air. Survolté par la caféine, Rebus livrait son récit. Watson l'interrompit à plusieurs reprises, d'une voix légère comme du fromage blanc maigre. Et pour conclure, il lui posa la question qui s'imposait.

– Vous en concluez quoi, John ?

[...] pas, monsieur.

[...]dente, et somme toute

Reprenons les choses clairement, dit Lauderdale en détachant le regard de sa jambe de pantalon parfaitement repassée. Liz Jack se trouve à une cabine téléphonique. Un homme l'y rejoint en voiture. Une dispute. Le type repart. Elle reste sur place. Une autre voiture, peut-être la même, arrive. Nouvelle dispute. La voiture s'en va, abandonnant celle de Mme Jack sur place. Et on retrouve son cadavre dans une rivière, à deux pas de la baraque d'un copain de son mari.

Il marqua une pause, comme pour inviter Rebus à le contredire.

– On ne sait toujours ni où ni quand elle est morte, seulement qu'elle a abouti à Queensferry. Bon, vous dites que la femme de cet acteur est une vieille amie de Gregor Jack ?

– Oui.

– Rien n'indique que cela ait dépassé la stricte amitié ?

Rebus haussa les épaules.

– Pas autant que je sache.

– Et l'acteur ? Peut-être que Rab Kinnoul et Mme Jack…

– Peut-être.

– C'est commode, hein ? fit remarquer le superintendant en se levant pour reprendre une tasse de poison noir. Je veux dire, si ce M. Kinnoul voulait se débarrasser d'un cadavre, pourrait-il rêver mieux que son propre torrent qui se jette dans la mer ? Ça a p___ n'est pas rep____ Qui plus ___ és, peut-être jamais. ___ télé et au cinéma. Ça a p__ rôles d'assassin ___ fini par lui monter à la tête…

– Sauf que Kinnoul était en réunion toute la journée du mercredi, nota Lauderdale.

– Et le soir ?

– Chez lui avec sa femme.

240

– Ce qui nous ramène à Mme Kinnoul, fit Watson en opinant du chef. Se peut-il qu'elle mente ?

– En tout cas, elle lui est entièrement soumise, dit Rebus. Et elle prend toutes sortes de calmants. Je serais surpris qu'elle puisse faire la différence entre mercredi soir à Queensferry et le douze juillet à Londonderry[1].

Watson sourit.

– Joliment dit, John, mais j'aimerais qu'on s'en tienne aux faits, dans la mesure du possible.

– Des faits plutôt minces, dit Lauderdale. De toute façon, nous savons tous qui est le candidat le mieux placé : le mari de Mme Jack. Elle apprend qu'il s'est fait prendre en flagrant délit dans un bordel, ils se disputent, il la frappe sans forcément vouloir la tuer. Et voilà qu'elle est morte.

– Il n'y avait pas flagrant délit, se permit de rappeler Rebus.

– D'ailleurs, ajouta Watson, M. Jack dispose lui aussi d'un alibi… (Il parcourut un document) … une réunion de sa section parlementaire le matin. Une partie de golf l'après-midi, son partenaire corrobore et l'agent Broome a fait les vérifications. Et le soir un discours devant quatre-vingts et quelques responsables économiques, lors d'un dîner dans le centre d'Édimbourg.

– Et il conduit une Saab blanche, déclara Rebus. Il faut qu'on vérifie la couleur des voitures de toutes les personnes impliquées, les amis de Mme Jack comme ceux de son mari.

---

1. Commémoration annuelle de la bataille de la Boyne qui donne lieu à des défilés protestants en Irlande du Nord.

– J'ai déjà chargé le sergent Holmes de s'en occuper, dit Lauderdale. Et le laboratoire devrait nous transmettre le rapport sur la BMW d'ici demain matin. Toutefois, dit-il en se tournant vers Rebus, j'ai une autre question. Apparemment, Mme Jack aurait passé au maximum une semaine dans le Nord. Est-elle restée tout le temps à Deer Lodge ?

Il fallait tirer son chapeau à Lauderdale, qui cogitait dur ce matin-là. Watson se mit à opiner du chef comme s'il avait eu la même question sur le bout des lèvres, ce qui n'était bien entendu pas du tout le cas.

Pour sa part, Rebus avait songé à ce problème.

– Je ne pense pas, répondit-il. Je suis convaincu qu'elle y est passée. Sinon, comment expliquer les journaux et la valise verte ? Mais de là à penser qu'elle y est restée toute la semaine… j'en doute fort. Rien n'indique que la cuisine a servi récemment. Tout ce qui traînait, les emballages et les restes, datait des diverses fêtes. Par contre, on avait manifestement cherché à faire un peu de place par terre dans le salon, pour permettre à une ou deux personnes de s'installer et boire un verre. Mais ça remonte peut-être à la dernière soirée. On pourra toujours poser la question aux invités, en même temps qu'on prendra leurs empreintes…

– Leurs empreintes ? s'étonna Watson.

Lauderdale prit le ton d'un parent exaspéré.

– C'est un processus d'élimination, monsieur. Pour voir si on se retrouve avec des empreintes non identifiées.

– Ce qui nous apprendrait quoi, au juste ? demanda Watson.

– Le problème est de savoir avec qui Mme Jack se trouvait, monsieur, insista Lauderdale. Si elle n'était pas à Deer Lodge, où se trouvait-elle ? On peut même se demander dans quelle mesure elle est restée tout ce temps dans le Nord.

– Ah… fit Watson en opinant une nouvelle fois du chef, comme si tout s'expliquait.

– Elle a rendu visite à Andrew Macmillan le samedi, ajouta Rebus.

– Certes, dit Lauderdale qui était en verve, mais ensuite on ne retrouve sa trace que le mercredi, quand ce voyou l'aperçoit près de la ferme. Qu'a-t-elle fait dans l'intervalle ?

– Elle est passée le dimanche à Deer Lodge avec ses journaux, dit Rebus qui comprit soudain où Lauderdale voulait en venir. Quand elle a appris le scandale, vous pensez qu'elle aurait pu rentrer à Édimbourg ?

Lauderdale tendit les mains et inspecta ses ongles.

– Ce n'est qu'une hypothèse.

– Les hypothèses, on en a à revendre ! décréta Watson en frappant une de ses grosses paluches sur le bureau. Il nous faut du concret, et n'oublions pas ce cher Glass. Il faut impérativement l'interroger. Au moins à propos de Dean Bridge. En attendant…

Il chercha quelque piste à suivre, une inspiration ou une consigne à leur impartir, mais laissa tomber et se contenta de vider sa tasse.

– En attendant, finit-il par dire à Lauderdale et Rebus, soyons prudents.

Forts de cette sagesse hiérarchique, les deux subalternes s'éclipsèrent.

Le Paysan a pris un sacré coup de vieux, songea

Rebus qui laissa Lauderdale sortir en premier. *Hill Street Blues* n'était qu'un lointain souvenir. Dans le couloir, Lauderdale lui prit le bras et s'exprima les dents serrées, avec une excitation manifeste.

– On dirait bien que le chef n'en a plus pour très longtemps, hein ? Les grands manitous ne devraient pas tarder à se rendre compte de la situation et le mettre à la retraite.

Il avait du mal à contenir sa jubilation. En effet, songea Rebus. Un ou deux fiascos publics, il n'en faudrait pas plus. Une question méritait d'être posée... Lauderdale était-il capable de manigancer un coup tordu avec cette idée derrière la tête ? Quelqu'un avait vendu la mèche à la presse pour l'Opération Chalut. Bon sang, une éternité semblait s'être écoulée. Chris Kemp n'était-il pas censé mettre son nez là-dedans ? Il faudrait lui demander ce qu'il avait déniché. Ça et mille autres choses à faire...

Il venait de dégager son bras de celui de Lauderdale quand la porte de Watson se rouvrit et le superintendant les fixa. Rebus se demanda si la culpabilité et la duplicité qu'il éprouvait se lisaient sur leurs visages. Le regard du Paysan se posa sur lui.

– John, un appel pour vous. M. Jack. Il serait reconnaissant si vous pouviez passer le voir. Apparemment, il a quelque chose à vous dire.

Rebus sonna au portail verrouillé. La voix d'Urquhart se fit entendre dans l'Interphone.

– Oui ?

– Inspecteur Rebus. Je viens voir M. Jack.

– J'arrive tout de suite, inspecteur.

Rebus jeta un coup d'œil par la grille. La Saab blanche était garée devant la maison. Il secoua doucement la tête. Certaines personnes étaient incorrigibles. Désigné pour venir voir qui il pouvait bien être, un journaliste quitta les véhicules en enfilade et s'approcha. Les autres reporters et photographes restaient à l'abri dans leurs voitures, à écouter la radio et lire le journal. On buvait du café et de la soupe en Thermos. Coincés là pour une durée indéterminée, tous s'ennuyaient. Tandis qu'il patientait, Rebus sentit le vent s'infiltrer entre le col de sa chemise et son blouson, lui glisser dans le cou comme de l'eau glaciale. Il aperçut Urquhart sortir de la maison et chercher la bonne clé dans son trousseau. Le reporter envoyé en reconnaissance se tenait toujours à ses côtés en gigotant, impatient d'interroger Urquhart.

– Je ne crois pas que ça en vaille la peine, lui conseilla Rebus.

Urquhart s'arrêta devant le portail.

– Monsieur Urquhart ! l'interpella le journaliste. Avez-vous quelque chose à ajouter à votre précédente déclaration ?

– Non, répondit-il froidement en ouvrant le portail. Mais je veux bien la répéter pour vous : foutez-moi le camp !

Sur ce, ayant laissé passer Rebus, il referma le portail et prit soin de tirer sur les barreaux pour s'assurer qu'il était bien verrouillé. Avec un sourire dépité, le reporter regagna les voitures.

– C'est l'état de siège, fit remarquer Rebus.

Urquhart avait la mine de quelqu'un qui a passé une ou deux nuits blanches de trop.

– C'est infernal, confia-t-il en se dirigeant vers la maison. Ils sont là jour et nuit. On se demande ce qu'ils espèrent obtenir.

– Des aveux ? suggéra Rebus.

Il suscita un maigre sourire.

– Ils peuvent toujours courir... (Son sourire disparut.) Je me fais vraiment du souci pour Gregor. Tout ça le... il est... enfin, vous allez voir.

– Vous savez pourquoi il m'a fait venir ?

– Il n'a pas voulu me le dire. Inspecteur... (Il s'arrêta.) ... il est très fragilisé. Voyez, il serait capable de dire tout et n'importe quoi. J'espère que vous saurez repérer la vérité parmi ses lubies.

Il se remit à marcher.

– Vous continuez de couper son whisky ? lui demanda Rebus.

Urquhart le dévisagea et fit oui de la tête.

– Ce n'est pas la solution, inspecteur. Avant tout, il a besoin d'amis.

L'amitié, si chère aux yeux d'Andrew Macmillan. Justement, Rebus comptait toucher un mot à Jack de son ami assassin. Mais rien ne pressait. Il s'arrêta devant la Saab.

– Qu'est-ce qu'il y a ? s'enquit Urquhart en s'arrêtant à son tour.

– Vous savez, j'ai toujours adoré les Saab mais je n'ai jamais eu les moyens de m'en offrir une. Vous pensez que ça gênerait M. Jack que je me mette au volant une seconde ?

Urquhart parut pris au dépourvu. Il finit par esquisser un geste, mi-haussement d'épaules et mi-hochement de tête. Rebus actionna la poignée de la portière du conducteur – celle-ci n'était pas fermée à clé. Il se glissa sur le siège et posa les mains sur le volant, en laissant la portière ouverte pour que Urquhart puisse le voir.

– C'est très confortable.

– Il paraît, dit Urquhart.

– Vous ne l'avez jamais conduite ?

– Non.

– Ah bon, fit Rebus en fixant le pare-brise, puis le siège passager et le sol. Oui, c'est bien conçu et on est très à l'aise. C'est très spacieux, hein ?

Il pivota sur lui-même pour regarder l'arrière, la banquette comme le sol.

– On a vraiment toute la place qu'il faut... Super.

– Gregor serait peut-être d'accord pour que vous fassiez un tour.

Rebus prit l'air enchanté.

– Vous croyez vraiment ?... Enfin, quand tout se sera tassé.

Il descendit et Urquhart eut un ricanement.

– Se tasser ? Ce genre de scandale ne se tasse jamais, pas pour un député. Le bor... les allégations publiées dans la presse, c'était déjà un sale coup, et maintenant on se retrouve avec un meurtre. Non, dit-il en secouant la tête, ça ne risque pas de se tasser, inspecteur. Ce n'est pas une petite averse mais un torrent de boue, et la boue ça vous colle au corps.

Rebus claqua la portière.

– J'aime bien le bruit qu'elle fait en se fermant, pas vous ? Vous connaissiez bien Mme Jack ?

– Pas mal. Je la voyais presque tous les jours.

– Je pensais que M. et Mme Jack menaient des vies assez indépendantes ?

– Je n'irais pas jusque-là. Ils étaient tout de même mariés.

– Et amoureux ?

Urquhart réfléchit un instant.

– Oui, je dirais que oui.

– Malgré tout ? demanda Rebus qui faisait le tour de la voiture, comme s'il hésitait à l'acheter.

– Je ne comprends pas très bien...

– Oh, vous savez, les amis différents, le style de vie, les vacances chacun de son côté...

– Gregor est député, inspecteur. Il n'est pas toujours libre de partir quand ça lui chante.

– Alors que Mme Jack était... vous la décririez comment ? Spontanée ? Voire un peu délurée ? Le genre à partir en voyage sur un coup de tête.

– Oui, en fait, c'est ça.

Rebus hocha la tête et tapota le coffre.

– J'imagine qu'il y a beaucoup de place pour les bagages ?

Urquhart s'avança et l'ouvrit.

– Ça alors ! s'exclama Rebus. Il y a toute la place qu'on veut. Le coffre est vraiment très profond, hein ?

Il était aussi d'une propreté immaculée. Aucune trace de boue, aucune éraflure, aucune saleté. On aurait dit qu'il n'avait jamais servi. S'y trouvaient un bidon d'essence, un triangle rouge pour signaler un accident et des clubs de golf.

– C'est un vrai fana de golf, à ce que je vois...

– Oui.

– Moi, dit Rebus en refermant le coffre, je n'ai

jamais compris qu'on puisse aimer ça. La balle est trop petite et le terrain trop grand. Si on entrait ?

Gregor Jack avait une mine de déterré, comme le type au bout du rouleau qui voit le bus lui filer sous le nez. Il avait dû se coiffer la veille ou l'avant-veille, la dernière fois qu'il s'était changé. Son rasage était approximatif ; quelques taches foncées avaient échappé au rasoir. Quand Rebus entra, il ne se donna pas la peine de se lever, mais lui adressa un salut de la tête et indiqua avec son verre un des atroces fauteuils gui-mauve. Rebus s'approcha à pas mesurés. Le verre en cristal que tenait Jack contenait du whisky ; une bou-teille aux trois quarts vide était posée sur la moquette à côté de lui. Ça sentait le renfermé et la poussière. Jack but une gorgée et gratta son doigt irrité sur le rebord du verre.

– Je veux vous parler, inspecteur.

Rebus s'assit et s'enfonça, s'enfonça…

– Bien, monsieur.

– Je souhaite vous parler de moi… et un peu de Liz, d'une façon détournée.

Un discours de plus, une entrée en matière longue-ment mûrie et réfléchie. Ils étaient seuls dans la pièce. Urquhart avait proposé de faire du café. Rebus, qui avait eu son compte de caféine dans le bureau de Wat-son, avait demandé du thé. Helen Greig était chez elle, sa mère étant souffrante – « une fois de plus » avait fait remarquer Urquhart avant de filer vers la cuisine. Des femmes fidèles : Helen Greig et Cath Kinnoul. D'une fidélité inébranlable. Et Elizabeth Jack ? Fidèle et bran-lable… Quelle pensée odieuse ! Surtout concernant une morte, et qu'il n'avait jamais rencontrée. Une femme qui aimait bien se faire ligoter aux montants du lit et...

– Ça n'a rien à voir avec... enfin, je ne sais pas, peut-être que si...

Jack se tut, l'air songeur.

– Voyez-vous, inspecteur, je n'arrête pas de faire des suppositions. Et si Liz était tombée sur les articles me concernant, et si elle avait mal réagi, alors peut-être qu'elle a fait quelque chose de... ou bien qu'elle a choisi de ne pas rentrer...

Il se leva brusquement et se dirigea vers la fenêtre, le regard fixé dans le vide.

– ... ce que j'essaye de vous dire, c'est : et si j'étais responsable ?

– Responsable, monsieur ?

– De... de la mort de Liz. Si on s'était trouvés ensemble, ici, ça ne serait peut-être jamais arrivé. C'est même sûr que non. Vous comprenez ce que je veux dire ?

– Ça ne sert à rien de culpabiliser, monsieur...

Jack fit volte-face.

– Mais je culpabilise quand même !

– Vous feriez mieux de vous asseoir, monsieur Jack...

– Appelez-moi Gregor, je vous en prie.

– D'accord... Gregor. Allons, venez vous asseoir et vous calmer un peu.

Jack lui obéit. Tout le monde ne réagissait pas de la même manière à la perte d'un proche. Les faibles devenaient forts et vice versa. Ronald Steele s'était mis à balancer des bouquins, Gregor Jack devenait… pitoyable. Il se grattait de nouveau le doigt.

– C'est tout de même ironique ! maugréa-t-il.

– Pourquoi donc ?

Rebus était pressé de voir arriver le thé. Jack se ressaisirait peut-être en présence d'Urquhart.

– Le bordel, dit Jack en le regardant droit dans les yeux. C'est là que tout a commencé. La raison pour laquelle je m'y suis rendu…

Rebus se redressa.

– Oui, Gregor ? Qu'est-ce que vous alliez faire là-bas ?

Gregor Jack prit son temps, ravala sa salive et inspira, comme s'il hésitait à répondre.

– J'allais voir ma sœur, finit-il par murmurer.

Un profond silence s'empara de la pièce. Rebus entendait le tic-tac de sa montre. Soudain, la porte s'ouvrit.

– Voici le thé ! annonça Ian Urquhart en entrant.

Alors qu'une seconde plus tôt il attendait son retour avec impatience, Rebus était maintenant pressé de voir l'assistant repartir. Il se leva et s'approcha de la cheminée. La carte de la Meute était toujours là. S'y étaient ajoutées quelques dizaines d'autres – les collègues des Communes, la famille et les amis, et même quelques électeurs. Urquhart parut sentir la tension qui flottait dans l'air. Il posa le plateau sur une table et sortit sans rien dire. La porte à peine refermée, Rebus se tourna vers Jack.

– Votre sœur ?

– C'est ça. Ma sœur. Elle bossait dans ce bordel. Enfin, j'avais des raisons de le croire. Quelqu'un me l'avait dit. J'ai bien pensé qu'il pouvait s'agir d'une plaisanterie, un canular débile. Ou bien d'un piège, histoire de m'attirer dans un bordel. Une ruse et un traquenard. J'ai réfléchi longuement avant d'y aller, mais j'ai fini par m'y rendre. Il avait l'air tellement affirmatif.

– Qui ça ?

– Celui qui m'a appelé. J'ai reçu des appels…

En effet. Rebus avait oublié de lui en parler.

– … en général, le temps que je vienne à l'appareil, la personne avait raccroché. Mais un soir, c'est moi qui ai répondu. On m'a dit : « Votre sœur bosse dans un bordel de New Town. » Puis on m'a donné l'adresse et conseillé de passer vers minuit. Parce qu'à cette heure-là… elle aurait… elle aurait « pris son service »…

Prononcer ces mots l'étouffait littéralement, lui évoquant la nourriture qu'il mastiquait longuement lors des banquets officiels, en s'efforçant de ne pas avaler. Jusqu'au moment où il n'avait plus le choix.

– J'y suis donc allé. Effectivement, elle se trouvait là. Ce n'était pas un canular. J'étais en train de lui parler quand vous êtes arrivé. C'était donc un piège. La presse était là…

Rebus se souvint de la jeune femme qui s'était tordue de rire sur le lit, et avait soulevé son tee-shirt pour les photographes…

– Pourquoi vous n'avez rien dit sur le moment, Gregor ?

Jack eut un rire nerveux.

– Je trouvais que la coupe était déjà assez pleine ! Vous pensez vraiment que j'aurais arrangé mon cas en proclamant que ma sœur est une pute ?

– Dans ce cas, pourquoi m'en parlez-vous maintenant ?

– J'ai l'impression de couler, inspecteur, répondit-il d'un ton calme. Alors je largue tout le superflu.

– Autrement dit, vous avez compris depuis le début que quelqu'un a décidé d'avoir votre peau.

– Oui, répondit Jack en souriant.

– Et vous ne soupçonnez personne ? Vous avez des ennemis ?

Nouveau sourire.

– Je fais de la politique, inspecteur. Ce qui est surprenant, c'est qu'il me reste des amis !

– Ah, oui. La Meute. Se pourrait-il que l'un d'eux…

– Inspecteur, je me suis creusé la tête et je ne vois vraiment pas. Honnêtement, dit-il en fixant Rebus.

– Vous n'avez pas reconnu la voix de la personne qui appelait ?

– Elle était très étouffée. Bourrue. Sans doute un homme. Mais pour être franc, ça aurait pu être une femme.

– Bon. Et votre sœur ? Parlez-moi d'elle.

Le récit fut bref. Elle avait quitté la maison très jeune, sans plus jamais donner de nouvelles. De vagues rumeurs d'un mariage londonien étaient parvenues jusque dans le Nord au fil des ans, mais rien de plus. Jusqu'à ce coup de fil…

– Comment cette personne était-elle au courant ? Comment a-t-elle pu l'apprendre ?

– Voilà un vrai mystère, parce que je n'ai jamais parlé de Gail à personne.

– Mais vos copains de classe la connaissaient, non ?

– Oui, un peu. Mais ça m'étonnerait qu'ils se souviennent d'elle. Gail était deux classes en dessous de nous.

– Vous pensez qu'elle aurait pu revenir avec l'idée de se venger ?

Il tendit les mains.

– Se venger de quoi ?

– Par jalousie, alors ?

– Elle aurait pu se contenter de m'appeler elle-même, non ?

En effet. Rebus nota dans sa tête de parler à la jeune femme, si tant est qu'elle soit toujours dans les parages.

– Et depuis elle ne vous a pas fait signe ?

– Ni avant, ni après.

– J'aimerais vraiment savoir pourquoi vous vouliez la voir, Gregor ?

– Primo, ça m'intéressait sincèrement d'avoir des nouvelles...

Il se tut.

– Et deuzio ?

– Je ne sais pas... J'avais peut-être envie de la convaincre d'arrêter de faire ça.

– Pour son bien à elle ou pour le vôtre ?

Jack sourit.

– Vous avez raison, bien entendu. Ce n'est pas génial pour l'image d'avoir une sœur qui fait le tapin.

– Faire la pute n'est pas la pire forme de prostitution.

Jack hocha la tête, épaté.

– Très profond, inspecteur. Vous permettez que je reprenne la formule dans un discours ? Cela dit, je ne risque plus d'en prononcer beaucoup. On peut retourner la chose comme on veut, ma carrière politique est foutue.

– Il ne faut jamais s'avouer vaincu, monsieur. Souvenez-vous de Robert Bruce[1].

– Et l'araignée, c'est ça ? Je déteste les araignées. Liz aussi… Enfin, elle les détestait.

Rebus ne voulait surtout pas que la conversation s'interrompe. Avec la quantité de whisky qu'il s'était enfilée, Jack était à deux doigts de tomber raide.

– On pourrait parler de la dernière fête à Deer Lodge ?

– Vous voulez savoir quoi ?

– Pour commencer, qui était présent ?

Faire marcher sa mémoire parut le dégriser. Pour autant, il ne lui apprit pas grand-chose de plus que Barney Byars. Une soirée bien arrosée où les gens discutent dans leur coin. Une balade dans la montagne environnante le lendemain matin, déjeuner aux *Bruyères* et retour chez soi. Jack regrettait simplement d'y avoir convié Helen Greig.

– Je doute fort qu'elle nous ait vus sous un jour très favorable. Barney Byars nous a fait l'éléphant. Vous savez, quand on sort les poches de son pantalon et…

– Oui, je vois.

– Enfin, Helen s'est montrée de bonne composition, mais néanmoins…

– Ça a l'air d'être une fille bien.

---

1. Roi d'Écosse (1274-1329) qui dut se cacher trois mois dans une cave pour échapper aux Anglais et dont la légende voudrait qu'il ait persévéré dans son combat après avoir vu une araignée tisser sa toile sans se décourager.

– Le genre que ma mère aurait voulu que j'épouse.

La mienne aussi, songea Rebus. En même temps que le scotch déliait la langue du député, il lui faisait perdre son accent. Le vernis disparaissait rapidement, dévoilant les rugosités de Kirkcaldy, Leven et Methil.

– Cette soirée remonte à quinze jours, n'est-ce pas ?

– Trois semaines. On était rentrés depuis cinq jours quand Liz a décidé qu'elle avait besoin de vacances. Elle a fait sa valise et elle est partie. Je ne l'ai plus jamais revue…

Il flanqua un coup de poing dans le cuir mou du canapé, qui n'émit quasiment aucun son et se déforma à peine.

– Pourquoi on s'en prend à moi ? Je suis le meilleur député que cette circonscription ait jamais eu. Je ne vous demande pas de me croire sur ma bonne mine. Vous n'avez qu'à interroger les gens. Posez-leur la question. Faites le tour des villages miniers, des fermes et des usines, et même des quartiers bourgeois où ces dames s'invitent à prendre le thé. Partout j'entends la même chose : « C'est bien, Gregor. Faut continuer à faire du bon boulot. »

Il se releva. Ses pieds restaient fermement plantés, mais le reste du corps vacillait.

– Du bon boulot ! Bosser dur ! Je ne leur fais pas dire ! Ça, je peux vous assurer qu'on bosse dur ! (Le ton montait de plus en plus.) J'ai trimé comme un malade pour ces gens-là ! Et maintenant je me fais pisser dessus. Pourquoi moi ? Pourquoi moi ? Liz et moi… Liz…

Urquhart frappa deux coups avant de glisser la tête par la porte entrebâillée.

– Tout va bien ?

Jack afficha un sourire grotesque.

– Tout va très bien, Ian. Alors, on écoute aux portes ? Félicitations ! On ne voudrait surtout pas que tu en rates un mot, hein ?

Urquhart jeta un coup d'œil à Rebus, qui hocha la tête – ne vous en faites pas, tout va bien. Le jeune homme se retira et ferma la porte. Gregor Jack se laissa tomber dans le canapé.

– Je fais tout de travers, dit-il en se frottant le visage. Ian est un bon ami…

Eh oui, les amis.

– Je crois que ça ne s'est pas limité à des coups de fil anonymes, dit Rebus.

– Comment ça ?

– Quelqu'un m'a parlé de lettres.

– Ah… oui, les lettres. Rien que du courrier fantaisiste.

– Vous les avez conservées ?

Jack fit non de la tête.

– Elles étaient sans intérêt.

– Les avez-vous montrées à quelqu'un d'autre ?

– Ça n'avait rien de passionnant.

– Que disaient-elles précisément, monsieur Jack ?

– Gregor, le reprit-il. Je vous en prie, appelez-moi Gregor. Leur contenu ? Des conneries. Des trucs sans queue ni tête. Des élucubrations.

– Je ne pense pas.

– Quoi ?

– On m'a raconté que vous ne laissiez personne d'autre les ouvrir, qu'il s'agissait de lettres d'amour.

Jack s'esclaffa.

– Des lettres d'amour !

– Personnellement, j'ai ma petite idée sur la question. Ce qui m'étonne, c'est comment Ian Urquhart ou qui que ce soit savait quelles lettres ne pas décacheter ? À cause de l'écriture ? Non, ce serait trop compliqué. C'était forcément le cachet de la poste ou une information figurant sur l'enveloppe. Moi, je vais vous dire d'où venaient ces lettres, monsieur Jack. De Duthil. De votre vieil ami Andrew Macmillan. Et ce n'étaient pas des élucubrations, n'est-ce pas ? Tout sauf des conneries, des trucs sans queue ni tête. Il vous demandait de faire quelque chose pour réformer les hôpitaux spéciaux. C'est bien ça, hein ?

Jack fixait son verre en pinçant les lèvres comme un enfant qui se fait sermonner.

– C'est la vérité, hein ?

Jack hocha sèchement la tête. Rebus opina du chef. C'était pour le moins embarrassant d'avoir une sœur prostituée. Mais ce n'était rien comparé au fait d'avoir un copain meurtrier. Et cinglé, par-dessus le marché. Gregor Jack s'était donné du mal pour se forger une image publique, et encore plus pour la maintenir envers et contre tous. Se trimballer partout avec ce sourire creux et sincère, et la poignée de main appuyée juste ce qu'il faut. Bosser dur dans sa circonscription, voilà à quoi se résumait sa vie publique. Et sa vie privée ? Pour rien au monde Rebus n'aurait voulu être à sa place. C'était tout et n'importe quoi. Et Jack n'avait fait qu'aggraver les choses en voulant les dissimuler. Ce n'était pas quelques squelettes qu'il avait dans le placard mais une vraie fosse commune.

– Il voulait que je lance une campagne, marmonna

Jack. C'était impensable. Qu'est-ce qui vous a poussé à lancer cette campagne, monsieur Jack ? C'est pour aider un vieil ami. Qui ça, monsieur Jack ? Celui qui a égorgé sa femme. Si vous voulez bien m'excuser... et surtout, n'oubliez pas de voter pour moi la prochaine fois.

Et il partit dans un rire d'ivrogne, une plainte au bord des larmes et de l'hystérie. Finalement, il se mit à sangloter. Les larmes lui dégoulinaient des joues, tombaient dans le verre qu'il tenait toujours.

– Gregor, lui dit doucement Rebus.

Il répéta son prénom plusieurs fois, toujours d'une voix feutrée. Jack renifla pour retenir ses larmes et porta son regard brumeux sur lui.

– Gregor, est-ce vous qui avez tué votre femme ?

Jack s'essuya les yeux avec sa manche, renifla puis s'essuya encore une fois. Et il fit non de la tête.

– Non, dit-il. Non, je n'ai pas tué ma femme.

Bien sûr que non, puisque le coupable n'était autre que William Glass. C'était lui qui avait assassiné la femme retrouvée sous Dean Bridge, ainsi qu'Elizabeth Jack.

Rebus avait tout raté. Il était rentré en ville sans se douter de rien. Il avait gravi les marches du perron de Great London Road sans imaginer ce qui l'attendait. Et il avait pénétré dans un lieu en pleine ébullition, bruyant et survolté. Ça alors, que se passait-il ? Avait-on accordé un sursis au bâtiment ? Plus question de déménager à St Leonard ? Ce qui signifiait, s'il se souvenait bien de son pari, qu'il s'installerait avec Patience Aitken. Mais non, l'hystérie ambiante n'avait rien à voir avec l'avenir du poste et le fait d'échapper aux gravats. C'était William Glass. Un agent effectuant sa ronde était tombé sur lui à l'arrière d'un supermarché de Barnton, endormi parmi les poubelles. On l'avait interpellé et il était passé aux aveux. On lui apportait de la soupe, du thé et des cigarettes à volonté, et il acceptait de parler.

– Mais pour dire quoi ?

– Il dit qu'il les a butées. Toutes les deux !

– *Quoi ?*

Rebus fit un calcul rapide. Barnton… pas très loin de Queensferry, tout bien réfléchi. On avait supposé qu'il filerait vers le nord ou l'ouest, alors qu'en fait il se rapprochait discrètement de la ville… en supposant qu'il soit effectivement passé par Queensferry.

– Il s'accuse des deux meurtres.

– Qui est avec lui ?

– L'inspecteur en chef Lauderdale et l'inspecteur Dick.

Lauderdale ! Le bougre devait se lécher les babines. C'était l'occasion qu'il attendait, le dernier clou dans la cafetière du Paysan. Mais Rebus avait d'autres préoccupations. D'abord, il tenait à retrouver la sœur de Jack. Gail Jack – évidemment, elle devait avoir un pseudo. Il sortit le dossier de l'Opération Chalut. Gail Crawley… ça devait être elle. On l'avait relâchée, bien évidemment, et elle avait donné une adresse à Londres. Rebus trouva un policier qui l'avait interrogée.

– Oui, elle a dit qu'elle comptait retourner dans le Sud. On n'allait tout de même pas la garder, hein ? Bon débarras ! On lui a filé un bon coup de pied au cul en lui conseillant de ne jamais remettre les pieds par ici.

C'est tout de même incroyable, hein ? Pincer Glass comme ça !

– Ouais, incroyable, marmonna Rebus.

Il photocopia les quelques notes et la photo de Gail Crawley, en y ajoutant un commentaire succinct de sa main. Puis il appela une vieille connaissance, un ami londonien.

– Inspecteur Flight à l'appareil.

– Salut, George. Alors, c'est pour quand votre pot de départ en retraite ?

Son interlocuteur rigola.

– À vous de me le dire ! C'est vous qui m'avez convaincu de rempiler.

– On aura du mal à vous remplacer.

– Si je comprends bien, vous avez besoin d'un service ?

– C'est à titre officiel, George, mais plus vite vous…

– Comme d'hab. Bon. Je vous écoute.

– Donnez-moi votre numéro de fax et je vous envoie les détails. Si la dame habite à l'adresse indiquée, j'aimerais que vous lui parliez. Je vous mets deux numéros. Je suis toujours joignable à l'un ou l'autre.

– Deux numéros ? Vous m'en direz tant ! Comme ça, vous avez plongé ?

Et oui, j'ai bu la tasse…

– On peut dire ça, George.

– Elle est comment ?

Il parlait de Patience, pas de Gail.

– Une femme d'intérieur, George. Elle aime ses animaux, les soirées à la maison au coin du feu, les dîners aux chandelles.

– Ça m'a l'air génial… Je vous donne trois mois maximum.

– Allez vous faire foutre ! répliqua Rebus en souriant.

Flight piqua un nouveau fou rire.

– Quatre mois si vous voulez, mais c'est mon dernier mot.

Ce point réglé, Rebus fila vers les toilettes « Hommes », un lieu ô combien stratégique. Une partie du plafond s'était effondrée, remplacée par un morceau de carton sur lequel un plaisantin avait dessiné un œil énorme. Il se lava les mains et les sécha, bavarda avec un collègue et fuma une cigarette. Dans des toilettes publiques, on l'aurait coffré pour racolage. Ce qui, tout compte fait, n'était pas si loin de ses intentions. La porte s'ouvrit. Bingo ! C'était Lauderdale, un habitué des toilettes dès qu'il conduisait un interrogatoire.

– Pendant toutes ces allées et venues, avait-il expliqué à Rebus, le suspect sue à grosses gouttes, il se demande ce qui se passe, quel nouveau coup de théâtre vient de se produire.

– Tout baigne ? lui demanda Rebus.

Lauderdale sourit et s'aspergea le visage d'eau, se frictionna les tempes et l'arrière du cou. Il avait l'air content de lui. Détail plus inquiétant, il n'avait pas mauvaise odeur.

– On dirait que pour une fois le Paysan a vu juste, reconnut-il. Il a toujours soutenu qu'on devait se concentrer sur Glass.

– Il est passé aux aveux ?

– C'est tout comme. Mais il commence par mettre en place une stratégie de défense.

– Laquelle ?

– Les médias, répondit Lauderdale en se séchant. Ce sont les médias qui l'ont poussé au crime. Je veux dire, à commettre un nouveau meurtre. Il explique que c'était ce qu'on attendait de lui.

– J'ai comme l'impression qu'il lui manque une case.

– Je n'invente rien, si c'est ce que vous pensez. Tout est sur la bande.

Rebus secoua la tête.

– Mais non, mais non. S'il dit que c'est lui, alors soit. Puisqu'il le dit… Au fait, c'est moi qui ai tué Kennedy.

Lauderdale s'admirait dans la glace crasseuse. L'air toujours aussi triomphant, il dressait le cou sur lequel sa tête avait l'air d'une balle de golf sur son tee.

– Des aveux, John. Ça n'est pas rien, des aveux.

– Même quand le type couche à la dure depuis Dieu sait combien de nuits ? Shooté à l'encaustique avec la fine fleur de la police écossaise à ses trousses ? Je sais bien qu'avouer soulage l'âme, monsieur, mais les aveux n'ont parfois pas plus de valeur qu'une assiette de soupe et un mug de thé.

Lauderdale remit de l'ordre à sa tenue et se tourna vers lui.

– Vous n'êtes qu'un pessimiste, John.

– Songez à toutes les questions auxquelles Glass est incapable de répondre. Vous devriez lui en poser quelques-unes. Comment Mme Jack s'est-elle retrouvée à Queensferry ? Pourquoi s'est-il débarrassé du corps précisément à cet endroit ? Interrogez-le, monsieur. Je serais curieux de lire la transcription. J'ai comme l'impression que la conversation sera à sens unique.

Exit l'inspecteur Rebus, délaissant l'inspecteur en chef Lauderdale qui se passait la main sur ses vêtements, telle une statue s'assurant qu'elle n'avait aucune ébréchure. Et apparemment il repéra quelque chose, car il fronça soudain les sourcils et s'attarda plus longtemps que prévu dans les toilettes…

– J'ai besoin d'un peu plus que ça, John.

Ils étaient au lit. Rien que tous les trois – Rebus, Patience et Lucky, le chat.

– J't'ai donné tout c'que j'avais, baby ! répondit-il en imitant l'accent américain.

Patience sourit mais n'était pas d'humeur à lâcher le morceau. Elle fila un coup à son oreiller et s'assit, ramenant ses genoux devant elle.

– Sérieusement, j'ai besoin de savoir ce que tu comptes faire… où on va toi et moi. Je n'arrive pas à savoir si tu comptes t'installer ici.

– Comme tous les mecs, j'entre et je sors…

Une ultime tentative d'humour, pour noyer le poisson. Elle lui fila un coup de poing dans l'épaule. Très fort. Il inspira vivement.

– Aïe ! Je suis fragile, tu sais.

– Et moi donc !

Elle avait quasiment les larmes aux yeux, mais n'avait aucune intention de lui donner ce plaisir.

– Tu as quelqu'un d'autre ? lui demanda-t-elle.

Il parut surpris.

– Mais non. Qu'est-ce qui te fait croire ça ?

Le chat s'était installé sur les genoux de Patience et faisait ses griffes sur la couette. Elle lui caressa la tête.

– J'ai toujours l'impression que tu es sur le point de me faire un aveu… On dirait que tu rassembles ton courage à deux mains, et puis tu n'y arrives pas. Je préférerais vraiment savoir !

Savoir quoi ? Qu'il hésitait toujours à se mettre en ménage ? Qu'il conservait dans son cœur une toute petite flamme pour Gill Templer ? Comment lui expliquer ?

– Tu sais ce que c'est, Patience. La vie d'un policier n'est pas faite de bonheur, et patati et patata.

– Pourquoi as-tu besoin de t'impliquer autant ?

– Comment ça ?

– Dans toutes ces enquêtes sanglantes, pourquoi faut-il toujours que tu t'impliques à fond, John ? C'est un boulot comme un autre. Moi, j'arrive à oublier mes patients quelques heures d'affilée. Pourquoi pas toi ?

Pour une fois ce soir-là, il répondit sincèrement.

– Je n'en sais rien.

Le téléphone sonna. Patience prit le combiné par terre et le posa entre eux.

– Pour toi ou pour moi ? demanda-t-elle.

– Pour toi.

Elle décrocha.

– Allô ? Oui, c'est moi-même. Bonsoir, madame Laird… Vraiment ? Vous êtes sûre que ce n'est pas simplement la grippe ?

Rebus consulta sa montre. Neuf heures et demie. Patience était de garde ce soir-là.

– … hmm… hmm…

Elle écarta le combiné un instant et adressa un cri silencieux au plafond.

– … Bien, madame Laird. Non, ne faites rien. J'arrive dès que possible. Redonnez-moi votre adresse…

Après avoir raccroché, elle sortit du lit et enfila rageusement ses habits.

– Le mari de Mme Laird prétend être à l'article de la mort, expliqua-t-elle. Ça ne fait jamais que trois fois en trois mois ! Quel emmerdeur !

– Tu veux que je te conduise ?

– Non, c'est bon. Je peux y aller toute seule… (Elle s'approcha et lui fit une bise sur la joue.) Merci quand même.

Contraint de changer de place, Lucky se pelotonnait désormais sur la moitié de couette de Rebus. Il voulut le caresser mais l'animal recula.

– À tout à l'heure, lui dit Patience en l'embrassant de nouveau. On aura une petite discussion, hein ?

– Si tu veux.

– Je veux.

Sur ce, elle sortit de la chambre. Il l'entendit prendre ses affaires dans le salon, puis la porte d'entrée s'ouvrir et claquer. Se désintéressant de Rebus, le chat explorait la place encore chaude de Patience. Rebus hésita à se lever mais n'en fit rien. Le téléphone sonna de nouveau. Encore un patient ? Inutile de répondre. Comme la personne insistait, il finit par décrocher.

– Allô ?

– Prenez donc votre temps ! s'exclama George Flight. J'espère que je n'appelle pas au mauvais moment…

– Vous avez quelque chose, George ?

– Puisque vous me posez la question, j'ai la courante. Ça doit être le curry que je me suis tapé hier soir chez *Gunga*. J'ai également les renseignements que vous avez demandés, inspecteur.

– Vraiment, cher collègue ? On peut en connaître la teneur, si ce n'est pas trop vous demander ?

Flight pouffa.

– C'est tous les remerciements auxquels j'ai droit après une dure journée de labeur !

– Ce qui ne doit pas vous arriver trop souvent, à la Metropolitan Police !

Flight fit claquer sa langue.

– Je vais finir par me vexer, John. Mais bon, l'adresse n'a rien donné. Une copine de Mlle Crawley habite effectivement sur place, mais ça fait des semaines qu'elle ne l'a pas vue. Aux dernières nouvelles, Crawley se trouvait à Édimbourg.

Il prononçait « Édimboro ».

– C'est tout ?

– J'ai interrogé quelques voyous liés à Croft.

– C'est qui, Croft ?

Flight poussa un soupir.

– La mère maquerelle qui tenait le bordel.

– Mais oui, bien sûr.

– Elle a déjà eu maille à partir avec nous. C'est peut-être pour ça qu'elle a émigré chez vous. Donc, j'ai parlé à quelques-uns de ses… de ses ex-associés.

– Et alors ?

– Que dalle. Même pas une petite ristourne sur *Apprendre le français par la fessée*.

– Bon. Merci quand même, George.

– Désolé, John. Quand est-ce que vous descendez nous voir ?

– Et vous, ça vous dirait pas de monter chez nous ?

– Ne le prenez pas mal, John, mais les saucisses carrées et la bière pétillante, ce n'est pas trop mon truc !

– Dans ce cas, je vous laisse avec votre saumon fumé et votre scotch ! Bonsoir, George.

Il raccrocha et réfléchit un instant. Puis il sortit du lit et s'habilla. Ravi d'avoir plus de place, le chat s'étira de tout son long. Rebus chercha de quoi écrire et griffonna un mot à l'attention de Patience. « Je me sens seul sans toi. Je sors faire un tour en voiture. John. » Devait-il ajouter quelques bisous ? Oui, cela s'imposait. « xxx »

S'assurant qu'il avait bien ses clés de voiture, celle de l'appartement et de l'argent, il sortit et ferma derrière lui.

Qui n'était pas au courant ne s'apercevait de rien.

C'était une soirée plutôt agréable pour faire un tour en voiture, tout compte fait. La couverture nuageuse maintenait une température douce, sans pluie ni vent. Vraiment de bonnes conditions pour circuler. Inverleith, puis Granton, une descente paisible vers la côte. En passant devant l'ancien meublé de William Glass… Ensuite Granton Road… Newhaven. Les docks.

Qui n'était pas au courant ne s'apercevait de rien.

Un homme solitaire, qui faisait un tour en voiture, sans se presser. Elles surgissaient de porches mal éclairés ou bien traversaient sans cesse le même carrefour, comme un défilé de mode sous un éclairage au sodium. Sous le regard des conducteurs qui passaient au ralenti. Ne repérant rien qui l'intéressait, il alla jusqu'au bout de Salamander Street où il fit demi-tour. Il était bien décidé. Discret, seul, calme et décidé. Décidé à sillonner les rues nocturnes dans sa vieille guimbarde, à la recherche... Il était juste là pour se rincer l'œil, sauf à se laisser tenter...

Soudain, il s'arrêta. Elle s'approcha de la voiture, d'un pas élégant. Ce qui n'était pas le cas de ses fringues. Une tenue triste et bon marché – imper de couleur pâle, trop grand d'une ou deux tailles, chemisier rouge pétant et minijupe. Rebus jugea que c'était une erreur de montrer ses jambes nues quand celles-ci étaient d'une maigreur peu séduisante. Elle semblait avoir froid et avait un rhume, ce qui ne l'empêcha pas de lui sourire.

– Montez, lui dit-il.

– C'est quinze livres la branlette. Vingt-cinq la pipe. Sinon, c'est trente-cinq.

Naïf. Il aurait pu l'arrêter sur-le-champ. Avant de parler argent, il fallait surtout s'assurer que le client était réglo.

– Montez, répéta-t-il.

Elle avait beaucoup à apprendre. Elle monta dans sa voiture.

– Inspecteur John Rebus, dit-il en sortant sa carte. J'aimerais vous toucher un mot, Gail.

– Les flics vont jamais me lâcher, ou quoi ?

Elle gardait une trace d'accent cockney, mais ses origines du Fife perçaient à nouveau. D'ici quelques semaines elle en aurait repris tous les tics langagiers.

Elle n'était pas très rapide à réagir.

– Comment vous connaissez mon nom ? s'étonnat-elle enfin. Vous faisiez partie de l'opération ? Vous croyez que je vais vous sucer à l'œil, c'est ça ?

Pas du tout.

– Je veux vous parler de Gregor.

Elle devint toute pâle ; on ne voyait plus que le mascara de ses yeux et son rouge à lèvres.

– Qui ça ?

– Votre frère. On peut parler au poste ou chez vous. Je n'ai pas de préférence.

Elle fit mine de descendre, pour la forme. Il n'eut qu'à poser la main sur elle pour la retenir.

– Chez moi, dit-elle d'une voix monocorde. Mais on va pas y passer la nuit, hein ?

Une chambrette dans un immeuble comprenant exclusivement des meublés. Rebus se fit la réflexion que ce n'était pas là qu'elle ramenait ces clients. Ce n'était pas assez impersonnel, elle y dévoilait trop d'elle-même. Pour commencer, il y avait la photo d'un bébé posée sur la table de nuit. Et des coupures de presse punaisées aux murs, concernant toutes la chute de Gregor Jack. Rebus n'y prêta pas attention et prit la photo.

– Ne touchez pas à ça !

– C'est qui ? demanda-t-il en la reposant.

– Si vous tenez vraiment à le savoir, c'est moi.

Elle s'assit en tailleur sur le lit, les mains posées derrière elle. Il faisait frisquet mais Rebus n'aperçut aucun radiateur. Des vêtements pendaient des tiroirs entrouverts d'une commode, et le sol était jonché d'articles de maquillage.

– Alors, vous accouchez ?

270

N'ayant nulle part où s'asseoir, il resta debout.

– Vous savez que votre frère est venu dans ce bordel juste pour vous parler ?

– Ah ouais ?

– Et il aurait suffi que vous expliquiez ça pour…

– Pourquoi je ferais ça ? s'emporta-t-elle. Qu'est-ce que ça peut me foutre ? J'ai aucune raison de lui faire une fleur !

– Pourquoi ?

– *Pourquoi ?* Parce que c'est qu'un minable et un faux-jeton. Depuis toujours. Il s'en est bien sorti, hein ? Il a toujours été le chouchou des parents…

Elle se tut.

– C'est pour ça que vous avez fugué ?

– C'est pas vos oignons.

– Vous arrive-t-il de revoir d'anciens amis ?

– J'ai pas « d'anciens amis ».

– Vous êtes rentrée dans le Nord. Vous deviez vous douter que vous risquiez de croiser votre frère.

Elle ricana.

– On fréquente pas vraiment les mêmes cercles !

– Ah non ? Pourtant, on entend souvent les prostituées dire que les politiciens et les juges sont leurs meilleurs clients.

– Pour moi, c'est juste des clients.

– Ça fait longtemps que vous faites le tapin ?

Elle croisa les bras.

– Cassez-vous, O.K. ?

Elle était au bord des larmes. Pour la deuxième fois de la soirée, il avait presque fait pleurer une femme. Il aurait voulu rentrer chez lui prendre un bon bain. Chez lui ?

– Une dernière question, Gail.

– Mademoiselle Crawley, si ça vous dérange pas.

– Une dernière question, *mademoiselle* Crawley.

– Ouais ?

– Quelqu'un savait que vous bossiez dans ce bordel et a prévenu votre frère. Vous voyez qui ça pourrait être ?

Un moment de réflexion.

– Aucune idée.

Elle mentait, de toute évidence. Il eut un geste de la tête en direction des coupures de presse.

– Vous vous intéressez tout de même à lui. Vous savez, il est venu vous voir parce qu'il avait sincèrement...

– Me racontez pas de conneries !

Il haussa les épaules. En effet, c'étaient des « conneries ». Mais il avait besoin que cette jeune femme prenne parti pour Gregor Jack, sans quoi il n'avait aucune chance de découvrir qui avait tout manigancé.

– Comme vous voulez, Gail. Écoutez, si vous avez quelque chose à me dire, je suis au poste de Great London Road.

Il sortit une carte avec son nom et son téléphone.

– C'est pas demain la veille !

– Bon...

Il fit les deux pas et demi qui le séparaient de la porte.

– Plus ce p'tit con a d'emmerdes et mieux j'me porte !

Mais ses paroles avaient perdu de leur conviction. Pas tout à fait de l'indécision, mais c'était un début...

9

Coups bas

Le lundi matin arrivèrent les premiers résultats de Dufftown, où s'effectuaient les tests concernant la BMW d'Elizabeth Jack. On avait relevé des traces de sang sur la moquette côté conducteur, et le groupe sanguin correspondait à celui de la victime. Quelques signes semblaient indiquer qu'on s'était battu : des éraflures sur le tableau de bord et la partie intérieure des deux portières, et l'autoradio était endommagé, comme si on avait mis un coup de talon dedans.

Rebus parcourut les notes dans le bureau de l'inspecteur en chef Lauderdale, puis les lui rendit.

– Vous en pensez quoi ? lui demanda Lauderdale en réprimant un bâillement dc lundi matin.

– Vous savez très bien ce que j'en pense. Je pense que Mme Jack a été assassinée sur ce terre-plein, dans sa voiture ou juste à côté. Elle a peut-être voulu s'enfuir et pris un coup par-derrière. Ou peut-être que son agresseur l'a d'abord mise K.-O., avant de lui filer un coup sur l'arrière du crâne pour faire croire que c'était l'œuvre du meurtrier de Dean Bridge. Quoi qu'il en soit, je ne pense pas que ce soit William Glass.

Lauderdale haussa les épaules et se frotta le menton, pour vérifier son rasage.

– Il continue de clamer sa culpabilité. Je vous passe les transcriptions quand vous voulez. Il dit qu'il se planquait parce qu'il savait qu'on était à ses trousses. Il avait besoin d'argent pour se nourrir. Il a croisé Mme Jack et lui a flanqué un coup sur la tête.

– Avec quoi ?

– Une pierre.

– Et qu'a-t-il fait de ses affaires ?

– Il les a balancées dans la rivière.

– Allons, monsieur…

– Elle n'avait pas d'argent, alors il s'est mis en colère.

– Il a tout inventé.

– Moi, ça m'a l'air plausible…

– Mais non ! Sauf votre respect, j'ai surtout l'impression qu'on tient là une solution vite fait bien fait pour satisfaire Sir Hugh Ferrie. Et la vérité, vous en faites quoi ?

– Je vous arrête tout de suite ! s'emporta Lauderdale qui rougissait de colère. Écoutez, inspecteur, jusqu'ici vous ne m'avez rien fourni si ce n'est… Quoi, d'ailleurs ? Rien, en fait ? Rien de substantiel ni de concret. Pas de quoi miser sa chemise, sans parler d'obtenir une condamnation. Rien.

– Comment est-elle arrivée à Queensferry ? Qui l'y a conduite ? Dans quel état est-elle arrivée ?

– Bon sang, je sais que ce n'est pas du tout cuit. Je sais qu'il reste des zones d'ombre…

– Des zones d'ombre ? De quoi plonger le stade d'Hampden dans l'obscurité !

Lauderdale sourit.

– Il faut toujours que vous exagériez, John. Pourquoi ne pas accepter simplement que les choses ne sont pas telles que vous les envisagez ?

– Écoutez, monsieur… Inculpez Glass du meurtre de Dean Bridge si vous voulez, ça ne me dérange pas. Mais on n'écarte aucune option concernant Elizabeth Jack, d'accord ? En tout cas, le temps que le labo en ait terminé avec la voiture.

Lauderdale y réfléchit.

– Juste le temps qu'ils terminent les analyses, insista Rebus.

Pas question de lâcher le morceau : Lauderdale détestait les lundis matin et finirait par accepter n'importe quoi, pourvu qu'il soit débarrassé de Rebus.

– D'accord, John, grommela-t-il. Comme vous voulez. Mais n'allez pas vous fourvoyer. Je n'écarte aucune option, mais vous non plus. Entendu ?

– O.K.

Lauderdale se détendit un peu.

– Vous avez vu le superintendant, ce matin ?

Rebus fit non de la tête.

– Je ne suis même pas sûr qu'il soit arrivé, enchaîna Lauderdale. Sans doute un week-end bien arrosé, hein ?

– Ça ne nous regarde pas, monsieur.

Lauderdale le dévisagea.

– Bien entendu, cela ne nous regarde pas. Mais si les problèmes *personnels* du superintendant avaient une incidence sur…

Le téléphone sonna et il décrocha.

– Allô ?… (Il se redressa subitement.) Oui, monsieur… Vraiment ? dit-il en ouvrant son agenda. En effet, à dix heures… (Il consulta sa montre.) J'arrive tout de suite, monsieur. Je vous prie de m'excuser.

Il eut la bonne grâce de rougir en raccrochant.

– Le superintendant ? fit Rebus.

– J'avais rendez-vous avec lui il y a cinq minutes, dit Lauderdale en opinant du chef. Ça m'est complètement sorti de la tête. Vous avez de quoi vous occuper, John ? demanda-t-il en se levant.

– Ça va. Je crois que le sergent Holmes a quelques voitures à me soumettre.

– Ah oui ? Vous allez enfin vous débarrasser de votre épave ? Ce n'est pas trop tôt !

Ravi de son trait d'esprit, il alla jusqu'à rigoler.

Effectivement, Brian Holmes lui avait déniché pas mal de voitures. En fait, un agent s'était apparemment chargé du travail. Holmes apprenait déjà à déléguer. Une liste des véhicules appartenant aux amis des Jack. Modèle, immatriculation et coloris. Rebus la survola. Génial – Alice Blake (surnommée Sexton Blake au sein de la Meute) était la seule à posséder une voiture bleue, mais elle vivait et travaillait à Londres. Des blanches, des rouges, des noires, et même une verte. Effectivement Ronald Steele conduisait une Citroën BX verte. Rebus l'avait aperçue devant chez Gregor Jack, le soir où Brian Holmes avait fait les poubelles… Verte ? Oui, verte. Dans son souvenir, plutôt un bleu tirant sur le vert, ou vice versa. *N'allez pas vous fourvoyer*… Non, elle était bel et bien verte. Cela dit, le vert se confondait plus facilement avec le bleu que… mettons le rouge, le blanc ou le noir. Non ?

Ensuite, il fallait se pencher sur le mercredi en question. On avait interrogé tout le monde : Que faisiez-vous ce matin-là ? Et l'après-midi ? Certaines réponses étaient plus évasives que d'autres. D'ailleurs, l'alibi de Jack était un des plus solides. Steele, pour sa part, avait un trou de mémoire concernant la matinée. Vanessa, son assistante, ne travaillait pas ce matin-là et le libraire ne se souvenait pas s'il était passé au magasin. Et il n'avait rien noté dans son agenda qui puisse lui rafraîchir la mémoire. Jamie Kilpatrick avait passé la journée à cuver – aucune visite, aucun coup de fil. Tandis que Julian Kaymer était en « pleine création » dans son atelier. Rab Kinnoul était lui aussi resté assez vague ; il avait eu des réunions sans se souvenir précisément avec qui. Il pouvait retrouver les noms, mais cela prendrait du temps…

Justement, le temps faisait cruellement défaut à Rebus. Lui aussi comptait faire appel « aux amis ». Pour l'instant, il avait écarté deux suspects : Tom Pond en voyage à l'étranger, et Andrew Macmillan interné à Duthil. L'absence de Pond ne simplifiait pas les choses. On l'avait interrogé par téléphone, bien entendu, et il était au courant du drame, mais on attendait toujours de pouvoir relever ses empreintes.

Toutes les personnes susceptibles d'être passées à Deer Lodge avaient été contactées à cet effet, où le seraient prochainement. Il s'agissait simplement d'un processus d'élimination, leur expliquait-on pour les rassurer. Au cas où l'on retrouverait sur place des empreintes dont la présence ne pouvait se justifier. C'était un vrai travail de fourmi que de réunir ces infimes informations, une collecte minutieuse et interminable. Mais une enquête pour meurtre ne pouvait pas se mener autrement. Cela dit, c'était plus simple quand on avait un lieu du crime clairement identifié, un *locus* précis. Rebus était quasiment certain qu'Elizabeth Jack avait été assassinée, ou tout comme, sur l'aire de stationnement. Alec Corbie leur cachait-il quelque chose concernant la scène dont il avait été le témoin ? Détenait-il quelque information sans en être conscient ? Un détail qu'il jugeait sans importance. Se pouvait-il que Liz Jack ait confié quelque chose à Andrew Macmillan, sans que celui-ci se rende compte qu'il s'agissait d'un indice ? Dire que Macmillan n'était toujours pas au courant du décès. Comment réagirait-il si Rebus lui apprenait la nouvelle ? Cela lui rafraîchirait peut-être la mémoire. À moins de produire l'effet inverse. De toute manière, pouvait-on se fier à ce qu'il racontait ? Il était possible qu'il en veuille à Gregor Jack, comme Gail Crawley... et d'autres, pendant qu'on y était...

Qui était vraiment Gregor Jack ? Un saint déchu ou un salopard de première ? Il avait ignoré les lettres de Macmillan, cherché à convaincre sa sœur de ne pas le déshonorer, caché honteusement les frasques de sa femme. Ses amis étaient-ils de vrais amis ? Ou bien une véritable meute ? Une meute de loups. De chiens. De journalistes...

Rebus se souvint qu'il devait prendre contact avec Chris Kemp. Le moment était venu d'embrayer...

Justement, sa voiture manifesta un nouveau signe de faiblesse. Un grincement peu rassurant quand il enclenchait la première. Malgré tout, ce vieux tas de ferraille marchait plutôt bien (mis à part les essuie-glaces, de nouveau bloqués). Il n'avait pas calé une seule fois au cours de son périple dans le Nord. Ce que Rebus jugeait d'autant plus inquiétant. On aurait dit l'ultime sursaut d'un patient en phase terminale, la dernière étincelle de vie avant la mise sous assistance respiratoire.

La prochaine fois, il prendrait le bus. Après tout, l'appartement de Chris Kemp n'était jamais qu'à un quart d'heure de Great London Road. Il avait appelé la rédaction du journal où une femme visiblement débordée lui avait répondu que c'était le jour de congé de Kemp et communiqué son numéro personnel sans se faire prier. Reconnaissant un numéro local d'après les trois premiers chiffres, il lui avait également demandé l'adresse.

– Vous auriez pu consulter l'annuaire ! avait râlé la dame avant de raccrocher.

– De rien ! avait-il répondu dans le vide.

Il appuya sur le bouton de l'Interphone à l'entrée de l'immeuble, et attendit. De longues secondes. Tu aurais mieux fait d'appeler, John… Un grésillement…

– Ouais ?

Une voix endormie. Rebus jeta un coup d'œil à sa montre – deux heures moins le quart.

– J'espère que je ne vous réveille pas, Chris ?

– C'est qui ?

– John Rebus. Dépêchez-vous d'enfiler un futal que je vous offre une pinte et une part de *pie*.

– Il est quelle heure ? gémit Kemp.

– Presque deux heures.

– Merde !… Non merci pour l'alcool mais un café ne

serait pas de refus. Ça vous dérange d'aller prendre du lait à l'épicerie du coin ? Je mets la bouilloire.

– J'en ai pour deux secondes.

L'Interphone crachota et redevint silencieux. Rebus alla acheter du lait, revint et sonna de nouveau. Le système d'ouverture grésilla. Il poussa la porte et pénétra dans l'entrée mal éclairée. En arrivant au deuxième étage, à bout de souffle, il était plus que jamais convaincu du charme d'un rez-de-jardin comme chez Patience. La porte de l'appartement était entrouverte. On avait scotché un nom supplémentaire, juste en dessous de celui de Kemp : « V. Christie ». Sans doute la copine. Dans le vestibule, une jante de roue de bicyclette était posée contre le mur. Il y avait aussi des dizaines de bouquins – des piles branlantes tapissant les murs. Il passa sur la pointe des pieds.

– C'est le laitier !

– Par ici…

Le salon se trouvait au bout du couloir. Une pièce spacieuse, mais quasiment toute la place était occupée. Kemp portait le même tee-shirt depuis une semaine et un jean encore plus douteux. Il se passa la main dans les cheveux.

– Bonjour, inspecteur. Ça tombe bien que vous m'ayez réveillé, j'ai rendez-vous à trois heures.

– Message reçu. Je passais dans le quartier, alors…

Le journaliste lui décocha un regard incrédule et se retourna vers l'évier où il s'acharnait à décrasser deux mugs. La pièce tenait lieu à la fois de salon et de cuisine. La belle cuisinière en fonte qui occupait la cheminée ne servait plus qu'à entreposer des plantes et des boîtes décoratives. Les repas se préparaient sur une plaque électrique toute graisseuse, installée à côté de l'évier. Un ordinateur trônait sur la table, avec des boîtes d'archives et des dossiers, et, posé au sol juste à côté, un classeur en métal vert à quatre tiroirs. Celui du bas était ouvert, laissant entrevoir d'autres dossiers. Livres, journaux et magazines s'entassaient à même le sol, laissant tout juste la place pour un canapé, un fauteuil, une télé avec magnétoscope et une chaîne hi-fi.

– Très cosy, dit Rebus.

Le compliment était sincère, mais Kemp se retourna et leva les yeux au ciel.

– Je suis censé faire le ménage aujourd'hui.

– Bon courage !

Kemp versa une cuillerée de café en poudre dans chaque mug, puis du lait. La bouilloire s'éteignit automatiquement et il versa l'eau.

– Du sucre ?

– Non, merci.

Rebus s'était assis sur le bras du canapé, l'air de dire « Ne vous en faites pas, je ne vais pas m'attarder très longtemps ». Il prit son mug avec un hochement de tête. Kemp se laissa tomber sur le fauteuil et but une gorgée, grimaçant de douleur quand le breuvage lui brûla la langue et le palais.

– Bordel ! geignit-il.

– La nuit a été dure ?

– La semaine !

– C'est terrible, l'alcool, dit Rebus en s'approchant de la table.

– Peut-être bien, mais moi je parlais du *boulot*.

– Désolé.

Rebus poursuivit son petit tour, contempla la gazinière puis l'évier, et s'arrêta devant le frigo. Le lait traînait à côté de la bouilloire.

– Vaudrait mieux que je le mette au frais, dit-il en prenant la brique.

Il ouvrit le frigo.

– Tiens… dit-il en pointant la porte. Vous avez déjà du lait. Il n'a pas l'air périmé. J'aurais pu ne pas passer à l'épicerie.

Il rangea la nouvelle brique à côté de la première, referma la porte et retourna sur le bras du sofa.

– Vous êtes très affûté pour un lundi matin ! dit Kemp avec un sourire contraint.

– Et je peux aussi rentrer dans le lard. Qu'est-ce que vous avez à cacher à tonton Rebus, Chris ? À moins que vous ayez eu besoin d'un répit pour vérifier que rien ne traînait ? Un peu de poudre, ce genre de truc. À moins qu'il ne s'agisse d'autre chose, hein ? Une enquête sur laquelle vous bossez… tard le soir… des histoires susceptibles de m'intéresser. Alors ?

– Allons, inspecteur. N'oubliez pas que c'est *moi* qui vous rends un service.

– J'ai besoin qu'on me rafraîchisse la mémoire.

– Vous m'avez demandé de voir ce que je pouvais dénicher sur l'affaire du bordel, comment les journaux du dimanche ont été mis au parfum.

– Mais vous n'avez jamais repris contact, Chris.

– J'ai été pris par le temps.

– Et ça continue. N'oubliez pas que vous avez rendez-vous à trois heures. Dites-moi ce que vous avez appris et je file.

Rebus quitta l'accoudoir et s'installa convenablement sur le canapé. Les ressorts se faisaient sentir sous le tissu élimé.

– Eh bien, dit Kemp en se penchant en avant, on dirait qu'il y a eu une fuite généralisée. Tous les journaux s'imaginaient avoir l'exclusivité. Quand ils se sont tous retrouvés sur place, ils ont compris qu'ils s'étaient fait avoir.

– C'est-à-dire ?

– Si le scoop se confirmait, ils étaient obligés de publier quelque chose. Autrement, les rivaux risquaient de le faire et…

– Les rédacteurs en chef se seraient plaints d'avoir été doublés ?

– Exactement. De cette façon, la personne qui a monté le coup se garantissait une couverture maximum.

– Et de qui s'agit-il ?

Kemp secoua la tête.

– Personne n'en sait rien. Toutes les rédactions ont reçu un coup de fil anonyme le jeudi. La police fait une descente dans un bordel d'Édimbourg vendredi soir. À telle adresse… soyez-là vers minuit et vous repartirez avec un député dans l'escarcelle.

– La personne qui appelait a vraiment dit ça ?

– Apparemment, la phrase exacte aurait été « Ils vont trouver au moins un député à l'intérieur ».

– Mais sans préciser de nom ?

– Pas besoin. La famille royale, les politiciens, les acteurs et les chanteurs : les journaux n'ont qu'à flairer l'une de ces pistes et ils mordent à l'hameçon. Je m'emmêle dans les métaphores, mais vous pigez l'idée.

– Oui, je pige très bien, Chris. Alors, vous en pensez quoi ?

– On dirait bien que Jack est tombé dans un traquenard. Cela dit, notez que le mystérieux informateur n'a pas mentionné son nom.

– Peut-être bien, mais…

– Je suis d'accord.

Tout avachi qu'il était, Rebus avait la tête bien sur les épaules. En fait, il se sentait tiraillé. Devait-il rendre un fier service à Gregor Jack ? Arguments contre : il n'avait aucune raison d'aider le député, sans parler de son devoir de neutralité, comme Lauderdale s'était chargé de lui rappeler. Arguments pour : en lui rendant service, il avait toutes les chances de déloger le rat qui avait piégé Jack. Il prit sa décision.

– J'ai quelque chose à vous dire, Chris…

Le reporter flaira le tuyau.

– Je peux vous citer comme source ?

Rebus fit non de la tête.

– Non, ce n'est pas possible.

– Et l'info est fiable ?

– Je peux vous le garantir.

– Bon. Allez-y, je vous écoute.

Dernière chance de se débiner. Non, plus question de reculer.

– Je peux vous dire pourquoi Gregor Jack se trouvait dans cette maison close.

– Oui ?

– Mais d'abord, je veux savoir si vous me cachez quelque chose.

Kemp haussa les épaules.

– Non, je ne vois rien.

Rebus restait dubitatif. Cela dit, pourquoi Kemp se serait-il confié à lui ? En tant que policier, il était le premier à ne pas tout dire aux journalistes. Ils demeurèrent silencieux une trentaine de secondes, ni copains ni ennemis ; plutôt deux soldats de garde se faisant face dans leurs tranchées pendant la trêve de Noël, avec la sirène qui pouvait retentir à tout moment et les obus faire tout sauter. Rebus songea qu'il détenait une autre information susceptible d'intéresser Kemp : l'origine du surnom de Ronald Steele…

– Alors ? fit le reporter. Que fichait Jack là-bas ?

– Quelqu'un lui avait dit que sa sœur y bossait.

Kemp pinça les lèvres.

– En tant que prostituée, précisa Rebus. Il a reçu un coup de fil anonyme, et la personne lui a sorti ça. Alors il s'est rendu sur place.

– C'était crétin.

– Je suis d'accord.

– Et alors, c'était vrai ?

– Oui. Elle se fait appeler Gail Crawley.

– Vous pouvez épeler ?

– C-R-A-W-L-E-Y.

– Et vous êtes sûr de ce que vous avancez ?

– Sûr et certain. J'ai rencontré la donzelle. Elle bosse toujours à Édimbourg.

Kemp avait le regard brillant mais son ton restait égal.

– Vous vous rendez compte du scoop ?

Rebus haussa les épaules, sans rien dire.

– Vous tenez à ce que ça sorte ?

Un nouveau haussement d'épaules.

– Pourquoi ?

Rebus fixait son mug vide. Pourquoi ? Parce que si l'information devenait publique, celui qui avait appelé Jack aurait échoué, du moins à ses propres yeux. Ce qui le pousserait peut-être à tenter autre chose, avec Rebus qui se tiendrait en embuscade.

– O.K., fit Kemp en opinant du chef. Merci. Je vais y réfléchir.

Rebus hocha lui aussi la tête. Il regrettait déjà d'avoir mis le journaliste au courant. Ce jeune type aux dents longues cherchait à se faire une réputation. C'était impossible de savoir ce qu'il allait faire du tuyau. L'info pouvait être manipulée dans un sens comme dans l'autre, pour faire paraître Jack comme un bon Samaritain aussi bien qu'une ordure…

– En attendant, dit Kemp en s'extirpant de son fauteuil, je n'ai plus beaucoup de temps pour prendre mon bain si je veux être à l'heure à mon rendez-vous…

– D'accord, dit Rebus qui se leva à son tour et posa son mug dans l'évier. Merci pour le café.

– Merci pour le lait.

La salle de bains se trouvait entre le salon et la porte d'entrée. Rebus consulta ostensiblement sa montre.

– Occupez-vous de votre bain… Je connais le chemin.

– Dans ce cas, salut.

– À la prochaine, Chris.

Rebus se dirigea vers la porte d'entrée, en s'assurant que les lattes ne craquaient pas. Se retournant, il vit que Kemp avait disparu dans la salle de bains. L'eau se mit à couler. Délicatement, il mit le pêne demi-tour en position bloquée, puis ouvrit la porte et la claqua bruyamment. Sur le palier, il garda la poignée dans sa main pour éviter que la porte ne se rouvre toute seule. Il resta plaqué contre le mur, sans regarder par le judas. De toute manière, si Kemp venait à la porte, il verrait que le verrou n'était pas mis... Une minute s'écoula... Le journaliste ne se manifesta pas. Et personne ne passa dans l'escalier, ce qui était encore un coup de chance. Rebus se voyait mal expliquer ce qu'il faisait là, en train d'agripper une poignée... Au bout de quelques minutes, il se baissa et jeta un coup d'œil par l'ouverture destinée au courrier. La porte de la salle de bains était légèrement entrouverte. Le robinet coulait toujours, et il entendit Kemp fredonner et pousser des « aïe » et des « ouille » en pénétrant dans l'eau. Exactement la couverture sonore dont il avait besoin. Il ouvrit doucement la porte, pénétra dans l'appartement, et referma derrière lui. Il cala la porte avec un livre attrapé en haut d'une pile qui vacilla dangereusement mais ne tomba pas. Il poussa un ouf de soulagement et passa sur la pointe des pieds devant la salle de bains. La baignoire continuait de se remplir, Kemp chantonnait... C'était la partie facile. Ressortir serait une autre paire de manches, si son expédition ne débouchait sur rien.

Il traversa le salon et s'intéressa à la table. Les dossiers ne lui apprirent rien. Aucun signe de « l'enquête explosive » qui occupait Kemp. Les disquettes étaient simplement numérotées ; aucun indice de ce coté-là. Rien d'intéressant dans le tiroir ouvert du classeur. Il parcourut rapidement les papiers qui traînaient sur la table, sans repérer de notes glissées hâtivement sous quelques feuilles blanches. Ni entre les disques empilés à côté de la chaîne. Sous le canapé... Rien. Les placards… les tiroirs… que dalle. Il se dirigea vers la cuisinière en fonte. Un trophée hideux était caché derrière quelques plantes vertes. Le Prix du Jeune Reporter de l'année remporté par Kemp. Sur le devant étaient alignées quelques boîtes décoratives. Il ouvrit la première, qui contenait un pin's CND et des boucles d'oreilles de l'ANC[1]. Dans une autre se trouvaient un pin's « Libérez Nelson Mandela » et une bague sculptée, sans doute en ivoire. Les bijoux de la copine, selon toute vraisemblance. Et dans la troisième boîte… un petit sachet de shit. Rebus sourit. À peine de quoi mériter un passage au poste. Même pas dix grammes. Était-ce cela que Kemp tenait à tout prix à cacher ? Certes, une condamnation ferait mauvais effet pour un « reporter à scandales ». Difficile de dénoncer les vices des personnes publiques quand on s'était fait pincer pour possession de stupéfiant.

Tout ça pour ça !

Maintenant, il ne lui restait plus qu'à sortir incognito. L'eau ne coulait plus. Aucun bruit pour couvrir sa retraite… Il s'accroupit devant la cuisinière et réfléchit. Le mieux était sans doute d'y aller au culot. Passer sans se cacher, en prétextant d'avoir oublié ses clés ou un truc de ce genre… C'est ça, et Kemp n'y verrait que du feu, bien entendu ! Autant miser cinq livres sur Cowdenbeath pour un doublé coupe-championnat.

Tout en retournant la question dans sa tête, il s'était mis à observer le petit four de la gazinière, ou du moins

---

1. CND = Campaign for Nuclear Disarmament, mouvement pacifiste créé en 1958 par le philosophe Bertrand Russell ; ANC = parti politique sud-africain qui a mené la lutte contre l'apartheid.

sa porte close. Deux feuilles d'un chlorophytum posé au-dessus était coincées dedans. Il fallait à tout prix faire quelque chose pour cette pauvre plante ! Il ouvrit le four, libérant les feuilles.

Des livres se trouvaient à l'intérieur. De vieux ouvrages reliés. Il en prit un et lut le dos.

John Knox, *De la prédestination*.

Vous parlez d'une coïncidence !

La porte de la salle de bains vola vers l'intérieur.

— Non mais, qu'est-ce que vous fichez ?

Allongé dans l'eau, Chris Kemp se redressa brusquement. Rebus se dirigea vers les toilettes, rabaissa le couvercle et s'installa confortablement.

— Ne vous gênez pas pour moi, Chris. Faites comme si je n'étais pas là. Je vais vous emprunter quelques bouquins, dit-il en tapotant les sept livres posés sur ses genoux. J'aime bien bouquiner.

Kemp rougit.

— Où est votre mandat ?

— Mon mandat ? fit Rebus, l'air estomaqué. Qu'est-ce que vous voulez que j'aille faire d'un mandat ? Je veux juste vous emprunter des livres. J'ai bien envie de les montrer à un vieux copain, le professeur Costello. Vous connaissez le professeur, n'est-ce pas ? Je suis sûr que ça va le botter. Vous ne voyez aucun inconvénient à me les prêter, j'espère… Sinon, je veux bien aller chercher un mandat et…

— Allez vous faire foutre !

— Voyons, jeune homme, surveillez votre langage ! Je vous rappelle que vous êtes journaliste, il vous appartient de défendre la langue. La vulgarité rejaillit forcément sur votre profession.

– Je pensais que vous aviez besoin d'un service…

– Quoi donc ? Vous voulez parler de la sœur de Jack ? fit Rebus avec un haussement d'épaules. J'avais plutôt l'impression que les rôles étaient inversés. Je connais de jeunes journalistes qui seraient prêts à tuer père et mère pour…

– Qu'est-ce que vous voulez ?

– Comment sont-ils entrés en votre possession, Chris ? lui demanda Rebus en se penchant vers lui.

– Les bouquins ? fit Kemp en passant sa main dans ses cheveux mouillés. C'est à ma copine. Autant que je sache, elle les a empruntés à la bibliothèque de sa fac…

Rebus opina du chef.

– Ça se tient. Je doute que ça suffise pour vous blanchir, mais ça se tient. Pour commencer, ça n'explique pas que vous les ayez cachés parce que j'étais sur le point d'arriver.

– Cachés ? Je ne vois pas de quoi vous voulez parler.

Rebus rit doucement.

– Très bien, Chris. Très bien. Et moi qui étais disposé à vous rendre service ! Une deuxième fois, devrais-je ajouter.

– Quel service ?

– Remettre ces bouquins à leur propriétaire légitime, répondit-il en frappant la pile de nouveau, sans que personne ait besoin de savoir ce qui leur est arrivé entre-temps.

– Et en contrepartie ? demanda Kemp après un temps de réflexion.

– Vous allez m'avouer ce que vous me cachez. Je suis persuadé que vous savez quelque chose, du moins vous le pensez. Je veux simplement vous aider à accomplir votre devoir.

– Mon devoir ?

– Aider la police. C'est bel et bien votre devoir, Chris.

– Et c'est votre devoir de fouiner chez les gens sans leur permission ?

Rebus ne se donna pas la peine de répondre. Inutile. Il attendrait son heure. Maintenant qu'il avait les bouquins, il tenait le reporter à sa merci. À garder sous le coude, pour le jour où il en aurait besoin...

Kemp soupira.

– L'eau n'est plus très chaude. Ça vous dérange si je sors ?

– Faites comme chez vous. Je vais attendre à côté.

Kemp entra dans le salon. Il avait enfilé un peignoir bleu et se séchait les cheveux avec une serviette assortie.

– Parlez-moi de votre petite amie, lui intima Rebus.

Kemp remplit la bouilloire. Ayant mis à profit sa minute de solitude pour méditer, il était décidé à parler.

– Vanessa ? fit-il. Elle est étudiante.

– En théologie ? Elle a accès au bureau du professeur Costello ?

– Tout le monde est libre d'aller et venir chez Costello. Il a dû vous le dire.

– Mais ce n'est pas donné à tout le monde de reconnaître un ouvrage de bibliophilie…

– Vanessa travaille à mi-temps chez *Suey Books*.

– Ah, fit Rebus en opinant du chef.

La demoiselle qui inscrivait les prix au crayon. Les boucles d'oreilles, le vélo…

– Costello est un client, ajouta Kemp. Elle le connaît assez bien.

– En tout cas, assez bien pour le détrousser.

– Ne me demandez pas pourquoi elle a fait ça, soupira le journaliste. Pour les vendre ? Pour les garder ? Je n'en sais rien. Croyez-moi, je lui ai posé la question. Elle a peut-être eu… un coup de folie.

– Oui, c'est ça.

– De toute manière, elle pensait que Costello ne serait pas plus embêté que ça. Pour lui, un livre est un livre. Elle s'est peut-être dit qu'il se contenterait tout à fait des éditions de poche.

– Ce qui n'est pas son cas à elle, dois-je présumer ?

– Écoutez, vous n'avez qu'à les reprendre, d'accord ? Vous pouvez même les garder pour vous. Faites-en ce que vous voulez.

La bouilloire s'éteignit. Rebus déclina l'offre d'un deuxième café.

– Alors, dit-il tandis que le journaliste se remplissait un mug, qu'avez-vous à me confier, Chris ?

– C'est juste quelque chose que Vanessa m'a raconté au sujet de son employeur.

– Ronald Steele ?

– Oui.

– Je vous écoute.

– La femme de Rab Kinnoul est sa maîtresse.

– Vraiment ?

– Oui. Vous voyez que ça ne vous concerne pas, inspecteur. Ça n'a rien à voir avec le maintien de l'ordre.

– Mais ça fait tout de même un joli scoop, hein ?

Rebus avait du mal à parler. Une fois de plus, ça bouillonnait dans sa tête. De nouvelles possibilités, de nouvelles configurations.

– Comment en est-elle arrivée à cette conclusion ? demanda-t-il.

– Tout a commencé il y a un certain temps. Notre spécialiste cinéma devait interviewer M. Kinnoul, mais il s'est emmêlé les pédales. Il s'est présenté un mercredi après-midi chez les Kinnoul, alors qu'on l'attendait le jeudi. L'acteur n'était pas là, mais il y avait sa femme, et un ami qu'elle lui a présenté. Ronald Steele.

– Une visite entre amis ? Je ne vois pas...

– Mais Vanessa m'a raconté autre chose. Il y a quinze jours, elle a eu une urgence à la boutique. Enfin, rien de grave. Une vieille dame voulait vendre la bibliothèque de son défunt mari. Elle avait apporté une liste au magasin. Vanessa a tout de suite repéré quelques belles pièces, mais elle ne pouvait rien décider sans en parler au patron. Il ne lui fait pas confiance pour les achats. Les mercredis après-midi sont sacrés pour Ronald Steele qui...

– Fait sa partie de golf hebdomadaire...

– Avec Gregor Jack. Tout à fait. Mais Vanessa était sûre de se faire incendier si elle laissait filer la vieille. Elle a donc appelé le golf de Braidwater.

– Oui, je vois où c'est.

– Et on lui a dit que MM. Steele et Jack s'étaient décommandés.

– Et alors ?

– J'ai fait le rapprochement. Steele est censé jouer au golf tous les mercredis après-midi, et pourtant un de mes collègues tombe sur lui chez les Kinnoul, et il ne se trouve pas au golf un autre mercredi. Rab Kinnoul a la réputation de se mettre facilement en colère, inspecteur. On dit qu'il est vraiment très possessif. Vous croyez qu'il accepterait que Steele passe voir sa femme en son absence ?

Rebus avait le cœur qui battait à cent à l'heure.

– En effet, Chris. On peut se poser la question.

– Mais, comme je vous le disais, ça ne concerne en rien la police, hein ?

À peine ! La police était pleinement concernée. Deux alibis qui volaient dans le bunker[1] d'un seul coup. La fin du parcours était peut-être plus proche qu'il ne se l'imaginait. La partie se jouait-elle en neuf trous et non en dix-huit ?

Il se leva du canapé.

– Je dois filer, Chris.

Cela s'était mis à tourner dans sa tête, comme les rayons d'une bicyclette. Liz Jack, Gregor Jack, Rab Kinnoul, Cath Kinnoul, Ronald Steele, Ian Urquhart, Helen Greig, Andrew Macmillan, Barney Byars, Louise Patterson-Scott, Julian Kaymer, Jamie Kilpatrick, William Glass... Comme des rayons de bicyclette.

---

1. La fosse sableuse sur un parcours de golf.

– Inspecteur ?

Il s'arrêta devant la porte.

– N'oubliez pas vos livres, lui dit Kemp.

Rebus les fixa comme s'il les voyait pour la première fois.

– Oui, dit-il en revenant vers le canapé. Au fait, je sais pourquoi Steele est surnommé Suey. Rappelez-moi de vous raconter ça quand cette histoire sera terminée, dit-il avec un clin d'œil.

Il rentra au poste, pressé de faire part de ses découvertes à ses supérieurs. Mais Brian Holmes l'intercepta devant le bureau du superintendant.

– À votre place, je n'entrerais pas.

Sur le point d'abattre son poing sur la porte, Rebus se figea.

– Pourquoi donc ? demanda-t-il en chuchotant comme Holmes.

– Le père de Mme Jack est là.

Sir Hugh Ferrie ! Rebus baissa doucement la main et recula sur la pointe des pieds. Il n'avait aucune envie d'être embarqué dans une discussion avec Ferrie. Pourquoi n'avez-vous toujours pas retrouvé... Que comptez-vous.... Allez-vous... Non, la vie était trop courte, et les heures de boulot trop longues.

– Merci, Brian. Je te revaudrai ça. Qui assiste à la réunion ?

– Juste le Paysan et le Péteux.

– On ne va pas les déranger, hein ?

Ils s'arrêtèrent à une distance raisonnable de la porte.

– J'ai vu que tu nous avais dressé une liste assez exhaustive des véhicules. C'est du bon boulot, Brian.

– Merci. Lauderdale ne m'a pas vraiment expliqué à quoi ça...

– Et à part ça ?

– Comment ? Non, c'est le calme plat. Au fait, Nell pense qu'elle est peut-être enceinte.

– Quoi ?

Holmes eut un sourire étonné.

– On n'est pas encore sûrs...

– Et c'est quelque chose que vous... enfin, c'est une surprise ou non ?

– Toujours s'attendre à l'inattendu, répondit le sergent sans se départir de son sourire.

Rebus sifflota.

– Et ça lui fait quoi de devenir maman ?

– Elle n'exprime pas trop ses sentiments tant qu'on n'est pas fixés dans un sens ou dans l'autre.

– Et toi ?

– Moi ? Si c'est un garçon, il s'appellera Stuart, fera médecine et jouera en équipe d'Écosse.

– Et si c'est une fille ? demanda Rebus en se marrant.

– Katherine. Une actrice.

– Bon. Je croise les doigts.

– Merci. Ah oui, autre chose. Pond est de retour.

– Tom Pond ?

– C'est ça. Il est rentré d'Amérique. On l'a joint ce matin. Je comptais passer le voir, sauf si vous...

Rebus fit non de la tête.

– Je te le laisse, Brian. Ce n'est pas le témoin du siècle ! C'est quasiment un des seuls sur qui ne pèse aucun soupçon. Avec Andrew Macmillan et William Glass.

– Vous avez lu les transcriptions d'interrogatoire ?

– Non.

– Je sais que vous ne vous entendez pas très bien avec l'inspecteur en chef Lauderdale, mais je dois reconnaître qu'il est fort.

– Un vrai Fort Lauderdale, c'est ça ?

– Oui, soupira Holmes. Chaque fois que j'ai un calembour sur le bout de la langue, il faut que vous soyez plus rapide !

Édimbourg était cernée de terrains de golf pour tous les goûts et tous les niveaux. On trouvait des *links* à l'ancienne, où le vent était susceptible de vous renvoyer votre balle aussi bien que de l'emporter. Mais aussi des parcours vallonnés, tout en pentes et en rigoles, où les greens et les drapeaux étaient situés sur des plateaux de la taille d'un mouchoir de poche. Le Golf de Braidwater appartenait à la deuxième catégorie. Les joueurs y jouaient la plupart de leurs coups en s'en remettant à l'expérience ou à la chance, étant donné que les drapeaux étaient le plus souvent cachés derrière une butte ou une colline. Un architecte sadique aurait dissimulé des bunkers derrière ces obstacles, ce qui était d'ailleurs le cas.

Les novices entamaient souvent leur round pleins d'espoirs, ravis de faire un peu d'exercice au grand air, mais terminaient avec une tension anormalement élevée et le besoin pressant de s'enfiler quelques godets. Le clubhouse comportait deux parties nettement distinctes. Le bâtiment d'origine était toujours là, une solide et vieille bâtisse grise, mais on y avait ajouté une aile démesurément grande, en moellons crépis. La partie ancienne était réservée aux salles de réunion et autres bureaux. Le bar était situé dans les nouveaux locaux, au premier étage. Le secrétaire du club y conduisit Rebus, en espérant y trouver un membre du bureau qu'il cherchait.

Une grande baie vitrée occupait un pan de mur entier, avec vue sur le green du dix-huit et le reste du parcours au loin. Sur un autre mur étaient accrochés des photos encadrées, des tableaux d'honneur, des fac-similés de parchemins, et deux très vieux putters disposés comme les os sur un pavillon de pirates. Les trophées du club – du moins les plus petits – étaient alignés sur une étagère au-dessus du comptoir. Quant aux coupes plus anciennes et précieuses, on les conservait dans une salle de réunion du vieux bâtiment. Rebus le savait déjà, pour avoir participé à l'enquête sur le vol de plusieurs de ces trophées quelques années auparavant. On avait remis la main dessus, mais par hasard ; des officiers appelés pour une scène de ménage les avaient trouvés dans une valise ouverte.

Le secrétaire du club se souvenait de Rebus.

– Le nom m'échappe mais votre visage m'est familier.

Il lui avait montré le système d'alarme dernier cri et la vitrine en verre renforcé où étaient exposées les coupes. Rebus n'avait pas eu le cœur de lui dire qu'un cambrioleur amateur aurait pu s'emparer du butin en deux minutes montre en main.

– Qu'est-ce qu'on vous sert à boire, inspecteur ?

– Une larme de whisky, si ça ne vous dérange pas.

– Pas de problème.

Ce n'était pas franchement la grande affluence. Le creux de fin d'après-midi, avait expliqué le secrétaire. Ceux qui aimaient jouer l'après-midi commençaient en général avant quinze heures, alors que ceux qui passaient se faire quelques trous à la sortie du travail n'arrivaient pas avant dix-sept heures trente.

Deux hommes qui portaient exactement le même pull jaune à col en V, installés à une table près de la baie vitrée, fixaient silencieusement l'extérieur en sirotant leur *bloody mary*. Deux autres joueurs étaient assis au comptoir, l'un avec une demi-pinte de bière et l'autre avec ce qui ressemblait étrangement à un verre de lait. Tout le monde avait la quarantaine passée. Des gens de ma génération, songea Rebus.

– Bill pourrait vous en raconter quelques-unes, dit le secrétaire en indiquant du menton l'individu qui se tenait derrière le comptoir.

Celui-ci hocha la tête, en guise de salut autant que d'acquiescement. Lui portait un pull à col en V rouge cerise, qui ne cachait rien de sa bedaine. Il n'avait pas la tête d'un barman professionnel, mais s'acquittait de sa tâche avec une fierté tranquille et manifeste. Sans doute un membre du club dont c'était le tour de corvée.

Personne n'avait bronché quand le secrétaire l'avait présenté en sa qualité d' « inspecteur ». Ces messieurs étaient tous respectueux de la Loi. Jusqu'à un certain point. De farouches partisans du maintien de l'ordre, de sanctions sévères pour les criminels. En revanche, truander le fisc n'avait rien de répréhensible. Tous avaient l'air… de bourgeois sereins. Sereins et confiants. Mais Rebus détenait la clé du placard aux squelettes.

– Un peu d'eau, inspecteur ?

Le secrétaire poussa une carafe dans sa direction.

– Merci.

Il allongea son whisky.

– Hector n'est pas là, dit le secrétaire en parcourant la salle du regard, comme s'il y avait foule. Ça m'étonne.

– Il revient dans une seconde, l'informa Bill le barman.

– Il est allé vider la poire, comme on dit, ajouta le buveur de lait. Tenez, le voilà qui revient…

Moi, je ne dis jamais ça… songea Rebus. Il s'était imaginé un Hector baraqué aux cheveux frisés, arborant un pull à col en V orange sur une belle brioche. Alors qu'il vit s'approcher un type chétif aux cheveux noirs gominés et clairsemés. Âgé lui aussi de plus de quarante ans, il vous contemplait derrière de grosses lunettes aux verres épais. Par contraste avec le reste de sa physionomie, ses lèvres pincées semblaient défier le monde. Il dévisagea Rebus de façon appuyée tandis que le secrétaire faisait les présentations.

– Enchanté, dit-il en glissant une petite main moite dans celle de Rebus.

C'était comme de serrer la main à un enfant bien élevé. Son pull à col en V était caramel, et de très belle qualité. En cachemire… ?

– L'inspecteur Rebus, expliqua le secrétaire, s'intéresse à une partie qui se serait éventuellement déroulée mercredi il y a quinze jours.

– Oui.

– Je lui ai dit que c'était toi le cerveau du club, Hector.

– Oui.

Le secrétaire piétinait quelque peu.

– On se disait que tu pourrais…

Hector avait terminé de ruminer et n'avait pas besoin de renseignements supplémentaires.

– La première chose, dit-il, c'est de vérifier le planning des réservations. Cela ne nous donnera qu'une partie de la réponse, mais c'est là qu'il faut commencer. Qui jouait ?

La question s'adressait à Rebus.

– Deux joueurs, monsieur. Un certain Ronald Steele et un certain Gregor Jack.

Hector jeta un coup d'œil derrière Rebus, vers les deux membres installés au comptoir. Il y avait trop peu de bruit pour que le silence se fasse soudain, mais on sentit un changement d'atmosphère. Le buveur de lait s'exprima.

– Ces deux-là !

Rebus se tourna vers lui.

– Oui, monsieur. Ces deux-là. Qu'est-ce qui vous fait réagir ?

Mais c'était le rôle d'Hector que de répondre à ses questions.

– MM. Jack et Steele ont un créneau réservé en permanence. M. Jack était député, vous savez.

– Pour autant que je sache, il l'est toujours, monsieur.

– Plus pour très longtemps, marmonna le voisin du buveur de lait.

– À ma connaissance, M. Jack n'a commis aucun crime.

– Tout à fait, renchérit Hector.

– C'est tout de même un sacré emmerdeur, fit remarquer le buveur de lait.

– Comment cela, monsieur ?

– Il réserve et il ne vient jamais. Lui et sa petite bande.

Rebus comprit que l'abcès mûrissait de longue date et que les propos de l'homme s'adressaient plus à Hector et au secrétaire qu'à lui-même.

– Et personne ne lui dit jamais rien, parce que monsieur est député !

– M. Jack a reçu un avertissement, dit Hector.

– Une réprimande, corrigea le secrétaire.

– Vous lui léchez le cul et vous le savez très bien ! bougonna le buveur de lait en grimaçant.

– Voyons, Colin, le sermonna Bill le barman, inutile de…

– Quelqu'un ose enfin dire les choses et c'est pas trop tôt !

– Bravo ! Bravo ! lança le buveur de bière. Colin a raison !

Rebus n'avait que faire de leur dispute.

– Si je comprends bien, M. Jack et M. Steele ont un créneau réservé en permanence mais ils ne viennent pas ?

– Vous comprenez très bien ! lui dit Colin.

– Il ne faudrait pas exagérer ni déformer la vérité, dit doucement Hector. Nous devons nous en tenir aux faits.

– Justement, monsieur, lui dit Rebus, un de mes collègues… l'agent Broome… est passé ici la semaine dernière pour vérifier si cette partie avait bien eu lieu. Je crois qu'il a eu affaire à vous, étant donné que le secrétaire était souffrant ce jour-là.

— Souviens-toi, Hector, intervint le secrétaire d'une voix fébrile, j'avais la migraine.

Hector eut un hochement de tête.

— Je m'en souviens.

— Vous n'avez pas été tout à fait honnête avec l'agent Broome, n'est-ce pas, monsieur ? dit Rebus.

Colin se léchait les babines, ravi de cette confrontation.

— Au contraire, inspecteur, dit Hector. J'ai répondu aux questions de l'agent avec une honnêteté scrupuleuse. Mais il n'a pas posé les bonnes questions. Vraiment quelqu'un de très brouillon. Il s'est contenté d'un coup d'œil au registre. Si je me souviens bien, il était pressé. Il avait rendez-vous avec sa femme.

Bon, songea Rebus. Broome va se faire remonter les bretelles. Néanmoins…

— Néanmoins, monsieur, vous aviez le devoir de…

— J'ai répondu à toutes ses questions, inspecteur. Je n'ai pas menti.

— Eh bien, disons que vous avez été avare de vérité.

Colin pouffa. Hector lui jeta un regard glacial mais s'adressa à Rebus.

— Votre agent n'a pas été assez méticuleux, inspecteur. C'est tout. Et moi, vous croyez que je me défausse sur mes patients si mon traitement laisse à désirer. Alors ne me demandez pas de faire votre boulot à votre place !

— Il ne s'agit pas d'une enquête anodine, monsieur.

– Alors pourquoi se perdre en discussions ? Posez vos questions.

– Avant que vous commenciez, intervint le barman en regardant tout le monde à tour de rôle, j'ai moi aussi une question. Qu'est-ce que je vous sers ?

Bill le barman servit les consommations. C'était sa tournée. Il fit l'addition et nota le montant sur un calepin à côté de la caisse. Les deux *bloody mary* vinrent se joindre à eux. Le buveur de bière fut présenté à Rebus. Il s'appelait David Cassidy[1] – « Pas de plaisanteries, je vous en prie. Comment voulez-vous que mes parents aient pu s'en douter ? » Quant à Colin, c'était effectivement du lait qu'il buvait – « Mon ulcère. Mon médecin m'interdit tout le reste. »

Hector eut droit à un joli petit verre rempli à ras bord de sherry sec. Il porta un toast « à la santé de tout le monde ».

– Mais pas à la Santé publique ! plaisanta Colin.

Il expliqua à Rebus qu'Hector était dentiste.

– Dans le privé, ajouta Cassidy.

– Et ce club est censé l'être lui aussi, enchaîna Hector. Un club privé. La vie privée des membres ne nous regarde en rien.

– Raison pour laquelle vous servez d'alibi à MM. Jack et Steele ? avança Rebus.

Hector se contenta d'un soupir.

– Alibi ? Vous y allez un peu fort, inspecteur. Les

---

1. Acteur et chanteur américain, rendu célèbre par une série des années 1970.

membres du club ont le droit de réserver, mais aussi d'annuler au dernier moment.

– Et c'est ce qui se passe ?

– Oui, parfois.

– Pas systématiquement ?

– Ils jouent de temps en temps.

– Vous pourriez être plus précis ?

– Il faudrait que je vérifie.

– Environ une fois par mois, dit Bill le barman qui tenait son torchon comme un talisman.

– Ils annulent donc trois semaines sur quatre ? fit Rebus. Comment vous préviennent-ils ?

– Par téléphone, répondit Hector. D'habitude c'est M. Jack qui appelle. Il se confond en excuses. Ses obligations dans sa circonscription, ou bien M. Steele est malade… et toute une série de raisons.

– De prétextes, tu peux dire ! lança Cassidy.

– Mais il arrive tout de même que M. Jack vienne seul, dit Bill.

Colin dut l'admettre.

– Un mercredi où Steele ne s'était pas pointé, j'ai fait une partie avec lui.

– M. Jack passe donc plus souvent que M. Steele ? demanda Rebus.

Quelques hochements de tête. Parfois Jack annulait, mais venait quand même. Il passait un peu de temps au bar. Par contre, l'inverse ne se produisait jamais : pas de Steele sans Jack. Et *quid* du mercredi en question, celui qui intéressait Rebus ?

– Ça flottait quelque chose de bien, expliqua Colin. Quasiment personne n'est sorti, alors vous imaginez bien qu'on n'a pas vu ces deux-là.

–Ils ont annulé ?

–Et comment !

Non, Jack n'était pas passé tout seul. On ne l'avait pas vu ces derniers temps.

L'heure creuse était terminée. Des joueurs arrivaient pour boire un coup, avant d'attaquer le parcours ou de rentrer chez eux. Ils venaient à la rencontre du petit groupe, serraient des mains et échangeaient quelques plaisanteries. Peu à peu, tout le monde se dispersa et il ne resta plus que Rebus et Hector.

–Une dernière chose, inspecteur, dit le dentiste en lui posant la main sur le bras.

–Oui ?

–J'espère que vous n'y verrez pas un manque de tact de ma part…

–Oui ?

– Vous devriez vraiment vous faire soigner les dents.

–On me l'a déjà dit, monsieur. Oui, on me l'a déjà dit. Soit dit en passant, j'espère que vous n'y verrez pas un manque de tact de ma part…

–Oui, inspecteur ?

Rebus se rapprocha de lui et lui glissa à l'oreille, les dents serrées :

–Je vais faire tout mon possible pour que vous soyez inculpé pour recel de preuve.

Il posa son verre vide sur le comptoir.

– À la prochaine ! lui lança Bill le barman.

Il prit le verre, le rinça et le posa sur l'égouttoir. Quand il releva la tête, il vit Hector qui n'avait pas bougé depuis le départ du policier, serrant toujours son verre de sherry dans sa main crispée.

– Vous m'avez expliqué vendredi que vous vous débarrassiez du superflu, dit Rebus.

– Oui.

– Dans ce cas, j'en déduis que l'alibi de la partie de golf vous est encore utile ?

– Quoi ?

– La partie hebdomadaire avec votre copain Ronald Steele.

– Quel est le problème ?

– C'est moi qui fais la déposition et vous qui posez les questions, vous ne trouvez pas ça curieux ? Ça devrait être l'inverse, non ?

– Ah oui ?

Gregor Jack avait l'air d'une victime de guerre, qui continue de voir et d'entendre la bataille alors qu'on l'a évacuée loin du front. La presse montait toujours le siège devant son portail. Ian Urquhart et Helen Greig étaient présents dans la maison. On entendait le crépitement d'une imprimante au loin, dans le bureau à l'arrière. Tous deux y étaient enfermés. Les journées s'enchaînaient, ainsi que les communiqués de presse...

– J'ai besoin d'un avocat ? demanda Jack, le regard sombre et à court de sommeil.

– C'est à vous de voir, monsieur. Moi, je veux simplement savoir pourquoi vous nous avez menti à propos de cette partie de golf.

Jack déglutit. Une bouteille de whisky vide traînait sur la table basse, ainsi que trois mugs sales.

– L'amitié, inspecteur, est... C'est...

– Une excuse ? Vous n'en êtes plus au stade des excuses, monsieur. Maintenant, j'exige la vérité. La vérité, répéta-t-il en pensant à Hector.

Jack marmonna quelque chose au sujet de la vérité. Rebus s'extirpa péniblement du fauteuil guimauve pas franchement confortable et se posta devant le député. Député ? Plus rien à voir avec l'homme politique, le véritable Gregor Jack. Où étaient passés la confiance et le charisme ? Le visage qui rassurait les électeurs et la voix claire et honnête ? On aurait dit une sauce comme on les prépare dans les émissions de cuisine à la télé – ça réduisait de plus en plus.

Rebus tendit la main et lui empoigna l'épaule. Il alla même jusqu'à le secouer. Jack le regarda d'un air stupéfait. La voix de Rebus jaillit, cinglante et glaciale comme une averse.

– Où étiez-vous ce mercredi ?

– J'étais… je… euh… j'étais nulle part. Nulle part de précis. Un peu partout.

– Sauf là où vous étiez censé vous trouver.

– J'ai fait un tour en voiture.

– Où ça ?

– Sur la côte. Je crois que j'ai été jusqu'à Eyemouth. Quelque part dans un de ces villages de pêcheurs. Il pleuvait. Je me suis baladé au bord de la mer. J'ai beaucoup marché. Et puis je suis rentré. Je suis passé nulle part et partout… (Il se mit à chanter.) *You're everywhere and nowhere, baby*[1].

Rebus le secoua de nouveau et il se tut.

---

1. Paroles d'une chanson de Jeff Beck.

– Quelqu'un vous a-t-il vu ? Avez-vous parlé à des gens ?

– Je suis entré dans un pub... dans deux pubs. Une fois à Eyemouth, et une autre fois ailleurs.

– Pourquoi ? Où était... Suey ? Que faisait-il ?

– Suey, dit Jack en souriant. Ce brave Suey. Les amis, inspecteur. Où était-il ? Comme toujours... avec une femme. Je lui sers de couverture. Si quelqu'un me pose la question, on jouait au golf. Ce qui nous arrive parfois. Mais le reste du temps, je le couvre. Ce qui ne me dérange pas. C'est plutôt agréable d'avoir un moment pour soi. Je pars tout seul... je marche, je réfléchis.

– C'est qui cette femme ?

– Comment ? Je ne sais pas, je ne suis même pas sûr que ce soit toujours la même...

– Aucun nom ne vous vient à l'esprit ?

– Qui ça ? dit Jack en cillant. Vous pensez à Liz ? Ma Liz ? Non, inspecteur... (Il sourit brièvement.) Non.

– Bon. Et Mme Kinnoul ?

– Gowk ? dit-il en rigolant. Gowk et Suey ? Peut-être quand ils avaient quinze ans, inspecteur, mais pas aujourd'hui. Vous avez vu Rab Kinnoul ? Une armoire à glace ! Suey n'aurait pas le cran.

– Eh bien, peut-être que lui acceptera de me le dire.

– Si vous pouviez lui présenter mes excuses. Dites-lui bien que j'étais obligé de vous dire la vérité.

– J'aimerais que vous fassiez l'effort de vous souvenir de l'après-midi en question, dit sèchement Rebus. Les endroits où vous vous êtes arrêté, le nom de ces pubs, toute personne qui pourrait se souvenir de vous avoir vu. Mettez-moi tout ça par écrit.

– Comme une déposition ?

– Simplement pour vous rafraîchir la mémoire. Ça aide de coucher les choses sur le papier.

– C'est vrai.

– En attendant, vous risquez d'être inculpé pour recel de preuves.

– Quoi ?

La porte s'ouvrit. Urquhart entra et referma derrière lui.

– Nous avons terminé, dit-il.

– Bien, dit Jack l'air de rien.

Comme son patron, Urquhart semblait au bout du rouleau. Tout en s'adressant au député, il ne quittait pas Rebus du regard.

– J'ai dit à Helen d'en sortir une centaine.

– Tant que ça ? Enfin, c'est toi qui vois, Ian.

Urquhart fixa Gregor Jack. Lui aussi avait envie de le secouer, songea Rebus. Mais il n'en ferait rien.

– Il faut que tu sois fort, Gregor. Il faut que tu aies l'air fort.

– Tu as raison, Ian. L'air fort.

Comme un mouchoir trempé, songea Rebus. Comme un meuble rongé par les vers. Comme le squelette d'un vieillard.

Ronald Steele n'était jamais là où on croyait. Rebus finit par se rendre chez lui, un pavillon aux abords de Morningside. Pas âme qui vive. Ensuite il appela à intervalles réguliers. Au bout de la quatrième sonnerie, le répondeur de Steele s'enclenchait. À vingt heures, il jeta l'éponge. Jack risquait de prévenir Steele que leur alibi cousu de fil blanc s'effilochait. S'il en avait eu les moyens, Rebus aurait volontiers monopolisé le répondeur toute la soirée. Mais ce fut lui qui reçut un coup de fil. Il se trouvait chez lui à Marchmont, vautré dans un fauteuil. Rien à boire ni à manger, aucune distraction pour évacuer l'enquête de son esprit.

Sans doute Patience, désireuse de savoir s'il comptait passer et à quelle heure. Elle se faisait du souci, voilà tout. Chose rare, ils avaient passé tout le week-end ensemble. Des courses le samedi après-midi, un film le soir. Une balade en voiture à Cramond le dimanche, une bouteille de vin et une partie de jacquet le soir. Vraiment peu fréquent…

Il décrocha.

– Allô ?

– Eh bien, ce n'est pas facile de mettre la main sur vous !

Ce n'était pas Patience. Une voix masculine. Brian Holmes.

– Salut, Brian.

– Ça fait des heures que j'essaye de vous joindre. Soit c'est occupé, soit ça ne répond pas. Vous devriez vous offrir un répondeur.

– J'en ai un mais j'oublie parfois de le brancher. Qu'est-ce que tu veux ? Ne me dis pas que tu fais de la vente par téléphone pour arrondir tes fins de mois ? Comment va Nell ?

– Pas trop mal, pour quelqu'un qui n'est pas enceinte.

– Le test était négatif ?

– Positivement négatif.

– Bah, ça marchera peut-être au prochain coup.

– Écoutez, c'est gentil de vous préoccuper de nous, mais je ne vous appelais pas pour ça. Je pensais que ça vous intéresserait de savoir que j'ai eu une conversation passionnante avec M. Pond.

Surnommé Tampon, songea Rebus.

– Vraiment ?

– Vous n'allez pas y croire... déclara Brian Holmes.

Pour une fois, il avait raison.

10

Incognito

Tel que Tom Pond présenta les choses à Rebus, un architecte était condamné soit à l'échec soit au succès. Lui-même était persuadé d'appartenir à la deuxième catégorie.

– J'ai des collègues, des types avec qui j'ai fait mes études, qui pointent au chômage depuis plus de cinq ans. Je ne vous parle pas de ceux qui laissent tomber pour faire quelque chose de plus raisonnable, comme bosser sur des chantiers ou s'installer dans un kibboutz. Et puis vous avez quelques types comme moi, à qui tout réussit pendant un certain temps. Un projet débouche sur un contrat, lequel retient l'attention d'une multinationale américaine, et l'on devient un architecte « international ». Notez bien, j'ai dit « pendant un certain temps ». Ça peut se gâter très vite. On tombe dans la routine, ou bien la conjoncture économique ne se prête pas à la réalisation de vos innovations. Vous savez, en architecture les meilleurs projets croupissent au fond des tiroirs : des immeubles que personne n'a les moyens de construire. En tout cas pour l'instant. Peut-être jamais. Alors je profite de ma bonne étoile et je laisse venir.

Sauf au volant – ils étaient en train de traverser le pont de Forth Road à cent soixante kilomètres heure. Rebus n'osait plus regarder l'aiguille.

– Après tout, lui avait sorti Pond, ce n'est pas tous les jours que j'ai l'occasion de faire péter le compteur avec un flic pour me justifier si on m'arrête !

Et ça le faisait rire. Rebus nettement moins. Il ne desserrait quasiment plus les dents.

Tom Pond était le fier propriétaire d'un bolide italien qui lui avait coûté la bagatelle de quarante mille livres, ressemblait à un jouet d'enfant et faisait un boucan de tondeuse à gazon. Rebus n'avait pas eu les fesses aussi près du sol depuis une glissade sur une plaque de verglas devant son immeuble.

– J'ai trois vices, inspecteur : les voitures rapides, les femmes rapides et les chevaux lents !

Il rigola de nouveau.

– Si vous ne ralentissez pas, cria Rebus pour se faire entendre par-dessus le vacarme, je vais être obligé de vous verbaliser moi-même !

Pond parut vexé mais relâcha la pression sur la pédale. Lui qui ne demandait pas mieux que de rendre service… Rebus se sentit obligé de le remercier.

Holmes l'avait prévenu, mais il n'en croyait toujours pas ses yeux. Rentré la veille des États-Unis, Pond avait trouvé un message sur son répondeur.

– De Mme Heggarty.

– Mme Heggarty étant… ?

– Elle s'occupe de mon cottage. J'ai acheté près de Kingussie. Mme Heggarty passe de temps en temps pour donner un coup de chiffon et vérifier que tout est en ordre.

– Et cette fois tout ne l'était pas ?

– Exact. Dans le message, elle parlait d'un cambriolage, mais quand je l'ai rappelée elle m'a dit qu'on était
entré avec la clé de secours. Je la laisse en permanence
sous une pierre à côté de la porte d'entrée. Il n'y a rien
de cassé ou d'abîmé, mais Mme Heggarty a tout de
suite vu que quelqu'un était passé et que ce n'était pas
moi. Quoi qu'il en soit, j'ai signalé la chose à votre
sergent…

Un sergent qui touchait sa bille en géographie. Kingussie n'était pas situé très loin de Deer Lodge. Ni de
Duthil. Holmes avait posé la question qui s'imposait.

– Mme Jack connaissait-elle l'existence de cette
clé ?

– C'est possible. Pouilleux était au courant. Les
autres aussi, j'imagine.

Holmes avait rapporté tout cela à Rebus, lequel
s'était aussitôt rendu chez Pond. Leur conversation
avait duré un peu plus d'une demi-heure, après quoi il
avait annoncé à l'architecte qu'il souhaitait voir le cottage.

– Je vous y emmène de ce pas, inspecteur !

Et Rebus s'était donc retrouvé enfermé dans cette
caisse métallique qui filait à tombeau ouvert. Par
moments, il en avait mal aux pupilles.

Il était minuit passé, mais Pond ne paraissait ni
contrarié ni fatigué.

– Je me sens toujours à New York, avait-il expliqué.
Le corps et l'esprit ne sont pas sur le même fuseau
horaire. C'est vraiment sidérant, ce qui vient d'arriver
à Gregor et Liz, et Gowk qui retrouve le cadavre…
C'est vraiment incroyable !

Un séjour d'un mois aux États-Unis lui avait suffi pour prendre une pointe d'accent, et même certains tics et tournures langagières. Rebus l'observa. Une épaisse tignasse blonde ondulée (Couleur intégrale ? Simplement éclaircie ?) sur un visage charnu qui avait dû être beau dans sa jeunesse. De taille moyenne, il donnait l'illusion d'être plus grand qu'il n'était. Cela tenait à la posture, mais seulement en partie. Il respirait aussi la confiance, avec une aura qui rappelait celle du Gregor Jack d'avant. On avait le sentiment d'une puissante cylindrée.

– Vous avez vu cette sortie de virage ? On dira ce qu'on veut des Italiens, ils font de super glaces et de super bagnoles de course !

Rebus contracta ses abdominaux. Il était décidé à discuter sérieusement avec Pond. L'occasion était trop belle, enfermés comme ça tous les deux… Il tenta de s'exprimer sans que ses dents se déchaussent à force de s'entrechoquer.

– Vous étiez à l'école avec Gregor Jack ?

– Oui, je sais, c'est dur à croire, hein ? J'ai l'air beaucoup plus jeune que lui. Oui, j'habitais à trois rues de chez lui. Je crois que Bilbo était dans la rue de Gregor. Sexton et Mack habitaient eux aussi dans la même rue. Une autre, je veux dire, pas celle de Gregor et Bilbo. Suey et Gowk étaient un peu plus loin, de l'autre côté de l'école par rapport au reste d'entre nous.

– Qu'est-ce qui vous a tous rapprochés ?

– Je n'en sais rien. C'est marrant, je ne me suis jamais vraiment posé la question. On est tous plutôt intelligents, j'imagine… Pour ce virage je change de vitesse et… on se l'enfile comme la bonne !

Rebus avait l'impression que son siège cherchait à lui passer à travers le corps.

– On se croirait vraiment sur une moto. Vous ne trouvez pas, inspecteur ?

– Vous êtes resté en contact avec Mack ? finit par demander Rebus au bout de quelques secondes.

– Ah, vous êtes au courant ? Ben… non, pas vraiment. En fait, c'était Gregor le catalyseur. C'est par son entremise que j'ai continué à voir les autres. Mais après ce qui est arrivé à Mack… quand il s'est retrouvé chez les timbrés… je n'ai pas gardé le contact. Il me semble que Gowk le voit de temps en temps. Vous savez, c'était la plus intelligente de la bande, et quand on voit ce qu'elle est devenue !

– C'est-à-dire ?

– Elle a épousé ce crétin et se gave de Valium pour tenir le coup.

– Tout le monde est au courant ?

Il haussa les épaules.

– J'ai pigé le truc parce que je connais d'autres personnes à qui c'est arrivé… Une autre époque.

– Vous avez essayé de lui parler ?

– Elle fait ce qu'elle veut de sa vie, inspecteur. J'ai suffisamment de problèmes à gérer la mienne.

La Meute. Comment se comportait une meute envers un de ses membres malade ou blessé ? On le laissait crever, les plus forts entraînant les autres d'un pas léger.

Pond parut deviner les pensées de Rebus.

– Désolé si vous me trouvez cruel. La tasse de thé et le réconfort, ça n'a jamais été mon truc.

– Et les autres ?

– Sexton était toujours là pour prêter une oreille compatissante. Mais elle s'est tirée dans le Sud. Et puis Suey, j'imagine. On pouvait se confier à lui. Il n'avait jamais aucune solution, mais il savait écouter.

Rebus espérait que le libraire saurait également faire preuve d'élocution. Les questions en mal de réponses s'accumulaient. Il décida de tester Pond avec quelques ballons bien brossés.

– Imaginons qu'Elizabeth Jack avait un amant. Vous verriez qui ?

Pond ralentit légèrement et réfléchit.

– Moi, finit-il par répondre en souriant. Après tout, elle serait bête d'aller en choisir un autre !

– Et en second choix ?

– Eh bien, il y avait des rumeurs… il y en a toujours eu.

– Ah oui ?

– Putain, vous voulez que je vous fasse la liste ? O.K., Barney Byars pour commencer. Vous voyez qui c'est ?

– Je le connais.

– Barney est plutôt un type sympa. Pas franchement raffiné, mais c'est quelqu'un de bien. Ils ont été assez proches quelque temps…

– Qui d'autre ?

– Jamie Kilpatrick… Julian Kaymer… Je crois même que ce connard de Kinnoul a tenté sa chance. Et puis on a parlé d'une relation avec l'ex de l'épicier.

– Vous voulez dire Louise Patterson-Scott ?

– Étonnant, hein ? Quelqu'un les aurait surprises au lit, au lendemain d'une fête. Et alors ?

– Personne d'autre ?

– Sans doute des centaines.

– Et vous… vous n'avez jamais… ?

– Moi ? fit-il avec un haussement d'épaules. On a échangé quelques bisous et quelques câlins… (Il sourit en se souvenant.) Ça aurait pu nous mener loin… mais ça ne s'est pas fait. C'était tout Liz… sa générosité.

Il hocha la tête, content de cette formule qui faisait une parfaite épitaphe.

Ci-gît Elizabeth Jack
Le don de soi

– Je peux utiliser votre téléphone ? demanda Rebus.

– Bien sûr.

Il appela Patience. Il avait déjà tenté de la joindre à deux reprises au cours de la soirée, sans succès. Cette fois il la réveilla.

– Où es-tu ? lui demanda-t-elle.

– J'ai dû me rendre dans le Nord.

– Et on se voit quand ?

Sa voix était dépourvue d'émotion, d'intérêt. Il se demanda si cela tenait seulement à la qualité de la ligne.

– Demain. Demain sans faute.

– On ne peut pas continuer comme ça, John. Vraiment, ce n'est plus possible.

Il chercha quelque chose de rassurant à dire, mais sans risquer de perdre la face devant Pond. Trop tard.

– Salut, John.

La communication fut coupée.

Ils arrivèrent à Kingussie bien avant l'aube, ayant croisé très peu de voitures et pas une seule de la police.

Ils avaient emporté des torches dont ils auraient très bien pu se passer. Le cottage était situé à la sortie du village, légèrement en retrait de la route principale mais suffisamment près de l'éclairage urbain pour en bénéficier. En fait de cottage, Rebus fut surpris de découvrir un pavillon des plus modernes. Une grande haie en faisait complètement le tour, hormis le portail qui s'ouvrait sur une petite allée gravillonnée conduisant jusqu'à la maison.

– Quand Gregor et Liz ont acheté leur baraque, expliqua Pond, je me suis dit « Pourquoi pas moi ? ». Sauf que moi, je n'avais aucune envie de vivre à la dure comme eux. Il me fallait quelque chose de plus moderne. Moins de charme, plus de confort.

– Les voisins sont sympas ?

Il fit la moue.

– Je ne les vois pratiquement jamais. À côté, c'est aussi une résidence secondaire. Comme la moitié des baraques dans le coin.

– Et Mme Heggarty ?

– Elle habite à l'autre bout du village.

– Autrement dit, ceux qui se sont introduits ici...

– Ont pu arriver et repartir sans que personne ne les remarque, c'est sûr.

Pond laissa ses phares allumés le temps d'ouvrir la porte. L'entrée et la véranda s'illuminèrent brusquement. Libéré de sa cage, Rebus se dégourdissait les membres en luttant contre ses genoux qui ne demandaient qu'à se replier.

– C'est cette pierre-là ?

– Tout à fait, acquiesça Pond.

Il s'agissait d'un gros caillou rose en forme de galet.

Il le souleva pour lui montrer que la clé était bien à sa place.

– C'est trop sympa de leur part de l'avoir remise en partant ! Venez, je vais vous faire le tour du propriétaire.

– Un instant, monsieur Pond. Si vous pouviez ne rien toucher. Au cas où on aurait besoin de relever les empreintes par la suite.

– Pas de problème, dit-il en souriant, mais vous trouverez forcément mes empreintes un peu partout.

– Bien entendu, mais ça vaut quand même mieux.

– En plus, si Mme Heggarty a fait le ménage après le passage de mes « invités », tout sera propre et clinquant du sol au plafond.

Rebus fut immédiatement déçu en suivant Pond à l'intérieur. On sentait nettement l'odeur de cire, à laquelle se mêlaient des effluves de déodorant. Dans le salon, pas un coussin ni un gadget électronique qui ne soit à sa place.

– Je n'ai pas l'impression que grand-chose ait bougé depuis mon dernier passage, dit Pond.

– Vous êtes sûr ?

– Assez sûr. Je ne suis pas comme Liz et sa bande, inspecteur. Les fêtes, ce n'est pas mon truc. Chez les autres, ça ne me dérange pas, mais je me passe très bien d'avoir le plafond tapissé de mousse de saumon et de devoir expliquer aux villageois que la dame qui montrait ses fesses par la vitre arrière d'une Bentley était la petite-fille d'une duchesse.

– Vous ne seriez pas en train de penser à la très respectable Matilda Merriman ?

– Mais si. Ça alors, vous les connaissez tous ?

– En fait, je n'ai pas encore rencontré Lady Matilda.

– Si vous voulez mon conseil, rien ne presse. La vie est trop courte.

Et les journées trop longues, songea Rebus. Combien d'heures d'affilée cela faisait-il ? La cuisine était nickel. Des verres étincelants reposaient dans l'égouttoir.

– Je doute fort que vous y retrouviez la moindre empreinte, inspecteur.

– Je vois que Mme Heggarty est très consciencieuse.

– Ça lui arrive de faire les choses un peu moins à fond. On va monter jeter un coup d'œil.

La femme de ménage était également passée à l'étage. Les lits étaient faits dans les deux chambres. Rien ne traînait, ni tasse ni verre, pas le moindre magazine ou livre en cours de lecture. Pond huma l'air.

– Non, fit-il. Ça ne sert à rien. On ne sent même pas son parfum.

– Le parfum de qui ?

– Celui de Liz. Elle portait toujours le même, j'ai oublié le nom. Elle avait toujours une odeur magnifique. Magnifique. Vous pensez qu'elle est venue ici ?

– Quelqu'un est visiblement passé chez vous. Et nous savons qu'elle était dans les environs.

– Mais qui l'accompagnait ? C'est ça que vous aimeriez savoir ?

Rebus opina du chef.

– Eh bien, ce n'était pas moi, mais quel dommage ! Pendant ce temps-là, je devais me contenter de call-girls. Vous vous rendez compte qu'elles exigent de voir un certificat médical avant de s'y mettre ?

– Le sida ?

– Ouais. Bon, c'est terminé ? On dirait bien qu'on a fait le voyage pour rien.

– Peut-être. Mais il nous reste la salle de bains…

Tom poussa la porte et le fit entrer.

– Ha ! Ha ! On dirait que Mme Heggarty a été prise par le temps, dit-il en indiquant une serviette en boule par terre. D'habitude, ça va directement au panier.

Le rideau de douche était tiré, cachant la baignoire. Rebus l'écarta. Le bain était vide, mais deux longs cheveux demeuraient sur l'émail. On va les analyser, songea-t-il. Un seul cheveu suffit pour une identification. Son regard s'arrêta ensuite sur deux verres, posés dans un angle de la baignoire. Il se pencha et renifla. Du vin blanc. Il en restait un fond dans un des verres.

Deux verres… pour deux personnes ! Un bain à deux, en sirotant du vin.

– Le téléphone se trouve au rez-de-chaussée ?

– C'est ça.

– Venez. Cette pièce est condamnée jusqu'à nouvel ordre. Je suis en passe de devenir le cauchemar de la police scientifique…

Comme prévu, l'interlocuteur qu'il eut au bout du fil fut loin d'être ravi.

– On trime comme des malades pour la bagnole et l'autre cottage !

– J'en suis conscient, mais cette nouvelle piste pourrait s'avérer tout aussi importante. Voire plus.

Rebus se tenait dans une petite salle à manger. Le mobilier ne collait pas du tout avec la personnalité de Pond. Puis il remarqua la photo d'un jeune couple d'amoureux, prise dans les années cinquante. Ce qui expliquait tout : les parents de Pond. Ces meubles leur avaient appartenu. Pond avait dû en hériter, mais cela n'allait pas avec son style nanas-rapides-bourrins-perdants. Par contre, c'était parfait pour meubler une résidence secondaire. Pond, qui était assis sur une chaise, se leva soudain.

– Où allez-vous ? l'interpella Rebus en plaquant sa main sur le micro.

– Je vais pisser. Vous en faites pas, je vais dehors.

– Surtout, n'allez pas en haut, hein ?

– O.K.

La voix au bout du fil continuait de se plaindre. Rebus frissonna. La fatigue se faisait sentir. Son corps se refroidissait.

– Écoutez, dit-il, vous n'avez qu'à retourner au lit. Mais je vous veux ici demain matin à la première heure. Je vais vous donner l'adresse. Et quand je dis la première heure, je ne plaisante pas. Compris ?

– Quelle générosité, inspecteur !

– Ils n'auront qu'à mettre ça sur ma tombe : le don de soi.

Pond dormit dans sa chambre, avec la bénédiction envieuse de Rebus, tandis que celui-ci montait la garde devant la porte de la salle de bains. Chat échaudé… Il comptait à tout prix éviter que ne se reproduise le « cambriolage » de Deer Lodge. Ces indices, à supposer que c'en soit, seraient conservés dans leur intégrité. Il s'assit dans le couloir, le dos à la porte, s'emmitoufla dans une couverture et s'assoupit. Il glissa peu à peu et finit par se retrouver allongé par terre, en position fœtale. Il fit un rêve dans lequel il était ivre… il circulait dans une Bentley. Tout en conduisant, le chauffeur se débrouillait pour montrer ses fesses par son carreau baissé. À l'arrière, ça faisait la fête. Holmes et Nell copulaient discrètement, en espérant que ça serait un garçon. Gill Templer se trouvait là et tentait de défaire sa braguette, mais il avait peur que Patience ne les surprenne... Lauderdale était là lui aussi et se contentait de regarder. Quelqu'un avait ouvert le minibar, mais il ne contenait que des livres. Rebus en avait pris un et l'avait dévoré. Il n'avait jamais rien lu d'aussi génial. Impossible de lâcher ce bouquin, qui avait tout... Le lendemain matin, en se réveillant tout ankylosé et frigorifié, il était incapable de se rappeler la moindre phrase. Il se leva et s'étira, en s'efforçant de redonner un aspect humain à son corps. Puis il ouvrit la porte, pénétra dans la salle de bains et porta le regard dans le coin où s'étaient trouvés les verres.

Rien n'avait bougé. Malgré ses crampes, Rebus esquissa un sourire.

Il resta longtemps sous la douche, l'eau lui dégoulinant sur le visage, les épaules et le torse. Où se trouvait-il ? Dans l'appartement d'Oxford Terrace, alors qu'il aurait dû être au travail depuis belle lurette. Se justifier ne poserait aucun problème. Il se sentait fourbu, mais ç'aurait pu être pire. Sans trop savoir comment, il avait réussi à dormir pendant le trajet du retour, effectué à une vitesse plus paisible qu'à l'aller.

– Problème d'embrayage, avait marmonné Pond au bout d'à peine quarante kilomètres.

Il s'était garé sur le bord de la route et avait jeté un coup d'œil au moteur. Une mécanique impressionnante.

– Je ne sais même pas où je dois regarder, avait-il reconnu.

L'ennui avec ces joujoux, c'est que les mécaniciens compétents ne couraient pas les rues. Il avait même confié à Rebus qu'il était obligé de se rendre à Londres pour les révisions. Ils avaient donc poursuivi leur route à une allure raisonnable.

Et Rebus avait dormi, l'esprit tranquille après avoir laissé le cottage aux soins d'un Knox médusé et d'une paire de techniciens de la police scientifique sur les rotules. En arrivant, il avait résisté à la tentation de se faire couler un bain et s'était contenté d'une douche. Difficile de s'assoupir sous la douche, alors que le risque était grand dans un bon bain chaud après une nuit trop courte. Il avait opté pour l'appartement de Patience plutôt que le sien – un choix qui allait de soi, Oxford Terrace étant situé du côté d'Édimbourg par lequel ils étaient arrivés. La traversée du pont du Forth dans les embouteillages matinaux avait été épouvantable. Les représentants au volant de leur Astra admiraient jalousement le bolide italien, et se consolaient avec l'idée que ses passagers avaient une tête d'escrocs, de proxénètes ou d'usuriers…

Il arrêta la douche, se sécha avec une serviette, enfila des habits propres et s'occupa de retrouver une apparence vaguement humaine. Rasage, brossage de dents et un mug de café fumant. Lucky vint miauler à la fenêtre et Rebus le fit entrer. Il lui remplit même son écuelle. L'animal le fixa d'un air méfiant. Ce n'était pas le Rebus auquel il était habitué.

– Profites-en tant que ça dure !

Quel jour était-on ? Mardi. Plus de quinze jours

s'étaient écoulés depuis l'Opération Chalut, presque deux semaines depuis qu'Alec Corbie avait entendu la dispute sur l'aire de stationnement, et aperçu deux ou trois voitures. L'enquête avait progressé, surtout grâce à Rebus. Si seulement il trouvait le moyen d'effacer William Glass de l'esprit de ses supérieurs...

Un mot l'attendait sur la cheminée, posé contre l'horloge.

Et si on essayait de se voir ? Ce soir à dîner, sinon... Patience

Pas de bisous, ce qui était toujours mauvais signe. Il pouvait faire une croix sur les croix. Elle avait toutes les raisons d'être fâchée. Il fallait qu'il prenne une décision, dans un sens ou dans l'autre. Emménager chez elle ou la quitter. Ne plus se croire à l'hôtel, passer quand on avait besoin de se doucher, de se raser, d'aller aux chiottes ou de tirer un coup à l'occasion. Valait-il mieux que Liz Jack et son mystérieux compagnon, qui s'étaient introduits dans le cottage de Tom Pond ? À bien des égards, il était pire. *Ce soir à dîner, sinon...* Traduction : sinon je perds Patience. Il prit un Bic dans sa poche, retourna la feuille et écrivit : « À dîner, entre la poire et le fromage. »

Libre à elle d'interpréter ça comme elle voudrait. Il signa et ajouta toute une ligne de croix.

Chris Kemp tenait son scoop. Un scoop en première page. Le jeune reporter n'avait pas chômé après le passage de Rebus : il avait rencontré Gail Crawley, accompagné d'un photographe. Celle-ci ne s'était pas montrée franchement loquace mais on la voyait en photo, à côté du portrait un peu flou d'une adolescente

– Gail Jack à l'âge de quatorze ans. L'article était truffé de précautions stylistiques, au cas où tout cela se révélerait faux. C'était plus ou moins au lecteur de se forger sa propre opinion. *Le député et la putain mystérieuse : sa petite sœur ?* Mais les photos ne laissaient aucun doute. C'était assurément la même personne – le même nez, le même menton, les mêmes yeux. Assurément. Avoir déniché une photo de jeunesse de Gail Jack était un coup de génie, et Rebus était persuadé que Ian Urquhart n'y était pas étranger. Comment Kemp avait-il pu se procurer le cliché dont il avait besoin, et dans un si bref délai ? Un coup de fil à Urquhart, en lui expliquant que son article méritait leur coopération. Urquhart avait pu la dénicher tout seul, ou bien convaincre Gregor Jack de mettre la main dessus.

Une édition matinale en faisait son gros titre. Les autres journaux ne pourraient faire autrement que de prendre le train en marche. Rebus, qui avait récupéré sa voiture devant chez Pond, patientait à un feu rouge quand il avait remarqué le placard d'un marchand de journaux – *Exclusif : le grand frère député*. Il s'était garé au-delà du croisement, s'était précipité jusqu'au kiosque, et avait lu l'article deux fois de suite dans sa voiture, admiratif du bel ouvrage. Puis il avait redémarré et filé vers sa destination. Après coup, il avait regretté de ne pas en avoir acheté un deuxième exemplaire. Celui chez qui il se rendait ne l'avait sans doute pas lu...

La BX verte était garée dans l'allée, devant la porte du garage grande ouverte. Rebus la vit se refermer tandis qu'il s'arrêtait au milieu de l'allée. Il descendit de voiture, le journal plié à la main.

– On dirait que j'ai failli vous rater ! lança-t-il.

– Quoi ? fit Ronald Steele en se retournant et en s'apercevant qu'on lui bloquait le passage. Ça ne vous dérangerait pas de bouger ? Je suis pre… (Il reconnut enfin Rebus.) Ah, vous êtes l'inspecteur…

– Rebus.

– C'est ça, l'inspecteur Rebus. Le grand copain de Raspoutine.

– Ça a bien cicatrisé, dit Rebus en lui montrant son poignet.

– Écoutez, inspecteur… dit Steele en consultant sa montre. Vous êtes là pour quelque chose d'important ? C'est que j'ai rendez-vous avec un client et j'ai eu une panne de réveil.

– Rien de capital, monsieur, répondit Rebus d'un ton désinvolte. On s'est simplement rendu compte que votre alibi pour le jour du meurtre de Mme Jack n'était qu'un tissu de mensonges. Je me demandais si vous aviez quelque chose à dire là-dessus.

Le visage longiligne de Steele s'étira un peu plus.

– Ah… dit-il en fixant les pointes usées de ses chaussures. Je me disais bien que ça finirait par se savoir… (Il esquissa un sourire.) Apparemment, on ne peut pas cacher grand-chose dans une enquête pour meurtre.

– On ne doit *rien* cacher dans une enquête pour meurtre, monsieur.

– Souhaitez-vous que je vous suive au poste ?

– Peut-être plus tard, monsieur. Juste histoire de tout mettre par écrit. En attendant, votre salon devrait faire l'affaire.

– Bien, fit Steele en se dirigeant lentement vers le pavillon.

– Le quartier est sympathique, observa Rebus.

– Comment... ? Oh, oui. En effet.

– Ça fait longtemps que vous habitez ici ?

Rebus se moquait bien des réponses de Steele. Son unique but était de le faire parler pour qu'il n'ait pas trop le temps de réfléchir. Car moins il réfléchissait et plus on aurait de chance de lui arracher la vérité.

– Trois ans. Avant j'avais un appartement à Grass-market.

– Saviez-vous qu'on y organisait des pendaisons publiques ?

– Ah bon ? On a du mal à imaginer ça de nos jours.

– Oh, je ne sais pas...

À l'intérieur, Steele indiqua le téléphone du vesti-bule.

– Ça vous dérange si j'appelle mon client ? Pour l'avertir ?

– Faites comme bon vous semble, monsieur. Je vais attendre dans le salon, si vous n'y voyez pas d'incon-vénient.

– Cette porte-là...

– Parfait.

Rebus pénétra dans la pièce mais laissa la porte grande ouverte. Il entendit le libraire composer le numéro. C'était un vieux téléphone en Bakélite, le modèle avec un petit tiroir pour ranger un calepin. À une époque, les gens ne demandaient pas mieux que de s'en débarrasser ; maintenant tout le monde en voulait un, même au prix fort. La conversation fut rapide et anodine. Des excuses, un nouveau rendez-vous fixé.

Rebus déploya son journal et fit mine de lire les pages intérieures. Le combiné fut raccroché bruyamment...

– Voilà qui est fait, dit Steele en entrant dans la pièce.

Rebus poursuivit sa lecture un instant, puis replia le journal et le posa.

– Bien, dit-il.

Comme escompté, Steele lut la manchette.

– Qu'est-ce qu'ils racontent sur Gregor ?

– Hmm ? Ah, vous n'êtes pas au courant ?

Rebus lui tendit le journal. Restant debout, Steele dévora l'article.

– Vous en dites quoi, monsieur Steele ?

Il haussa les épaules.

– Allez savoir... oui, ça semblerait logique. Je veux dire, aucun d'entre nous n'a compris ce que Gregor allait faire dans un endroit pareil. Ce serait la meilleure des raisons. En tout cas, les photos sont très ressemblantes... Je ne me souviens pas du tout de Gail. Enfin, elle était souvent là, mais je ne faisais pas attention à elle. Elle ne traînait pas avec notre bande. Bon, fit-il en repliant le journal. J'imagine qu'avec ça, Gregor est tiré d'affaire.

Rebus fit la moue. Steele lui tendit le journal.

– Non, vous pouvez le garder. Bien, monsieur Steele. Pour en venir à cette partie de golf imaginaire...

Le libraire s'assit. Le salon était chaleureux avec ses rayonnages remplis de livres. D'ailleurs, cela rappela à Rebus une autre pièce où il s'était trouvé très récemment...

– Gregor serait prêt à tout pour défendre un ami, déclara Steele sans ambages. Y compris mentir à l'occasion. La partie de golf, ce n'est qu'un prétexte. Enfin, ce n'est pas tout à fait exact. Au début, on jouait effectivement une fois par semaine. Mais je me suis mis à voir… une dame. Le mercredi. J'en ai parlé à Gregor. Il était d'avis qu'on continue à faire comme si on jouait au golf tous les mercredis… (Pour la première fois, il fixa Rebus.) Le mari est très jaloux, inspecteur. Un alibi était le bienvenu.

Rebus opina du chef.

– Vous faites preuve d'une grande honnêteté, monsieur Steele.

Il haussa les épaules.

– Je ne voudrais pas que Gregor ait des ennuis à cause de moi.

– Vous étiez donc avec cette femme l'après-midi en question ? Le jour de la mort de Mme Jack ?

Steele hocha la tête d'un air solennel.

– Et madame serait prête à le confirmer ?

Steele sourit sombrement.

– C'est totalement exclu.

– Toujours à cause du mari ?

– C'est ça, le mari.

– Mais il va forcément l'apprendre tôt ou tard, non ? Si j'en juge par le nombre de personnes qui sont déjà au courant de votre liaison avec Mme Kinnoul.

Steele tressaillit, comme s'il venait de prendre un court-jus dans les omoplates. Le regard fixé par terre, on aurait dit qu'il cherchait un trou dans lequel disparaître. Il finit par se caler contre le dossier de son fauteuil.

– Comment est-ce que vous…

– L'intuition.

– Une intuition bien inspirée ! Mais vous dites que d'autres gens… ?

– Je ne suis pas le seul à avoir deviné. Vous avez converti Mme Kinnoul à la bibliophilie. C'est la couverture idéale. Au cas où quelqu'un vous surprendrait chez elle, j'entends. Je vois même qu'elle s'est fait aménager une bibliothèque qui s'inspire de votre salon.

– Ce n'est pas ce que vous vous imaginez, inspecteur.

– Je ne présume de rien, monsieur.

– Cathy a besoin qu'on l'écoute. Rab n'a jamais le temps. Il ne pense qu'à lui. Gowk était la plus intelligente de la bande.

– Oui, c'est ce que m'a confié M. Pond.

– Tom ? Il est rentré des États-Unis ?

Rebus acquiesça d'un hochement de tête.

– J'étais avec lui pas plus tard que ce matin… dans son cottage.

Il scruta les traits de Steele, mais celui-ci était toujours focalisé sur Cath Kinnoul.

– Ça me fend le cœur de la voir… de voir ce qu'elle…

– C'est une amie, déclara Rebus.

– Oui, bien sûr.

– Dans ce cas, elle acceptera de confirmer ce que vous venez de me raconter. Quand un ami est dans la panade…

Steele fit non de la tête.

– Vous ne comprenez pas, inspecteur. Rab Kinnoul est… il peut se montrer… très violent. De la violence psychologique aussi bien que physique. Il la terrorise.

Rebus soupira.

– Dans ce cas, personne ne peut confirmer vos allégations ?

Steele haussa les épaules. Il semblait au bord des larmes – sous le coup de la frustration, avant tout.

– Vous me soupçonnez d'avoir tué Liz ?

– Mettons que je vous pose la question.

– Non, fit-il en secouant la tête, je ne l'ai pas tuée.

– Dans ce cas, monsieur, vous n'avez rien à craindre, hein ?

Une fois de plus, Steele sourit tristement.

– Rien du tout, dit-il.

– Voilà la bonne attitude, monsieur Steele ! Cela dit, vous ne vous simplifiez pas les choses…

– Vous avez parlé à Gregor ?

Rebus acquiesça d'un hochement de tête.

– Et lui, il est au courant pour Cathy et moi ?

Ils se dirigeaient vers la porte d'entrée.

– Je n'ai pas réussi à trancher la question. Qu'est-ce que ça changerait ?

– Je ne sais pas. Peut-être rien du tout.

Le soleil avait fait son apparition. Rebus attendit que Steele ait fermé la porte à double tour.

– Juste une dernière chose…

– Oui, inspecteur ?

– Ça vous dérange si je jette un coup d'œil dans le coffre de votre voiture ?

– Mais…

Steele le dévisagea et comprit que Rebus n'avait pas l'intention d'en dire davantage.

– Pourquoi pas, accepta-t-il en soupirant.

Il ouvrit le coffre et Rebus jeta un coup d'œil à

l'intérieur. Il vit une paire de bottes boueuses. Le fond du coffre en était également maculé.

– Tout compte fait, monsieur Steele, dit-il en claquant le hayon, il serait préférable que vous passiez au poste. Plus vite on aura tiré les choses au clair, mieux ce sera.

Steele se tenait droit comme un I. Deux femmes en train de bavarder passèrent sur le trottoir.

– Vous m'arrêtez, inspecteur ?

– Je tiens simplement à obtenir votre version des faits, monsieur Steele. C'est tout.

Mais Rebus était embêté. Trouverait-il un seul laboratoire de police scientifique disponible en Écosse ? Étaient-ils tous débordés à cause de lui ? Auquel cas la voiture de Steele devrait attendre. Sinon, ils auraient de quoi s'occuper un peu plus. À ce compte-là, ils allaient finir dans le Guinness des Records. Devinette : combien de techniciens de la police scientifique un seul inspecteur peut-il faire tenir dans une seule enquête ?

– Dans le cadre de quelle enquête ? demanda Lauderdale.

– Je viens de tout vous expliquer, monsieur...

Lauderdale ne semblait pas du tout impressionné.

– Vous ne m'avez rien expliqué qui touche au meurtre de Mme Jack. Vous m'avez parlé d'amants mystérieux, de faux alibis, d'une bande de yuppies dégénérés, mais rien du tout sur le meurtre. Moi, j'ai un type en bas, dit-il en pointant l'index par terre, qui soutient mordicus qu'il a tué ces deux femmes.

– Oui, monsieur, dit calmement Rebus. Comme vous avez des psychiatres qui soutiennent que Glass pourrait tout aussi bien avouer les meurtres de Gandhi et Rudolf Hess.

– Comment êtes-vous au courant ?

– De quoi ?

– Des rapports psychiatriques.

– Mettons que j'ai eu le nez creux, monsieur.

Lauderdale accusa le coup. Il s'humecta les lèvres.

– Bon, finit-il par dire. Vous allez m'expliquer tout ça encore une fois.

Rebus se livra donc à une nouvelle explication. Il voyait les choses comme un immense collage : des textures différentes mais un thème unique. Avec de surcroît une illusion d'optique : plus il s'approchait et plus cela paraissait s'éloigner. Il en avait presque terminé, et Lauderdale semblait toujours aussi sceptique, quand le téléphone sonna.

L'inspecteur en chef décrocha, répondit et poussa un soupir.

– C'est pour vous, dit-il en lui tendant le combiné.

– Allô ?

– Une femme souhaite vous parler, lui dit la standardiste. Soi-disant que c'est urgent.

– Vous pouvez me la passer... Rebus à l'appareil, dit-il quand la communication fut établie.

Il entendait du brouhaha à l'arrière-plan, des annonces par haut-parleur – une gare.

– C'est pas trop tôt ! Je suis à Waverley. J'ai un train dans trois quarts d'heure. Si vous avez le temps de passer, j'ai quelque chose à vous dire.

On raccrocha. L'échange avait été rapide et cinglant, mais intrigant. Il consulta sa montre.

– Je dois filer à Waverley, expliqua-t-il à Lauderdale. Vous ne voulez pas en profiter pour parler à Steele, monsieur ? Pour vous faire votre propre opinion.

– Merci, John. Oui, je vais peut-être…

Elle était assise sur un banc dans le hall de la gare, facile à repérer avec ses lunettes de soleil censées la déguiser.

– Quel salopard ! marmonna-t-elle. Me balancer à la presse comme ça !

Elle parlait de son frère, Gregor Jack. Rebus resta silencieux.

– Un premier hier, et une demi-douzaine de ces fumiers ce matin ! Ma photo placardée en première page…

– Ce n'est peut-être pas votre frère.

– Quoi ? Qui ça, alors ?

Derrière les verres fumés, Rebus distinguait malgré tout les yeux fatigués de Gail Crawley. Elle s'était habillée à la va-vite – jean moulant, chaussures à talons, tee-shirt flottant. En guise de bagages, elle avait une grande valise et deux sacs de voyage. Elle tenait son billet pour Londres dans une main et une cigarette dans l'autre.

– C'est peut-être la personne qui savait où vous trouver, suggéra Rebus. Celle qui a informé Gregor.

Elle frissonnait.

– Justement, c'est de ça que je voulais vous parler. Je me demande bien ce qui m'a pris de vous appeler ! Je ne dois rien à ce salaud…

Moi non plus, songea Rebus, et pourtant on m'y reprend toujours.

– Si on allait boire un coup ? proposa-t-elle.

– O.K.

Il prit la valise et elle le suivit avec les sacs en faisant claquer ses talons. Elle faisait un tel boucan qu'elle s'attira quelques regards masculins. Rebus fut soulagé de se réfugier dans le bar. Il se commanda un demi et un rhum-Coca pour Gail. Ils s'installèrent dans un coin, assez loin des jeux vidéo et du juke-box fatigué.

– Santé, dit-elle.

Elle tenta de boire une gorgée en même temps qu'elle tirait une bouffée, s'étrangla et écrasa sa cigarette, pour en rallumer une autre quelques secondes plus tard.

– À la vôtre, dit Rebus en goûtant sa bière. Alors, vous avez quelque chose sur le cœur ?

Elle sourit.

– C'est mignon, ça : avoir quelque chose sur le cœur…

Cette fois, elle prit le temps d'avaler sa gorgée de rhum avant de tirer sur sa cigarette.

– J'ai repensé à ce que vous disiez, reprit-elle. Que quelqu'un aurait pu me reconnaître…

– Et alors ?

– Ça m'est revenu. C'était un soir, il y a quelques temps. Genre il y a un mois et demi, deux mois… dans ces eaux-là. Ça faisait pas longtemps que j'étais de retour. Trois clients bourrés ont débarqué. C'est marrant, mais ils viennent toujours en trio… (Elle pouffa.)

– Trois types se sont donc présentés au bordel ?

– C'est pas ce que je viens de vous dire ? Mais bon, j'ai plu à l'un d'entre eux, alors on est montés. Je lui ai dit que je m'appelais Gail. Prendre un nom crétin comme les autres, ça me gonfle ! Candy, Mandy, Claudette, Tina, Suzy, Jasmine et Roberta ! Moi j'oublie toujours qui je suis censée être.

Rebus jeta un coup d'œil à sa montre – il restait un peu plus de dix minutes. Elle comprit le message.

– Alors, je lui ai demandé comment lui il s'appelait. Il s'est marré et m'a lancé : « Tu me reconnais pas ? » J'ai secoué la tête et il m'a dit : « Bien sûr. Tu es de Londres, c'est ça ? Eh bien, ma jolie, je suis célèbre par ici » ou une connerie de ce genre. Et ensuite, il me sort : « Je suis Gregor Jack. » Me demandez pas pourquoi, j'ai piqué un fou rire. Lui, il s'est étonné et j'ai dit : « Vous n'êtes pas Gregor Jack. Je le connais. » Ça lui en a bouché un coin. Après, il est retourné avec ses copains. Les clins d'œil habituels, les tapes dans le dos. Moi, j'ai rien dit de plus...

– À quoi ressemblait-il ?

– Baraqué. Un vrai gars des Highlands. Une des nanas avait l'impression de l'avoir vu à la téloche...

Rab Kinnoul. Rebus le décrivit rapidement.

– Ça lui ressemble assez, reconnut-elle.

– Et ses deux copains ?

– Je n'ai pas vraiment fait attention. Il y en avait un du genre timide. Grand et maigre comme un haricot. L'autre était gros, avec un blouson de cuir.

– Vous n'avez pas entendu leurs noms ?

– Non.

Cela n'avait aucune importance. Rebus était convaincu qu'elle saurait les reconnaître dans une parade d'identification. Ronald Steele et Barney Byars. Une petite bringue entre potes. Byars, Steele et

Kinnoul. Curieux trio. Une nouvelle grenade à balancer à Steele.

– Finissez votre verre, Gail. C'est l'heure de votre train.

En chemin vers le quai, il parvint à lui arracher une adresse. Celle où Flight s'était déjà rendu.

– C'est là que je serai, dit-elle.

Elle jeta un dernier coup d'œil à la ronde. Le train à l'arrêt se remplissait. Rebus posa la valise dans le wagon. Elle fixa le plafond en verre de la gare, puis le regarda droit dans les yeux.

– J'aurais mieux fait de ne jamais quitter Londres. Vous croyez pas ? Si j'étais restée tranquillement là-bas, rien ne serait arrivé.

Rebus pencha légèrement la tête.

– Vous n'y êtes pour rien.

Mais en son for intérieur il devait reconnaître qu'elle n'avait pas tort. Si elle s'était abstenue de revenir à Édimbourg, de dire qu'elle connaissait Gregor Jack... Comment savoir ?

Elle monta dans le train et se retourna vers lui.

– Si vous voyez Gregor...

Mais elle ne termina pas sa phrase. Elle haussa les épaules et disparut dans le wagon avec ses bagages. Peu coutumier des adieux poignants avec les prostituées, Rebus tourna les talons et regagna sa voiture.

– Vous avez fait quoi ?
– Je l'ai laissé partir.
– Vous avez laissé Steele filer ?

Rebus n'en croyait pas ses oreilles. Il se serait volon-

tiers mis à faire les cent pas, mais le bureau de Lauderdale était trop petit.

– Mais pourquoi ? s'enquit-il.

L'inspecteur en chef sourit froidement.

– Vous suggérez quel chef d'inculpation, John ? Bon
sang, soyez un peu réaliste !

– Vous lui avez parlé, au moins ?

– Oui.

– Et ?

– Son histoire m'a l'air tout à fait plausible.

– Autrement dit, vous le croyez ?

– Oui, je pense que oui.

– Et le coffre de sa voiture ?

– Vous voulez parler de la boue ? Il vous l'a
expliqué lui-même, John. Lui et Mme Kinnoul aiment
se balader. Cette colline n'est pas vraiment goudronnée. On est obligé de mettre des bottes, et les bottes ça
se crotte. C'est à ça que ça sert.

– Il a reconnu sa liaison avec Cath Kinnoul ?

– Il n'a donné aucun nom. Mais il a reconnu qu'il y
avait « une femme ».

– C'est ce qu'il m'a sorti une fois au poste. Alors
que chez lui il m'avait clairement parlé de leur liaison.

– Je trouve ça très noble de sa part, de vouloir la
protéger.

– À moins qu'elle ne soit pas en mesure de confirmer son alibi.

– Vous pensez que c'est un tissu de mensonges ?

– Non, soupira Rebus. J'ai l'impression que j'y crois
moi aussi.

– Eh bien, dit Lauderdale du ton le plus prévenant

dont il était capable, asseyez-vous, John. Ces dernières vingt-quatre heures n'ont pas été de tout repos.

– Dites carrément ces vingt-quatre dernières années ! fit Rebus en s'asseyant.

Lauderdale sourit.

– Que diriez-vous d'une tasse de thé ?

– Je pense que le café du superintendant serait mieux indiqué.

Lauderdale s'esclaffa.

– Le remède qui tue ! Bien. Écoutez, vous venez de le reconnaître vous-même, vous croyez à l'alibi de Steele…

– Jusqu'à un certain point.

Lauderdale accepta cette réserve.

– Malgré tout, à partir du moment où il voulait s'en aller, comment vouliez-vous que je le retienne ?

– Sur la base de nos soupçons. On a tout de même le droit de garder un suspect plus d'une heure et demie !

– Merci, inspecteur. Je suis au courant.

– Maintenant qu'il est rentré chez lui, rien ne l'empêche de nettoyer à fond le coffre de sa bagnole.

– Une paire de bottes crottées ne suffit pas pour décrocher une condamnation, John.

– Vous seriez surpris des résultats que peut obtenir la police scientifique…

– Justement, je voulais vous en toucher un mot. Je me suis laissé dire que les techniciens commençaient à vous avoir sérieusement dans le nez. On va finir par vous surnommer Vicks.

– Quelqu'un s'est plaint en particulier ?

– Il semblerait que vous vous soyez mis à dos toute la police scientifique. Arrêtez de les harceler, John.

– Oui, monsieur.

– Vous devriez faire un break. Tenez, vous n'avez qu'à prendre votre après-midi. Au fait, des nouvelles pour les livres du professeur Costello ?

– De retour chez leur propriétaire.

– Ah bon ?

Lauderdale attendait quelques mots d'explication.

– Ça n'a rien d'étonnant pour un disciple du Livre, se contenta de dire Rebus en se levant. Bien, si vous n'avez rien d'autre à…

Le téléphone sonna.

– Attendez, ordonna Lauderdale. Je parie que c'est pour vous… (Il décrocha.) Lauderdale à l'appareil… Je descends tout de suite. (Il raccrocha.) Ça alors ! Ça alors ! Vous ne devinerez jamais qui attend au rez-de-chaussée.

– Le *pipe band* de Dundonald et Dysart ?

– Vous n'êtes pas si loin : Janet Oliphant.

– Le nom me dit quelque chose… dit Rebus en plissant le front.

– L'avocate de Sir Hugh Ferrie. Et de M. Jack, apparemment. Ces messieurs viennent d'arriver avec elle. Allons voir ce qui les amène, dit-il en se levant et en défroissant sa veste.

Gregor Jack souhaitait faire une déposition, concernant ses faits et gestes le jour du meurtre de sa femme. Mais il parut d'emblée évident que Sir Hugh Ferrie tirait les ficelles.

– J'ai lu l'article paru ce matin dans le journal, expliqua-t-il. J'ai appelé Gregor pour lui demander si c'était vrai. Il affirme que oui. Ça m'a soulagé d'apprendre ça, mais je lui ai bien dit que c'était crétin de ne pas l'avoir révélé plus tôt. (Il se tourna vers Gregor Jack.) T'es un sacré crétin !

Ils s'étaient tous installés autour d'une grande table dans une salle de réunion – une idée de Lauderdale. Une vulgaire salle d'interrogatoire n'aurait pas convenu pour Sir Hugh Ferrie. Gregor Jack s'était fait chic pour l'occasion : costume impeccable, cheveux propres et coiffés, regard pétillant. Cela dit, assis entre Sir Hugh et Janet Oliphant, il ne pouvait viser mieux que la troisième place.

– Après la dernière visite de l'inspecteur Rebus, j'ai beaucoup réfléchi. J'ai retrouvé le nom de certains endroits où je me suis rendu ce mercredi-là… (Il prit un papier dans la poche intérieure de son veston.) Je suis entré dans un bar à Eyemouth, mais c'était bondé. Je ne suis pas resté. J'ai pris un jus de tomate dans un hôtel à la sortie de la ville, mais il y avait aussi beaucoup de monde, alors je ne suis pas sûr qu'on se souvienne de moi. Et sur le chemin du retour, j'ai acheté un paquet de chewing-gum chez un marchand de journaux à Dunbar. Pour le reste, dit-il en tendant la liste au superintendant, c'est plus vague. Une balade au bord de la mer à Eyemouth… un arrêt sur une aire de stationnement un peu au nord de Berwick… il y avait une autre voiture, un type genre représentant de commerce, mais il s'intéressait plus à sa carte routière qu'à moi… c'est à peu près tout.

Watson opinait du chef, parcourant la liste comme un sujet d'examen.

– C'est un début, dit-il en la tendant à Lauderdale.

– Comprenez bien, monsieur le superintendant,

intervint Sir Hugh. Mon gendre se rend compte qu'il est dans une situation délicate, mais j'ai l'impression que ça tient uniquement au fait d'avoir voulu rendre service aux autres.

Watson hochait la tête, la mine pensive.

– Si vous voulez bien m'excuser un instant... dit Rebus en se levant.

Il se dirigea vers la porte et la referma derrière lui avec un profond soulagement. Loin de lui l'intention de revenir. Lauderdale et Watson pourraient toujours lui tirer les oreilles – c'est mal élevé, John – mais il ne pouvait pas rester enfermé dans cette pièce étouffante avec ces personnages rasoir.

Holmes traînait au bout du couloir.

– Alors, ça donne quoi ?

– Pas de quoi fouetter un chat, lui répondit Rebus.

– Ah bon ? fit Holmes, l'air déçu. On pensait tous que...

– Qu'il venait passer aux aveux ? Tout le contraire, Brian.

– Alors c'est Glass qui va plonger pour les deux meurtres ?

– Plus rien ne me surprendrait, dit Rebus en haussant les épaules.

Malgré sa douche matinale, il se sentait fourbu et crasseux.

– Vous n'avez pas l'impression que c'est la solution qui arrange tout le monde ?

– On est la police, Brian. On n'est pas là pour jouer les assistantes maternelles.

– Désolé de m'être exprimé.

Rebus soupira.

– Pardon, Brian. Je ne voulais pas te moucher.

Ils se dévisagèrent une seconde, puis éclatèrent de rire. Ce n'était pas grand-chose, mais c'était toujours ça de pris.

– Bon, je file à Queensferry.

– En quête d'autographes ?

– C'est un peu ça.

– Vous n'auriez pas besoin d'un chauffeur ?

– Pourquoi pas. Allons-y.

Une décision prise sur un coup de tête, songea Rebus par la suite, qui lui avait sans doute sauvé la vie.

11

La vieille école

Ils ne parlèrent pas une seule fois du boulot pendant le trajet jusqu'à Queensferry. La discussion porta sur les femmes.

– Si on sortait un soir tous les quatre ? proposa Brian Holmes à un moment.

– Je ne suis pas sûr que Patience et Nell s'entendraient bien, nota Rebus d'un air songeur.

– Comment ça ? Vous voulez dire qu'elles ont des personnalités différentes ?

– Au contraire, la même personnalité. C'est tout le problème.

Rebus songea au dîner qui l'attendait avec Patience. À condition de mettre l'enquête entre parenthèses quelques heures. Pour éviter de mettre un point final.

– C'était juste une idée comme ça, dit Holmes. Une idée comme ça.

Il se mit à pleuvoir peu de temps avant d'arriver chez les Kinnoul. Le ciel n'avait cessé de s'assombrir depuis qu'ils roulaient, donnant l'impression que la nuit tombait tôt. La Land Rover de Rab Kinnoul était garée devant la maison. Bizarrement, la porte d'entrée était grande ouverte. La pluie martelait le capot de la voiture, de plus en plus forte au fil des secondes.

– On va piquer un sprint, dit Rebus.

Chacun ouvrit sa portière et se mit à courir. Holmes dut contourner la voiture alors que Rebus, qui se trouvait du bon côté, fut le premier à gravir les marches du perron, franchir le seuil et pénétrer dans le vestibule. Il secoua ses cheveux pour faire tomber les gouttes, puis ouvrit les yeux.

Et vit le couteau à découper s'abattre sur lui.

En même temps qu'un cri perçant retentissait juste derrière.

– *Salaud !*

Puis quelqu'un le poussa à l'écart. Holmes, déboulant comme une fusée. Le couteau s'abattit, dans une chute qui n'en finissait pas. Cath Kinnoul l'accompagna et tomba, emportée par son poids. Holmes se précipita sur elle, lui prit le poignet et le ramena dans son dos. Il lui planta fermement le genou sur la colonne vertébrale, juste en dessous des omoplates.

– Nom d'un chien ! balbutia Rebus. Nom d'un chien !

Holmes examina le corps affalé par terre.

– Elle s'est cognée en tombant, dit-il. Elle est K.-O.

Il lui prit le couteau et relâcha son bras qui retomba sur la moquette. Quand Holmes se releva, il affichait un calme hors du commun mais avait les traits livides. Pour sa part, Rebus tremblait comme un corniaud malade. Il s'adossa au mur, ferma les yeux un instant et inspira longuement.

Il y eut du bruit du côté de la porte.

– Non mais, qu'est-ce que…

Rab Kinnoul les aperçut, puis sa femme qui gisait par terre.

– Merde…

Il s'accroupit à côté d'elle, l'eau dégoulinant sur la tête et le dos de Cath Kinnoul. L'acteur était trempé.

– Elle n'a rien de grave, monsieur Kinnoul, déclara Holmes. Elle s'est évanouie, c'est tout.

Kinnoul remarqua le couteau dans sa main.

– C'est elle qui tenait ça ? dit-il en écarquillant les yeux. Cathy, mon dieu… dit-il en effleurant son visage d'une main tremblante. Cathy… Cathy…

Rebus s'était en partie remis. Il déglutit.

– Mais ce n'est pas en tombant qu'elle s'est fait ces marques, fit-il remarquer.

Ses bras portaient des traces de coups qui paraissaient récentes.

– On s'est un peu disputés, reconnut Kinnoul avec un hochement de tête. Elle s'est jetée sur moi et j'ai… je voulais juste la repousser, mais elle était complètement hystérique. J'ai décidé d'aller faire un tour, en attendant qu'elle se calme.

Rebus contemplait les chaussures de Kinnoul. Couvertes de boue. Son pantalon aussi était trempé. Faire un tour ? Quand il pleuvait comme ça ? Non, il avait tout bonnement pris ses jambes à son cou. Ni plus ni moins. Sans demander son reste.

– Apparemment, elle ne s'était pas calmée, fit remarquer Rebus.

Mine de rien, elle avait failli le trucider. En le prenant par erreur pour son mari, ou bien dans un tel état de colère qu'elle se serait contentée de n'importe quel homme, n'importe quelle victime.

– Pour tout vous dire, monsieur Kinnoul, un petit remontant me ferait le plus grand bien.

– Je vais voir ce que j'ai, dit l'acteur en se redressant.

Holmes appela le médecin. Cath Kinnoul n'avait toujours pas repris connaissance. Ils décidèrent de la laisser dans l'entrée, par mesure de précaution. Il était préférable de ne pas déplacer une personne victime d'une chute ; et cela permettait de la surveiller d'un œil en étant dans le salon.

– Elle a besoin de se faire soigner, dit Rebus.

Installé dans le canapé, il sirotait un whisky qui faisait le plus grand bien à ses nerfs éprouvés.

– Elle a surtout besoin qu'on se sépare, dit doucement Kinnoul. On est malheureux ensemble, inspecteur. Et encore plus malheureux dès qu'on est loin l'un de l'autre.

Il se tenait devant la fenêtre, les mains sur le cadre et le front plaqué sur la vitre.

– Vous vous êtes disputés à quel sujet ?

– C'est tellement bête… dit Kinnoul en secouant la tête. On s'accroche pour des broutilles et puis ça dégénère…

– Et cette fois ?

Kinnoul se retourna.

– Je m'absente trop souvent. Elle est persuadée que mes projets ne sont pas sérieux, qu'il s'agit d'un prétexte pour m'éloigner de la maison.

– A-t-elle raison ?

– Sans doute que oui. En partie. Elle est très futée… pas forcément rapide, mais elle finit toujours par comprendre.

– Et vos soirées ?

– C'est à dire ?

– Le soir aussi, il semblerait que vous ne soyez pas toujours là. Ça vous arrive de faire la fête avec les copains…

– Vraiment ?

– Par exemple, avec Barney Byars… et Ronald Steele.

Kinnoul fixa Rebus, l'air de n'y rien comprendre, puis fit claquer ses doigts.

– J'y suis ! Vous faites allusion à cette soirée-là ? Ça alors, vous parlez d'une soirée… fit-il en secouant la tête. Qui vous a mis au courant ? Peu importe, c'est forcément l'un des deux. Qu'est-ce que vous voulez savoir ?

– Je trouve simplement que vous formez un trio inattendu.

– Vous n'avez pas tort, dit Kinnoul en souriant. Moi et Byars, on se connaît à peine. Ce jour-là, il se trouvait à Édimbourg où il venait de boucler un contrat… un gros contrat. On s'est croisés à l'*Eyrie*. Je prenais un verre au bar, pour noyer mon chagrin, et il prenait l'ascenseur pour monter au restaurant. Je me suis fait alpaguer. Je les ai suivis, lui et ses clients. Ça s'est prolongé… enfin, on a bien rigolé.

– Et Steele ?

– Eh bien… Barney comptait emmener ces types dans un bordel, mais ça ne leur disait rien. Ils nous ont quittés. Alors on a décidé d'aller boire un verre au *Strawman*. C'est là qu'on a récupéré Ronnie. Lui aussi, il était bourré. Des soucis avec sa douce… (Il

351

prit l'air pensif un instant.) Enfin, en général c'est un mec assez chiant, mais ce soir-là il était plutôt sympa.

Une question traversa l'esprit de Rebus : Kinnoul était-il au courant de la liaison entre Cathy et Steele ? Il n'en laissait rien paraître, mais de la part d'un acteur professionnel...

– Et on a tous fini dans la maison de mauvaise réputation.

– Vous vous êtes bien amusés ?

Kinnoul parut décontenancé par cette question.

– Oui, je suppose. Je ne me souviens pas très clairement.

Mon œil ! songea Rebus. Tu te souviens très bien. Très, très bien.

Le regard de Kinnoul s'était porté vers le vestibule, où gisait Cathy.

– Vous devez me prendre pour un salaud, dit-il d'un ton égal. Vous avez probablement raison. Mais bon sang...

À court de mots, il parcourut la pièce du regard, observa la fenêtre et la vue entièrement masquée par la pluie, puis se tourna de nouveau vers la porte. Il expira bruyamment et secoua la tête.

– Avez-vous répété aux autres ce que la prostituée vous avait dit ? Concernant Gregor Jack, ajouta Rebus devant l'air interloqué de Kinnoul.

– J'aimerais bien savoir comment vous êtes au courant, dit Kinnoul en se laissant tomber dans un fauteuil.

– Une heureuse intuition. Alors, vous leur avez raconté ?

– Je crois bien... Oui, j'en suis certain. J'étais tellement étonné qu'elle me sorte ça.

– Ce que vous lui avez dit n'est pas moins étonnant, monsieur Kinnoul.

Il haussa ses épaules carrées.

– C'était pour rire, inspecteur. J'avais bu. Je trouvais ça marrant de me faire passer pour Gregor. Pour être franc, j'étais un peu vexé qu'elle ne reconnaisse pas Rab Kinnoul. Regardez-moi ces photos. J'ai connu toutes ces vedettes...

Il se leva et s'approcha du mur, admirant ces photos comme s'il s'agissait de tableaux dans une galerie et non de clichés vus des centaines et des centaines de fois.

– Bob Wagner... Larry Hagman... des amis. Martin Scorsese... Quel réalisateur ! Le top !... John Hurt... Robbie Coltrane et Eric Idle...

Tandis que l'acteur poursuivait sa litanie, Holmes fit signe à Rebus de le rejoindre dans le vestibule. Cathy Kinnoul était en train de revenir à elle. Rab Kinnoul demeura planté devant ses photos, ses souvenirs, en ressassant les noms.

– Doucement, dit Holmes à Cathy Kinnoul. Comment vous sentez-vous ?

Elle bafouilla quelques syllabes incompréhensibles.

– Combien de cachets avez-vous pris ? lui demanda Rebus. Il faut nous le dire, Cathy.

Elle n'arrivait pas à fixer son esprit.

– J'ai vérifié toutes les pièces, dit Holmes. Aucun flacon vide.

– Ouais, mais elle a forcément pris quelque chose.

– Le médecin saura peut-être nous dire quoi.

– Oui, peut-être... dit Rebus en s'accroupissant à côté de Cathy Kinnoul. Gowk, dit-il à voix basse, à quelques centimètres à peine de son oreille. Il faut qu'on parle de Suey.

Elle marqua une réaction en entendant leurs deux noms mais resta muette.

– Suey, insista Rebus. Vous vous voyez tous les deux ? Comme au bon vieux temps, hein ? Est-ce que vous vous voyez ?

Elle ouvrit la bouche, se figea et la referma. Elle fit non de la tête, lentement, et marmonna quelque chose.

– Je n'ai pas compris, Gowk.

Elle répéta, plus distinctement.

– Faut pas… que… Rab sache.

– Il ne saura rien, Gowk. Faites-moi confiance, il ne saura rien.

Elle se tenait assise, une main soutenant sa tête et l'autre posée par terre.

– Vous vous voyez donc, continua Rebus. Gowk et Suey. C'est bien ça ?

Elle sourit, le regard hagard.

– Gow… et 'uey… Gow et 'uey.

Ça l'amusait de répéter ces deux noms.

– Souvenez-vous, Gowk, la veille du jour où vous avez retrouvé le cadavre… Vous vous souvenez de ce mercredi après-midi ? Suey est-il passé vous voir ? Hein, Gowk ? Suey est-il passé ce jour-là ?

– Merquedi… répéta-t-elle en secouant la tête. Merquedi… Pauv' Liz… Pauv', pauv'… Donnez-moi le couteau, dit-elle en tendant la paume. Rab… saura pas… veux le couteau…

Rebus jeta un coup d'œil à Holmes.

– On ne peut pas vous laisser faire ça, Gowk. Ce serait un meurtre.

354

Elle opina du chef.

– C'est ça... un *meurtre*...

Elle prononça le dernier mot avec soin, en détachant chaque syllabe, puis le répéta.

– Vais lui couper la tête, susurra-t-elle. Et on me mettra avec Mack.

Elle sourit, ravie de cette idée. Dans le salon, on entendait toujours Rab Kinnoul qui récitait les noms.

– ... le meilleur, sans conteste... j'aimerais bien retravailler avec lui... un modèle de professionnalisme... et aussi avec ce brave George Cole... la vieille école... oui, la vieille école... la vieille école...

– Mack... ânonnait Cath Kinnoul. Mack... Suey... Sexton... Pouilleux... Pauvre Pouilleux...

– ... la vieille école...

Dans la vie, le tout était d'être à bonne école...

Rebus appela Barney Byars. La secrétaire lui passa immédiatement son patron.

– Je vois que je n'arrive pas à me débarrasser de vous, inspecteur ! tonna Byars d'une voix énergique et professionnelle.

– C'est tellement simple de vous avoir, monsieur Byars.

Le transporteur éclata de rire.

– Je n'ai pas le choix ! Il faut que les clients puissent me joindre. Je préfère rester disponible. Bon. Qu'est-ce qu'on peut faire pour vous ?

– J'aimerais vous parler d'une soirée que vous avez passée récemment en compagnie de Rab Kinnoul et Ronald Steele...

Byars confirma les faits, mis à part le détail crucial.

Rebus lui rapporta que Kinnoul prétendait leur avoir raconté ce que lui avait sorti Gail quand il était redescendu.

– Je ne m'en souviens pas, dit Byars. Il faut dire que j'avais un sacré coup dans le nez. À tel point que j'ai casqué pour tout le monde ! dit-il en gloussant. Suey était fauché, comme d'hab et Rab n'avait plus que dix livres sur lui. (Nouveau gloussement.) Vous voyez que j'ai la mémoire des chiffres, surtout quand il s'agit de pognon !

– Mais vous êtes certain de ne pas vous souvenir que M. Kinnoul a répété ce que lui avait dit la prostituée ?

– Je ne prétends pas du tout qu'il n'en a pas parlé, mais je n'en ai pas le moindre souvenir.

La parole de Kinnoul contre la mémoire de Byars. Il ne restait plus qu'à retourner interroger Steele. Rebus passerait chez lui avant de rentrer dîner avec Patience. Un long détour qui n'aurait rien d'un raccourci. Mais ça ne devrait pas le mettre en retard.

Il fallait aussi régler le problème Cathy Kinnoul. On ne pouvait pas laisser dans la nature une dépressive bourrée de cachets et armée d'un couteau de cuisine. Appelé par Holmes, son médecin écouta leur récit et préconisa qu'on l'hospitalise dans une clinique de banlieue. Y aurait-il des poursuites…

– Bien sûr, répondit Holmes, un brin irrité. Tentative de meurtre, pour commencer.

Mais Rebus était plongé dans ses réflexions. Cath Kinnoul avait été maltraitée. Et ce n'était pas la paperasse qui manquerait, si l'on poursuivait tous ceux qui avaient menti à la police – Hector, Steele, Jack. Surtout, il pensait à Andrew Macmillan. Il avait vu comment les criminels malades mentaux étaient traités dans une clinique spécialisée. Cath Kinnoul serait suivie. Dès lors qu'on la soignait, à quoi bon la poursuivre pour tentative de meurtre ?

Il fit donc non de la tête – à la stupéfaction de Brian Holmes. Non, aucune poursuite, pourvu qu'elle soit internée immédiatement. Le médecin s'assura que les papiers constituaient une simple formalité et Rab Kinnoul, qui avait recouvré ses esprits, donna son accord.

– Dans ce cas, dit le médecin, elle peut être admise dès aujourd'hui.

Rebus passa un dernier coup de fil. À l'inspecteur en chef Lauderdale.

– Vous étiez passés où, nom de Dieu ?

– C'est une longue histoire, monsieur.

– Comme toujours.

– Comment s'est passée la réunion ?

– Elle s'est passée. Écoutez John, on va inculper William Glass.

– Quoi ?

– La victime de Dean Bridge a eu des relations sexuelles juste avant de mourir. Le laboratoire a confirmé que l'ADN était celui de Glass…

Lauderdale se tut, mais Rebus resta coi.

– Ne vous en faites pas, John, on va commencer par le meurtre de Dean Bridge. Mais de vous à moi… vous avez l'impression que vous allez aboutir à quelque chose ?

– De vous à moi, monsieur… je n'en sais rien.

– Eh bien, vous avez intérêt à faire vite, sinon je serai obligé d'inculper Glass pour le meurtre de Mme Jack. Ferrie et son avocate vont se mettre à poser des questions embarrassantes, John. Il faut porter un coup décisif, vous comprenez ?

– Oui, monsieur. Les coups de couteau, ça me connaît.

Rebus ne se dirigea pas tout de suite vers la porte d'entrée. Dans un premier temps, il s'arrêta devant le garage et jeta un coup d'œil par la fente entre les deux battants de la porte. La Citroën était là, ce qui laissait penser que Steele était chez lui. Il se dirigea ensuite vers l'entrée et appuya sur la sonnette. Il entendit la sonnerie retentir dans le vestibule. Un jour, il écrirait un bouquin sur les vestibules. Le vestibule où j'ai manqué d'être égorgé... Comment meubler un vestibule de bordel... Il appuya de nouveau. La sonnette avait un son criard, qu'on pouvait difficilement ne pas remarquer.

Il fit une ultime tentative, puis actionna la poignée. C'était fermé à clé. Il s'avança sur le ruban de pelouse devant le pavillon et jeta un coup d'œil par la fenêtre du salon. Personne. Steele était peut-être sorti acheter du lait... Il tenta d'ouvrir la grille du jardin, mais elle aussi était fermée à clé. Il revint devant le portail et scruta la rue, à droite et à gauche. Il consulta sa montre. Il pouvait attendre cinq minutes, dix maximum. L'idée de dîner avec Patience ne l'enchantait pas du tout. Mais il n'avait pas envie de la perdre. Un quart d'heure pour se rendre à Oxford Terrace... vingt minutes pour se laisser une marge. Oui, il serait rentré à sept heures et demie. Ce qui lui laissait un peu de temps. *Vous avez intérêt à faire vite...* Pourquoi s'embêter ? Pourquoi ne pas accorder à Glass son moment d'infamie, sa deuxième et célèbre victime ?

En effet, pourquoi s'embêter ? Ce n'étaient pas les tapes dans le dos ni la vérité qui le motivaient. Par contre, le fait d'être têtu comme une mule... Oui, c'était plutôt ça. Quelqu'un approchait... Il était remonté dans sa voiture et vit la personne dans son rétroviseur. Ce n'était pas un homme. Une femme avec de jolies jambes. Elle portait deux sacs de commissions. Elle marchait d'un bon pas mais semblait fatiguée. Non, ce n'était quand même pas... Ça alors !

Il baissa son carreau.

– Qu'est-ce que tu... Salut, Gill.

Gill Templer s'arrêta, le dévisagea et sourit.

– Il me semblait bien reconnaître ce tas de ferraille !

– Chut ! Les voitures se vexent facilement, dit-il en tapotant le volant.

– Qu'est-ce qui t'amène dans le coin ? dit-elle en posant ses sacs.

Il pointa le menton vers la maison de Steele.

– J'attends quelqu'un qui n'a pas l'air décidé à rentrer.

– Bien.

– Et toi ?

– Moi ? Je te rappelle que j'habite dans le quartier. Dans la première rue à droite. Tu sais bien que j'ai déménagé.

Il haussa les épaules.

– Je n'avais pas réalisé que c'était par ici.

Elle eut un sourire peu convaincu.

– Mais si, je t'assure. Tu veux que je te dépose ? Elle rit.

– Ce n'est qu'à cent mètres.

– Comme tu veux.

– Après tout... dit-elle en contemplant ses sacs. Pourquoi pas.

Il lui ouvrit la portière, elle posa ses courses sur le plancher et glissa ses pieds là où elle pouvait. Il tourna le contact. Le moteur crachota, toussota et se tut. Il fit une nouvelle tentative, cette fois avec le starter, et la voiture démarra vaguement après quelques gémissements.

– Je t'ai bien dit que c'était un tas de ferraille !

– C'est justement parce que tu te moques d'elle qu'elle fait ça, la mit-il en garde. Elle est capricieuse comme un cheval de course.

Au rythme où ils allaient, les concurrents d'une course à l'œuf auraient parcouru la distance plus vite qu'eux. Malgré tout, ils arrivèrent à bon port. Rebus admira la maison par sa vitre.

– C'est sympa, dit-il.

Des bow-windows de part et d'autre de la porte d'entrée. Deux étages. Un petit jardin pentu, divisé en deux par un escalier en pierre conduisant du portail au perron.

– Je ne loue pas toute la maison, bien entendu. Simplement le rez-de-chaussée.

– C'est tout de même sympa.

– Merci.

Elle ouvrit la portière et posa ses sacs sur le trottoir.

– Ça te tente une poêlée de légumes ? demanda-t-elle en indiquant les courses.

Il mit une éternité à se décider.

– Merci, Gill. Je suis déjà pris ce soir.

360

Elle eut la bonne grâce d'avoir l'air déçue.

– Peut-être une autre fois.

– C'est ça, dit Rebus en la regardant fermer la portière. Peut-être une autre fois.

La voiture repartit péniblement dans l'autre sens. Si elle me lâche, songea-t-il, j'y retourne et je dis oui à sa proposition. Ce sera un signe… Bien au contraire, le moteur semblait avoir retrouvé toute sa vigueur quand il passa devant le pavillon de Steele. Toujours aucun signe de vie. Il ne s'arrêta pas. Il avait dans la tête l'image d'une balance. Sur un plateau se trouvait Gill Templer et sur l'autre le Dr Patience Aitken. Chaque plateau montait et descendait à tour de rôle, au fil des questions qu'il se posait. L'affaire était loin d'être simple. Il aurait bien aimé avoir plus de temps, mais il eut quasiment tous les feux verts et arriva chez Patience à sept heures et demie pétantes.

– Je n'en crois pas mes yeux ! dit-elle en le voyant entrer dans la cuisine. C'est incroyable ! John Rebus trouve le temps pour un dîner en amoureux ?

Elle se tenait devant le micro-ondes où quelque chose cuisait. Il l'attira vers lui et l'embrassa sur la bouche.

– Je crois bien que je t'aime, Patience.

Elle s'écarta légèrement et le dévisagea.

– Et il n'a même pas bu… C'est la soirée des surprises ! Je te préviens, j'ai eu une journée épouvantable et je suis d'humeur massacrante. D'ailleurs, j'ai commencé par massacrer le repas !

Elle sourit et l'embrassa.

– *Je crois que je t'aime*, dit-elle d'un ton moqueur. J'aurais voulu que tu voies la tête que tu faisais en le disant ! Tu avais l'air complètement médusé. Côté romantisme échevelé, ce n'est pas encore ça.

– Tu n'as qu'à m'apprendre, susurra-t-il en l'embrassant de nouveau.

– J'ai l'impression qu'on va manger du poulet froid…

Il se leva de bonne heure. Chose encore plus rare, avant Patience qui affichait un air repu et dépravé, les cheveux en bataille sur l'oreiller. Il fit entrer Lucky, qui eut droit à une portion de pâtée plus généreuse que d'ordinaire, et prépara le petit déjeuner – thé et pain grillé.

– Pince-moi… dit-elle quand il la réveilla.

Elle but une gorgée de thé et croqua du bout des dents un des triangles beurrés. Rebus se servit une tasse et la vida d'un trait, puis se leva du lit.

– Bon, je dois filer.

– Comment ça ? dit-elle en jetant un coup d'œil au réveil. Tu es de permanence nocturne cette semaine ?

– C'est le matin, Patience, et j'ai une journée chargée qui m'attend.

Il se pencha pour lui faire la bise sur le front, mais elle empoigna sa cravate et l'attira vers elle pour lui faire un baiser salé et granuleux sur la bouche.

– On se voit ce soir ? demanda-t-elle.

– Compte dessus.

– J'aimerais pouvoir…

Mais il avait déjà filé. Lucky entra dans la chambre, monta sur le lit et se lécha les babines.

– Moi aussi, Lucky, lui dit Patience. Moi aussi je m'en lèche les babines.

Il se rendit directement au pavillon de Steele. Ça bouchonnait pas mal en direction du centre-ville, mais il avait la chance d'aller à contre-courant. Il n'était pas encore huit heures. Steele ne lui semblait pas du genre lève-tôt. C'était un triste anniversaire : deux semaines s'étaient écoulées depuis le meurtre de Liz Jack. Le moment était venu de tirer les choses au clair.

La voiture de Steele se trouvait toujours dans le garage. Il se dirigea vers la porte d'entrée et sonna plusieurs coups, d'un rythme qui se voulait guilleret – un ami, le facteur, quelqu'un à qui on aurait envie d'ouvrir.

– Allons, Suey…

Il jeta un coup d'œil par l'ouverture pour le courrier – rien. Et par la fenêtre du salon, où rien n'avait changé depuis la veille. On n'avait même pas fermé les rideaux.

– J'espère que tu n'as pas filé en douce, marmonna-t-il.

Cela dit, ce ne serait pas forcément une mauvaise chose. Un geste susceptible d'être interprété, une indication que le libraire avait peur ou quelque chose à cacher. Il aurait pu interroger les voisins, au cas où ils auraient remarqué quoi que ce soit, mais un mur séparait les deux propriétés. Il jugea préférable de n'en rien faire. Si Steele apprenait que Rebus s'était donné la peine de passer à une heure très matinale, cela risquait fort de lui mettre la puce à l'oreille. Il remonta dans sa voiture et se rendit ensuite chez *Suey Books*. À tout hasard. Comme il s'y attendait, la boutique était fermée, avec cadenas et rideau de fer. Raspoutine dormait dans la vitrine. Rebus flanqua un coup de poing au carreau. Le matou releva brusquement la tête et miaula avec indignation.

– Tu te souviens de moi ? lança Rebus en souriant.

La circulation avait encore ralenti, telle de la mélasse s'écoulant par le tamis du système routier. Il passa par Cowgate où ça roulait un peu mieux. Faute de pouvoir mettre la main sur Steele, il n'avait plus qu'une solution. Faire changer d'avis le Paysan. Dès ce matin, pour profiter de ce que le patron nageait de bonheur dans la caféine. D'ailleurs, ce n'était pas une mauvaise idée… À quelle heure ouvrait l'épicerie fine de Leith Walk ?

– Merci beaucoup, John !

Rebus prit l'air modeste.

– On n'arrête pas de boire votre café, monsieur. J'ai pensé que pour une fois on pouvait vous faire un petit cadeau.

Watson ouvrit le paquet et le huma.

– Hmmm, du café fraîchement moulu…

Il en versa dans le filtre. Le réservoir était déjà rempli d'eau.

– Rappelez-moi ce que c'est comme variété, déjà ?

– Un mélange spécial pour le matin, monsieur. Une sélection d'arabica et de robusta, si je me souviens bien… Quelque chose de ce genre. Je ne m'y connais pas trop…

Watson balaya ses excuses d'un revers de la main. Il replaça le pot et appuya sur le bouton.

– Ça prend quelques minutes, déclara-t-il en s'installant à son bureau. Bien, John, dit-il en croisant les mains devant lui. Qu'est-ce que je peux faire pour vous ?

– Eh bien, monsieur, je souhaite vous parler de Gregor Jack.

– Oui...

– Je ne sais pas si vous vous en rappelez, mais vous m'aviez parlé de filer un coup de main à Gregor Jack. Vous subodoriez un coup monté.

Watson acquiesça d'un hochement de tête.

– Eh bien, monsieur, je suis à deux doigts de prouver, non seulement qu'il a effectivement été victime d'un traquenard, mais qui en est l'auteur.

– Ah bon ? Continuez.

Rebus livra donc son récit. L'histoire de trois hommes en goguette et d'une rencontre fortuite dans une chambre de maison close...

– En fait, je me demandais... Je sais bien qu'il vous est impossible de dévoiler votre source, monsieur... Mais s'agirait-il d'un de ces trois individus ?

Watson fit non de la tête.

– Vous êtes très loin de la cible, John... Vous sentez cette odeur ?

Les arômes de café envahissaient la pièce. Comment ne pas les sentir ?

– Oui, monsieur. C'est très agréable. Ce n'était donc pas...

– Cette personne ne connaît même pas Gregor Jack. Si le pro...

Il bafouilla et se tut, puis ajouta, avec un peu trop d'empressement :

– Il me tarde de goûter votre café !

– Vous étiez sur le point de me dire quelque chose, monsieur…

Quoi donc ? Le pro… fit ? Le procureur ? Le problème ? Le proconsul ?

Le procureur… Non, ce n'était pas ça. Protestant ? Propriétaire ? Un nom ou un titre…

– Pas du tout, John. Je me demande si j'ai des tasses propres…

Un nom ou un titre… Professeur… *Professeur !*

– Vous n'étiez donc pas sur le point de me parler d'un certain professeur ?

Watson serrait les lèvres mais le cerveau de Rebus fonctionnait au quart de tour.

– Le professeur Costello, par exemple ? Un de vos amis ? Comme ça, il ne connaît pas Gregor Jack ?

Les oreilles de Watson rougissaient. Je te tiens ! songea Rebus. Je te tiens ! Je te tiens ! Ce café valait chaque penny dépensé.

– C'est tout de même intéressant que le professeur ait été au courant de l'existence d'un bordel, nota Rebus d'un ton pensif.

– Ça suffit ! s'emporta Watson en tapant du poing.

Sa bonne humeur matinale avait disparu. Tout son visage était rouge, mis à part une petite tache blanche sur chaque joue.

– C'est bon, maugréa-t-il. Autant que vous le sachiez. En effet, c'est le professeur Costello qui m'a informé.

– Et lui, comment était-il au courant ?

– Il m'a dit… Un de ses amis aurait soi-disant fréquenté l'établissement un soir, et cette personne aurait été prise de remords. Bien entendu, dit-il en baissant la voix, l'ami en question n'existe pas. Il s'agit du vieux professeur lui-même, mais il n'a pas le cran de l'avouer. Enfin, dit-il en montant à nouveau le ton, on est tous sujets à la tentation, n'est-ce pas ?

Rebus repensa à Gill Templer la veille. La tentation, en effet.

– J'ai donc promis au professeur de fermer l'établissement.

– Et vous lui avez fait part de la date prévue pour l'Opération Chalut ? s'enquit Rebus d'un ton pensif.

Watson rumina la question et finit par opiner du chef.

– Voyons... un professeur de théologie. Je ne peux pas croire que ce soit lui qui ait alerté la presse. Et je vous répète qu'il ne connaissait Gregor Jack ni d'Ève ni d'Adam !

– Mais vous l'avez prévenu ? De la date et de l'heure ?

– Plus ou moins.

– Pourquoi ? Qu'est-ce qu'il en avait à faire ?

– Son ami... l'ami en question tenait à être au courant pour prévenir ses copains qui auraient pu se trouver sur place.

Rebus se leva précipitamment.

– Nom d'un chien, monsieur ! Sauf votre respect... Vous ne comprenez donc pas ? L'ami en question existait bel et bien, et il tenait effectivement à être prévenu. Mais pas du tout pour avertir d'autres clients : pour avoir la certitude que Gregor Jack se jetterait dans la gueule du loup. Dès que la date et l'heure de l'opération étaient connues, il ne restait plus qu'à appeler Jack pour lui dire que sa sœur travaillait là. C'était couru d'avance qu'il se rendrait sur place pour vérifier la chose par lui-même.

Il ouvrit la porte.

– Vous filez où comme ça ?

– Je vais voir le professeur Costello. Je pourrais très bien m'en passer, mais je veux l'entendre prononcer le nom, de mes propres oreilles. J'espère que le café sera à votre goût !

Mais Watson le trouva infect. Il avait un goût de charbon de bois. Trop fort et trop amer. Ça faisait quelque temps qu'il hésitait, mais sa décision fut prise : il ne toucherait plus une goutte de café. En guise de pénitence. Avec Rebus dans le rôle du Saint-Esprit...

– Bonjour, inspecteur.

– Bonjour, professeur. J'espère que je ne vous dérange pas ?

Le professeur Costello déploya ses bras et indiqua la pièce d'un geste ample.

– Pas un seul étudiant n'est debout à cette heure... qu'ils qualifieraient de peu chrétienne. En tout cas, aucun étudiant en théologie. Non, inspecteur, vous ne me dérangez pas le moins du monde.

– Vous avez récupéré vos livres ?

Costello indiqua ses rayonnages vitrés.

– Sains et saufs. L'officier qui me les a rapportés m'a expliqué qu'on s'en était débarrassés...

– C'est plus ou moins ça, monsieur... dit Rebus en se tournant vers la porte. Vous n'avez toujours pas fait changer votre serrure ?

– *Mea culpa*, inspecteur. N'ayez crainte, elle est commandée.

– Je serais simplement embêté que vous perdiez vos livres une deuxième fois.

– Message reçu, inspecteur. Asseyez-vous, je vous en prie. Un café ?

Cette fois, la main indiqua un percolateur d'allure peu rassurante, qui fumait sur une plaque chauffante dans un coin de la pièce.

– Non merci, professeur. C'est un peu tôt pour moi.

Costello inclina légèrement la tête et s'installa dans son beau fauteuil en cuir, derrière son beau bureau en chêne. Rebus s'assit en face, sur un fauteuil moderne fait de tiges métalliques.

– Bien, inspecteur. Trêve de politesses. Que puis-je faire pour vous ?

– Monsieur, vous avez fourni des renseignements au superintendant Watson.

– Des informations confidentielles, acquiesça Costello en pinçant les lèvres.

– Sans doute à l'époque, mais cela pourrait nous éclairer concernant une enquête pour meurtre.

– Ce n'est pas possible… Vous êtes bien sûr ?

Rebus fit oui de la tête.

– Vous comprenez donc, monsieur, que ça change un peu la donne. Nous avons besoin de connaître l'identité de votre ami, celui qui vous a parlé de… euh… enfin, de…

– Je crois qu'on appelle cela une « maison close ». Cette expression a presque une touche poétique, rien à voir avec « bordel » qui est nettement plus grossier…

369

(Il était sur le point de se tortiller de révulsion.) Cet ami, inspecteur, je lui ai promis…

– Un meurtre, monsieur. Je ne saurais trop vous conseiller de dévoiler tout ce que vous savez.

– Oui, je suis tout à fait de cet avis, mais en mon âme et conscience…

– S'agirait-il de Ronald Steele ?

Costello écarquilla les yeux.

– Vous êtes donc au courant ?

– Une heureuse intuition, monsieur. Vous lui achetez souvent des livres, si je ne m'abuse ?

– Enfin, j'aime bien fouiner…

– Et vous étiez dans sa librairie quand il vous en a touché un mot.

– Tout à fait. Pendant l'heure du déjeuner. Vanessa, sa collaboratrice, était sortie manger. D'ailleurs, elle est étudiante chez nous. Une jeune fille charmante…

Si vous saviez ! songea Rebus.

– Mais bon, oui, Ronald m'a avoué son secret honteux. Des amis l'avaient entraîné un soir dans une maison close. Il avait honte.

– Vraiment ?

– Très, très honte. Comme il savait que je connaissais le superintendant Watson, il m'a demandé si je voulais bien l'alerter concernant cet établissement.

– Pour qu'on le ferme ?

– Oui.

– Mais il avait besoin de savoir quel soir cela se ferait ?

– Il y tenait à tout prix. À cause de ses amis, voyez-vous. Ceux qui l'avaient emmené là-bas. Il voulait les prévenir.

– Vous savez que M. Steele est un ami de Gregor Jack ?

– Qui ça ?

– Le député.

– Je suis navré mais le nom ne me… Gregor Jack, vous dites ? (Il plissa le front et secoua la tête.) Non, je ne connais pas.

– Tous les journaux ont parlé de lui.

– Vraiment ?

Rebus soupira. Apparemment, le monde réel ne franchissait jamais la porte du bureau de Costello. C'était comme un univers parallèle. La délicate sonnerie du téléphone ultra-moderne le fit sursauter. Costello s'excusa et décrocha.

– Allô ?… Lui-même… Il est en face de moi… C'est pour vous, inspecteur, dit-il en lui tendant le combiné.

Rebus n'était qu'à moitié surpris.

– Allô ?

– Le superintendant m'a dit que je vous trouverais chez Costello.

C'était Lauderdale.

– Bonjour à vous également, monsieur !

– Arrêtez de faire le con, John. Je viens à peine d'arriver et j'ai manqué de justesse de me prendre le plafond sur la tronche. Je ne suis pas d'humeur à plaisanter, O.K. ?

– Compris, monsieur.

– Je vous appelle juste parce que j'ai pensé que ça vous intéresserait de savoir…

– Oui, monsieur ?

– Le labo n'a pas traîné avec les verres que vous avez trouvés dans la salle de bains de M. Pond.

Forcément. Ils disposaient de toutes les empreintes nécessaires, relevées pour faire le tri parmi toutes celles qui traînaient à Deer Lodge.

– Vous ne devinerez jamais à qui appartiennent les empreintes, dit Lauderdale.

– Mme Jack d'une part, et Ronald Steele de l'autre.

Silence au bout du fil.

– Alors, je suis loin ? demanda Rebus.

– Comment vous avez deviné, nom de Dieu ?

– Si je vous disais que c'est une heureuse intuition ?

– Je vous traiterais de menteur. Dépêchez-vous de rentrer au poste. On a besoin de discuter.

– Tout à fait, monsieur. Juste une chose…

– Quoi donc ?

– Ce cher Glass. Il est toujours en lice pour le doublé ?

La communication fut coupée.

12

Sous bonne Escort

Comment Rebus voyait-il les choses ?

Eh bien, une fois qu'on disposait du nom, pas besoin de se creuser les méninges. Selon lui, Ronald Steele et Elizabeth Jack entretenaient une liaison, sans doute depuis un certain temps. (Sir Hugh serait ravi d'apprendre la nouvelle…) Peut-être que personne n'était au courant. À moins que tout le monde n'ait su, mis à part Gregor Jack. En tout cas, Liz Jack avait décidé d'aller faire un tour dans le Nord, et Steele la rejoignait chaque fois qu'il pouvait. (Faire l'aller et retour quotidien jusqu'à Deer Lodge ? Un effort surhumain. Ce qui expliquait la mine défaite de Steele…) sauf que Deer Lodge était un vrai taudis, une porcherie. Ils s'étaient donc installés dans le cottage de Tom Pond, en passant de temps en temps à Deer Lodge pour y prendre des vêtements de rechange. C'était peut-être à l'occasion d'une de ces visites rapides que Liz Jack avait acheté les journaux dominicaux… et découvert ce qui semblait être une incartade de son mari.

Toutefois, contrairement au scénario classique, Steele ne se contentait pas de quelques parties de jambes en l'air. Il voulait Liz. Pour lui tout seul. Les types timides avaient toujours tendance à s'emballer, non ? C'était peut-être lui l'auteur des coups de fil anonymes. Voire de certaines lettres. Tous les moyens étaient bons pour faire dérailler le mariage, pour pousser Gregor à bout. C'était peut-être ce qui avait motivé le départ de Liz, qui n'en pouvait plus. Steele avait compris qu'il avait une chance à saisir. Après sa visite au bordel, il avait découvert la véritable identité de Gail Crawley. (Il suffisait de fouiller un peu dans sa mémoire, voire d'interroger des personnes comme Cathy Kinnoul.) Ah, pauvre Cathy... Steele la voyait sans doute elle aussi. Mais Rebus était persuadé que son rôle se limitait à celui d'une oreille attentive, quelqu'un à qui parler. Une facette sympathique du personnage de Steele.

Cela ne l'avait pas empêché de vouloir dépouiller Gregor Jack, l'ami d'enfance, un type bien qui l'avait aidé à monter sa librairie. Le plumer entièrement. Le piège du bordel était à la fois très simple et parfaitement monté. Découvrir la date et l'heure de la descente de police... Avertir Gregor Jack... Quelques coups de fil aux fouille-merde des Docklands...

Et le tour était joué. Gregor Jack venait de perdre sa première pelure.

Steele avait-il caché son jeu à Liz Jack ? Peut-être, mais pas forcément. Il pensait avoir planté le dernier clou dans le cercueil de leur mariage. Cela avait failli marcher. Seulement, il ne pouvait pas rester en permanence auprès d'elle dans le Nord, à lui répéter que tout serait génial une fois qu'ils seraient ensemble, que Gregor était un connard, et cætera... Et quand

elle se trouvait seule, Liz Jack ne savait plus trop
quel parti prendre, jusqu'au jour où elle avait décidé
de quitter Steele et non Gregor. Quelque chose dans
ce goût. Après tout, elle avait une nature imprévi-
sible, tout feu tout flamme. Et ils s'étaient disputés.
Steele y avait fait allusion de manière détournée. Elle
lui reprochait d'être trop sérieux, pas assez riche...
Après la dispute, il était parti furieux, en la laissant
seule sur l'aire de stationnement. C'était en fait une
voiture verte qu'Alec Corbie avait aperçue – la
Citroën BX. Mais Steele était revenu et la dispute
avait repris de plus belle, et avait dérapé dans la
violence...

L'étape suivante était, aux yeux de Rebus, un vrai
coup de génie, ou bien un sacré coup de bol. Steele
avait dû se débarrasser du cadavre. La priorité était de
s'éloigner des Highlands où de nombreux indices risquaient de dévoiler leurs rencontres. Il était donc
rentré à Édimbourg, avec Liz Jack dans son coffre.
Mais que faire du corps ? Parlant de meurtre, une
affaire avait récemment fait les gros titres... un
cadavre balancé dans une rivière. Pourquoi ne pas
faire la même chose ? Avec un peu de chance, le
corps finirait à la mer. Il s'était donc rendu dans un
coin familier : la colline surplombant la maison des
Kinnoul. Lui et Cathy s'y étaient baladés tant de fois.
Il connaissait la petite route, que personne n'em-
pruntait jamais. De toute façon, même si on retrouvait
le cadavre, tous les soupçons se porteraient sur
l'assassin de Dean Bridge. Il lui avait donc porté un
coup à la tête, pour qu'on fasse le lien avec l'autre
victime.

Comble de l'ironie, l'alibi de Steele pour l'après-midi en question lui était fourni par Gregor Jack lui-même.

– C'est donc comme ça que vous voyez les choses ?

La réunion se tenait dans le bureau du superintendant Watson. Le Paysan, Lauderdale et Rebus. En arrivant, ce dernier avait croisé Brian Holmes.

– J'ai entendu parler d'une réunion à la Ferme ?

– Tu as l'ouïe fine.

– C'est à quel sujet ?

– Tu n'as donc pas reçu de carton, Brian ? avait rétorqué Rebus avec un clin d'œil. Dommage ! J'essayerai de te rapporter un *doggy bag*.

– Vous êtes trop bon !

– Écoute, Brian, lui avait dit Rebus en se retournant, l'encre de ta promotion a eu à peine le temps de sécher. Du calme, détends-toi. Si tu es pressé de passer inspecteur, tu n'as qu'à retrouver Lord Lucan[1] ! En attendant, j'ai rendez-vous, si tu veux bien.

– O.K.

Ce garçon fait un peu trop le fier, songea Rebus. Mais je ne vais pas lui jeter la pierre alors que je fais moi-même le beau, à déblatérer dans le bureau de Watson, tandis que Lauderdale jette des regards de plus en plus inquiets à son patron soudain sevré de caféine…

– C'est donc comme ça que vous voyez les choses ?

Une question formulée par Watson. Rebus se contenta d'un haussement d'épaules.

---

1. Aristocrate disparu en 1974 sans laisser de traces, vraisemblablement après avoir assassiné la gouvernante de ses enfants.

– Ça m'a l'air plausible, dit Lauderdale.

Rebus le dévisagea en haussant vaguement un demi-sourcil – avoir le soutien de Lauderdale équivalait à s'enfermer avec un berger allemand affamé…

– Et M. Glass ? s'enquit Watson.

– Eh bien, monsieur, répondit Lauderdale en gesticulant nerveusement, les experts psychiatriques le décrivent comme un individu particulièrement instable. On peut dire qu'il vit dans une sorte de monde imaginaire.

– Vous voulez dire qu'il a tout inventé ?

– Très certainement.

– Ce qui nous ramène à M. Steele. Je pense qu'il faut l'interroger de nouveau. Qu'en dites-vous ? Comme ça, John, vous l'avez déjà amené au poste hier ?

– C'est exact, monsieur. Je voulais qu'on inspecte le coffre de sa voiture. Mais apparemment il a su convaincre M. Lauderdale qui l'a laissé partir.

Rebus n'était pas prêt d'oublier la mine de Lauderdale. Le berger allemand mordu par un homme.

– Ah bon ? fit Watson que la déconvenue de Lauderdale semblait ravir.

– Mais, monsieur, nous n'avions aucun motif pour le retenir. C'est simplement au vu de renseignements obtenus ce matin que nous sommes en mesure de…

– C'est bon, c'est bon. Ça y est, nous avons récupéré Steele ?

– Il n'est pas à son domicile, monsieur, répondit Rebus. Je suis passé hier soir et de nouveau ce matin.

Ses deux supérieurs le dévisagèrent. « Quelle efficacité ! » voulait dire l'expression de Watson. « Salaud ! » celle de Lauderdale.

– Eh bien, dit Watson, je pense qu'on a de quoi obtenir un mandat, non ? M. Steele a quelques éclaircissements à nous fournir.

– Sa voiture est toujours dans son garage, monsieur. On pourrait demander à des techniciens d'y jeter un coup d'œil. Il a vraisemblablement fait le ménage, mais on ne sait jamais…

La police scientifique… Ils adoraient Rebus. Leur saint patron.

– Vous avez raison, John, lui dit Watson. Je vous laisse vous en occuper… Je vous ressers un café ? dit-il en s'adressant à Lauderdale. Le pot est quasiment plein et vous êtes le seul à en boire…

Cocorico ! Cocorico ! Il était fier comme un coq. Le coq écossais. Il avait flairé la chose dès le départ. Ronald Steele. Suey, qui avait tenté de se suicider après qu'une fille l'avait surpris en train de se masturber dans sa chambre.

– Ça tombe sous le sens qu'il doit lui manquer une case…

Pas besoin d'une maîtrise en psycho. Ce qui attendait Rebus tenait à la fois de la course d'orientation et d'une bonne vieille chasse à l'homme. Son instinct lui disait que Steele avait filé vers le Sud, sans sa voiture. (Après tout, à quoi lui aurait-elle servi ? La police disposait de son signalement et du numéro d'immatriculation, et il savait que l'étau se resserrait. Que Rebus était sur ses traces.)

– *You ain't nothing but a bloodhound*, fredonna-t-il dans sa barbe[1].

Il venait d'appeler la clinique où Cath Kinnoul était internée. Il était trop tôt pour préjuger de la suite, mais elle avait passé une nuit calme. En revanche, Rab Kinnoul se tenait à l'écart. Ce qui pouvait se comprendre, d'une certaine manière. Elle aurait pu tenter de le trucider avec une petite cuillère en fer-blanc ou de l'étrangler avec la ceinture de sa robe de chambre ! Ce Kinnoul n'était qu'un pauvre type, comme le reste de la bande. Pareil pour Jack, qui avait tout sacrifié au nom d'une carrière politique programmée apparemment depuis le berceau. Lui qui avait épousé Liz Jack non pour elle-même mais pour son père. Incapable de la contrôler, il l'avait remisée dans un coin, et la dépoussiérait de temps à autre pour une photo ou une manifestation publique. Vraiment un pauvre type. Dans cette affaire, une seule personne s'en sortait avec une dignité intacte aux yeux de Rebus, et il fallait que ce soit un cambrioleur.

On avait identifié les empreintes relevées sur le micro-ondes : Julian Kaymer. Après avoir subtilisé les clés de Jamie Kilpatrick, il s'était rendu en pleine nuit à Deer Lodge et avait fracturé un carreau pour s'y introduire.

Pourquoi ? Pour faire disparaître ce qu'il y avait de franchement scabreux. À savoir, le miroir saupoudré de coke et deux collants attachés aux montants d'un lit à baldaquin. Pourquoi ? La réponse était simple : pour

---

1. « Tu n'es qu'un chien de chasse », allusion au tube *Hounddog* d'Elvis Presley.

protéger autant qu'il le pouvait la réputation d'une amie. La réputation d'une amie morte. Lamentable, mais plutôt noble d'une certaine manière. Le plus ahurissant, c'était d'avoir eu l'idée de voler un micro-ondes. Il se trouverait bien quelque agent besogneux pour imputer le cambriolage à une bande de voyous, qui s'étaient introduits là à tout hasard... pour embarquer, non pas la chaîne hi-fi (toujours très appréciée) mais le micro-ondes ? Il l'avait emporté dans la voiture et s'en était débarrassé, mais ce chapardeur d'Alec Corbie était tombé dessus.

Oui, Steele avait dû gagner Londres. Dans la librairie, on manipulait beaucoup d'argent liquide. Il avait sans doute un petit magot quelque part ; peut-être une somme considérable. Il aurait le choix entre un vol au départ de Gatwick ou de Heathrow, ou bien un train jusqu'à la côte et le ferry pour gagner la France...

– *Trains and boats and planes*, chantonna-t-il[1].

– Je vois qu'on est de bonne humeur...

Brian Holmes se tenait devant la porte ouverte du bureau de Rebus qui était assis, les mains croisées derrière la tête et les pieds sur la table.

– On peut entrer ou bien faut-il prendre un numéro avant de baiser vos pas ?

– Laisse mes pas tranquilles et viens t'asseoir.

Au milieu de la pièce, Holmes trébucha sur le linoléum endommagé. Il tendit les mains pour se rattraper et s'affala sur le bureau, le visage à deux centimètres d'une des semelles de Rebus.

---

1. Titre d'une chanson de Kirsty MacColl qui signifie « Trains et bateaux et avions ».

– D'accord, fit celui-ci. Je te permets de les baiser.

Holmes esquissa une mimique entre un sourire et une grimace.

– Ils feraient mieux de raser ce bâtiment, marmonna-t-il en se laissant tomber sur une chaise.

– Attention, elle a un pied bancal, le mit en garde Rebus. Du neuf concernant Steele ?

– Pas grand-chose… Rien du tout, à vrai dire. Pourquoi n'a-t-il pas pris sa voiture ?

– Parce qu'on a son signalement, tu te souviens ? Ce n'est pas toi qui as dressé la liste ? Pas une voiture n'y manquait, avec le modèle, l'immatriculation et le coloris. C'est vrai, j'oubliais : tu as délégué le travail à un agent.

– Au fait, ça servait à quoi ?

Rebus le dévisagea, l'air incrédule.

– Sérieusement, insista Holmes. Je ne suis qu'un vulgaire sergent, comme vous êtes bien placé pour le savoir. Personne ne me dit jamais rien. Lauderdale s'est montré encore plus évasif que d'ordinaire.

– La BMW de Mme Jack a été aperçue sur une aire de stationnement, lui expliqua Rebus.

– Jusque là, j'étais au courant.

– Il y avait également une autre voiture. Bleue, d'après le témoin. En fait, elle était verte.

– Ce qui me rappelle, dit Holmes. Je voulais vous demander : qu'est-ce qu'elle attendait ?

– Qui ça ?

– Mme Jack. Qu'est-ce qu'elle fichait à attendre sur cette aire de stationnement ?

Tandis que Rebus méditait la question, Holmes songea à autre chose.

– Et la voiture de M. Jack ?

– C'est-à-dire ? soupira Rebus.

– Eh bien, je ne l'ai pas très bien vue le soir où vous m'avez traîné là-bas... elle se trouvait dans le garage, et il y avait de l'éclairage à l'avant et à l'arrière de la maison, mais pas sur les côtés. Vous m'aviez dit de fouiner. Comme la porte du garage était ouverte, j'y suis entré. Il faisait vraiment très sombre, et je n'ai pas trouvé l'interrupteur...

– Bon sang, Brian, accouche !

– Eh bien, c'est juste une question : *quid* de la voiture qui se trouvait dans le garage ? Elle était bleue. En tout cas, j'ai l'impression qu'elle était bleue.

Rebus se frotta les tempes.

– Non, elle est blanche, dit-il lentement. C'est une Saab blanche.

Mais Holmes fit non de la tête.

– Elle n'était pas du tout blanche mais bleue. Et c'était une Escort, ça j'en suis sûr.

– Quoi ? dit Rebus qui cessa de se frictionner les tempes.

– J'ai jeté un coup d'œil par le carreau. Il y avait des papiers sur le siège passager à l'avant. Toute la paperasse qu'on vous refile avec une voiture de location. Oui, plus j'y repense et plus j'en suis certain. Une Ford Escort bleue. Je n'ai pas inspecté le reste du garage, mais il n'y avait pas du tout la place d'une Saab...

Plus question de bomber le torse, de faire le coq, de se prendre pour un fin limier. C'était plutôt la poule mouillée, le chien battu bon à raser les murs, la queue entre les jambes... Rebus commença par emmener

Holmes chez Watson, qui les écouta puis convoqua Lauderdale.

– Vous ne nous aviez pas dit que la voiture de Jack était blanche ? lança Lauderdale à Rebus.

– Mais elle l'est, monsieur.

– Vous êtes certain qu'il s'agissait d'une voiture de location ? demanda Watson à Holmes.

Le sergent prit le temps de réfléchir avant d'opiner du chef. L'heure était grave. Il se trouvait enfin au cœur de l'action et n'aurait pas donné sa place, mais il était conscient que la plus petite erreur pouvait lui être fatale.

– On n'a qu'à vérifier, proposa Rebus.

– Comment ?

– On appelle Gregor Jack et on lui pose la question.

– Pour le mettre sur ses gardes ?

– On n'est pas obligés de passer par Gregor Jack. On peut interroger Ian Urquhart ou Helen Greig.

– Qui pourront très bien le prévenir.

– Peut-être. D'ailleurs, il faut envisager une autre éventualité. La voiture que Brian a vue pourrait appartenir à Urquhart ou à Greig.

– Mlle Greig n'a pas le permis, indiqua Holmes. Et la voiture d'Urquhart ne ressemble pas du tout à celle que j'ai vue. N'oubliez pas qu'on a dressé la liste complète.

– Bien, fit Watson. En tout cas, je tiens à ce qu'on procède discrètement. Commencez par les agences de location.

– Et Steele ? s'enquit Rebus.

– En attendant d'en savoir plus, nous souhaitons toujours l'interroger.

– D'accord, dit Lauderdale.

Celui-ci s'était rendu à l'évidence : le superintendant avait repris les rênes.

– Bon, dit Watson. Qu'est-ce que vous attendez tous ? Et que ça saute !

Ils se mirent au travail sans plus attendre.

Les agences de location n'étaient pas si nombreuses que ça à Édimbourg. Le troisième coup de fil fut le bon. En effet, M. Jack avait loué un véhicule quelques jours. Oui, il s'agissait effectivement d'une Ford Escort bleue. Avait-il expliqué pourquoi il avait besoin d'une location ? Oui, sa propre voiture était en révision.

Et il avait besoin de changer de voiture pour échapper à la presse, songea Rebus. Bon sang, c'était lui-même qui lui avait soufflé l'idée. Votre voiture est livrée à tous les regards… On la prend en photo… Tout le monde pourra la reconnaître… Jack avait donc loué une autre voiture, juste histoire de pouvoir circuler incognito pendant quelques jours.

Rebus fixait le mur du bureau. Espèce de crétin ! Triple buse ! Il aurait volontiers donné un coup de boule dans le mur, mais celui-ci risquait de s'écrouler.

L'affaire n'avait pas été toute simple, expliqua le monsieur de l'agence. M. Jack avait demandé que son téléphone de voiture soit branché dans la Ford Escort.

Évidemment, songea Rebus. Sans cela, comment Liz Jack aurait-elle pu le contacter ? Il avait été absent toute la journée du mercredi.

Et avait-on nettoyé le véhicule depuis qu'il l'avait rendu ? Bien entendu, le ménage au grand complet. Et le coffre ? Le coffre ? Oui, le coffre. L'avait-on nettoyé ? Sans doute quelques coups de chiffon. Et où se trouvait la voiture en ce moment ? Louée à un homme d'affaires londonien. Pour une durée de quarante-huit heures. Retour avant dix-huit heures ce jour-là. Il était cinq heures moins le quart... deux agents du CID, la brigade criminelle, attendraient sur place et ramène-raient le véhicule à la fourrière. Trouverait-on des tech-niciens de police scientifique disponibles au QG de Fettes ?

Non mais quel crétin ! Ce n'était donc pas la même voiture qui était revenue sur l'aire de stationnement mais une autre. Holmes avait posé la bonne question : qu'attendait Liz Jack ? Son mari. Elle avait dû l'appeler de la cabine. Après s'être disputée avec Steele. Elle était peut-être trop contrariée pour faire la route. Il lui avait proposé de passer la prendre. En plus, il n'avait rien de prévu cet après-midi-là. Il viendrait la chercher dans la Ford Escort bleue. Mais quand il était arrivé, une nouvelle dispute avait éclaté. À quel sujet ? Difficile à dire. Qu'est-ce qui avait pu faire sortir de ses gonds le glacial Gregor Jack ? Les premiers articles concernant le bordel ? Le fait que la police tombe sur des indices dévoilant les mœurs de sa femme ? La honte et l'embarras ? L'idée d'un nouveau scandale public, la crainte de perdre sa précieuse circonscrip-tion ?

Ce n'était pas les pistes qui manquaient.

– Bon, dit Lauderdale. On a retrouvé la voiture. Voyons si Jack est chez lui. Je vous laisse l'appeler, John.

Rebus composa le numéro et tomba sur Helen Greig.

– Bonjour, mademoiselle Greig. Inspecteur Rebus à l'appareil.

– Il n'est pas là, s'empressa-t-elle de dire. Je ne l'ai pas vu de la journée, ni même hier.

– Et il n'est pas à Londres ?

– On ne sait pas où il est. Vous l'avez vu hier matin, n'est-ce pas ?

– Oui, il est passé au poste.

– Ian n'en peut plus.

– Et la Saab ?

– Elle a disparu elle aussi. Une seconde...

Elle plaqua sa main sur le micro, mais sans grande efficacité. Rebus l'entendit dire : « C'est l'inspecteur Rebus... » Puis une autre voix, sur un ton cinglant : « Ne lui dis rien ! » Et Helen de nouveau : « Trop tard, Ian » et une espèce de grognement. Puis elle retira sa main.

– Mademoiselle Greig, comment trouvez-vous Gregor ces derniers temps ? lui demanda Rebus.

– Comme quelqu'un dont la femme vient d'être assassinée.

– C'est-à-dire ?

– Déprimé. Il reste assis dans le salon, le regard fixé dans le vide, sans dire grand-chose. Comme s'il était plongé dans ses réflexions. En fait, on a eu une seule conversation. Il m'a parlé de mes vacances de l'an passé.

– Quand vous êtes partie avec votre maman ?

– Oui.

– Rappelez-moi, vous êtes allées où ça ?

– Sur la côte. Aux environs de Eyemouth.

Mais oui... Jack avait sorti le premier nom qui lui

passait par la tête. Puis il avait soutiré quelques renseignements à Helen pour faire tenir son histoire bancale...

Rebus reposa le combiné.

– Alors ? demanda Watson.

– Gregor Jack a disparu. Avec la Saab. Tout son baratin sur Eyemouth... du pipeau. Tous les détails lui venaient de sa secrétaire. Elle y a passé ses vacances l'an dernier.

Une atmosphère pesante régnait dans la pièce. Dehors, l'orage grondait. Watson fut le premier à s'exprimer.

– Quel merdier !

– Oui, acquiesça Lauderdale.

Holmes opina du chef. Pour sa part, il était soulagé. En son for intérieur, il exultait même : la piste de la voiture de location était confirmée. Il s'était montré à la hauteur.

– Et maintenant ?

– Je pense à une chose, dit Rebus. Revenons à l'aire de stationnement. Liz Jack se dispute avec Steele. Elle lui annonce qu'elle reste avec son mari. Steele se barre, furieux. Et la prochaine fois qu'il entend parler d'elle...

– Elle est morte, dit Holmes.

Rebus fit oui de la tête. La scène dans la librairie, les livres balancés dans tous les sens sous le coup du chagrin et de la colère.

– Pire que ça, assassinée. Et quand il l'a quittée, elle attendait son mari.

– Il saurait donc depuis le début que Jack est le

coupable ? intervint Watson. C'est là que vous voulez en venir ?

– Vous pensez que Steele a pris la fuite afin de protéger Gregor Jack ? dit Lauderdale.

– Pas du tout. Mais à supposer que Gregor Jack soit le coupable, Steele l'a deviné depuis un certain temps. Dans ce cas, pourquoi n'a-t-il rien dit ? Réfléchissez une seconde : comment aurait-il pu venir trouver la police ? Il était lui-même beaucoup trop impliqué. En déballant tout, il risquait qu'on le soupçonne davantage que Jack.

– Ce qui lui laisse quelle option ?

Rebus haussa les épaules.

– Il pourrait tenter de convaincre Jack de se dénoncer.

– Mais cela voudrait dire d'avouer à Jack…

– Exactement : qu'il était l'amant de sa femme. Comment réagiriez-vous à la place de Jack ?

Holmes osa formuler une réponse.

– Je le tuerais. Si j'étais Jack, je tuerais Ronald Steele.

Rebus passa la soirée serré contre Patience, à regarder une vidéo. Une comédie romantique – pas si romantique que ça, et franchement peu comique. Dès le premier plan, ça semblait évident que la secrétaire choisirait le jeune étudiant aux dents de lapin et non son patron sans scrupules. Malgré tout, on avait envie de savoir la suite. De toute manière, Rebus n'y prêtait qu'un œil distrait… Il n'arrêtait pas de penser à Gregor Jack, au personnage qu'il jouait en public et à sa véritable nature. On arrachait les couches les unes après les autres, pour mettre cet homme à nu et creuser jusqu'à l'os... sans jamais découvrir la vérité. Dépouiller le Pouilleux. Un jeu de cartes. Comme la patience... Il lui caressa le cou, les cheveux, le front...

– Tu es gentil...

À la patience, on gagnait facilement.

Le film continuait de défiler devant ses yeux. Un nouveau prétendant était en lice : un escroc au cœur généreux. Dans la vraie vie, tous les escrocs qu'il croisait étaient de vrais requins. Que disait-on, déjà ? Ils vous fauchent votre dentier et boivent l'eau du verre. Enfin, celui du film avait peut-être sa chance...

La secrétaire ne semblait pas insensible à ses charmes mais demeurait fidèle à son patron, lequel la draguait de façon éhontée, se retenant tout juste de sortir sa bistouquette pour la poser sur son bureau...

– À quoi tu penses ?

– Rien de bien intéressant, Patience.

On finirait par retrouver Steele, et Jack. Pourquoi n'arrivait-il pas à se détendre ? Il pensait sans cesse à des vêtements abandonnés sur une plage, avec une lettre. Une maison de pierre. Lord Lucan y était bien parvenu, lui – disparaître sans laisser de traces. Ce n'était pas simple, néanmoins...

Patience le secouait par les épaules.

– Réveille-toi, John. C'est l'heure d'aller se coucher.

Il dormait depuis une heure.

– L'escroc ou l'étudiant ? demanda-t-il.

– Ni l'un ni l'autre. Le patron s'est assagi et lui a proposé de s'associer. Allons, mon grand... dit-elle en lui tendant la main pour l'aider à se lever. Après tout, demain est un autre jour...

À chaque jour suffit sa peine. Deux semaines s'étaient écoulées depuis la découverte du corps de Liz Jack. Ils étaient condamnés à attendre... en espérant qu'aucun autre cadavre ne ferait surface.

Rebus décrocha le téléphone. C'était Lauderdale.

– Le superintendant a décidé de prendre le taureau par les cornes. On organise une conférence de presse et on lance deux avis de recherches, pour Steele et Jack.

– Sir Hugh est-il au courant ?

– Je préfère ne pas être celui qui lui annoncera la nouvelle. Il se pointe ici avec son gendre, sans se douter que le lascar a tué sa fille... je laisse volontiers quelqu'un d'autre s'en charger !

– Faut-il que j'assiste à la conférence ?

– Bien sûr, et amenez Brian Holmes. Après tout, c'est lui qui a repéré la voiture...

La communication fut coupée. Rebus fixa le combiné. La revanche du berger allemand...

L'histoire de la Ford Escort, Brian ne s'était pas privé de la raconter à Nell la veille au soir. Incapable de tenir en place, il l'avait répétée à n'en plus finir en ajoutant tel ou tel détail oublié. Elle avait fini par lui crier qu'elle allait devenir folle s'il n'arrêtait pas de lui parler de ça. Il s'était un peu calmé, mais à peine.

– Tu te rends compte, Nell ? S'ils m'avaient mis au courant plus tôt, s'ils m'avaient expliqué le pourquoi des coloris de voiture, eh bien, on l'aurait coincé plus rapidement. C'est forcé, non ? Je ne veux pas lui jeter la pierre, mais c'est John le fautif. S'il n'avait pas...

– Tu ne m'as pas dit que c'était Lauderdale qui t'avait confié ce travail ?

– Oui, c'est vrai, mais John aurait dû...

– Tais-toi ! Je t'en supplie, tais-toi !

– Cela dit, tu as raison de rappeler que c'est Laud...

– *Tais-toi !*

Il s'était enfin tu.

Et maintenant il assistait à la conférence de presse. L'inspecteur Gill Templer, qui entretenait de très bons rapports avec la presse, distribuait des feuilles – le communiqué officiel – et répondait aux questions des uns et des autres. Rebus, pour sa part, était fidèle à lui-même. À savoir qu'il affichait un air fatigué et méfiant. Watson et Lauderdale ne tarderaient pas à faire leur entrée.

– Alors, Brian, lui glissa Rebus à l'oreille, tu crois qu'ils vont te remercier avec une promotion au grade d'inspecteur ?

– Non.

– Une autre récompense, alors ? T'as la tête du premier de la classe à la remise des prix.

– Arrêtez de dire des bêtises. On sait bien que c'est vous qui avez fait le gros du boulot.

– Oui, mais tu m'as évité de harceler un innocent.

– Et alors ?

– Alors, maintenant j'ai une dette à ton égard, dit Rebus en souriant. Et tu ne peux pas savoir à quel point ça m'énerve.

Gill Templer prit la parole.

– Mesdames, messieurs, je vais vous demander de vous asseoir afin que nous puissions commencer...

Un instant plus tard, Watson et Lauderdale entrèrent dans la pièce. Le superintendant prit la parole.

– Je pense que vous savez tous pourquoi nous vous avons réunis… Nous recherchons deux individus susceptibles d'apporter leur concours à une enquête. Une enquête pour meurtre. Il s'agit de messieurs Ronald Adam Steele et Gregor Gordon Jack…

Un quotidien du soir publia l'information dans sa première édition, en début d'après-midi. Les radios répétaient les deux noms toutes les heures, dans leurs flashes d'information. Les journaux télévisés du début de soirée y accordèrent une grande place. On interrogeait les personnes habituelles, qui se réfugiaient derrière l'inévitable « pas de commentaire ».

Rebus reçut le coup de fil à dix-huit heures trente. C'était le Dr Frank Forster.

– Je vous aurais volontiers prévenu plus tôt, inspecteur, mais nos patients n'ont pas le droit de regarder les journaux télévisés. Ça les perturbe trop. J'étais dans mon bureau juste avant de rentrer quand j'ai allumé la radio…

Rebus était fatigué. Très, très las.

– Qu'est-ce qu'il y a, docteur ?

– Ce Jack que vous cherchez, Gregor Jack… il est passé ici en début d'après-midi. Pour rendre visite à Andrew Macmillan.

13

Tête brûlée

Il était neuf heures du soir quand Rebus arriva à la clinique de Duthil. Andrew Macmillan l'attendait dans le bureau de Forster, les bras croisés.

– C'est un plaisir de vous revoir, inspecteur.

– Bonsoir, monsieur Macmillan.

Ils étaient cinq dans le bureau. Deux infirmiers, le Dr Forster, Macmillan et Rebus. Les deux blouses blanches se tenaient derrière la chaise du patient, à moins de cinq centimètres de lui.

– Nous l'avons mis sous calmants, avait expliqué Forster à Rebus. Il sera peut-être moins loquace que d'habitude, mais il devrait rester calme. Je suis au courant de l'incident qui s'est produit au cours de votre première visite…

– Il ne s'est passé aucun incident, docteur. Il voulait simplement avoir une conversation normale. Vous trouvez ça anormal ?

En effet, Macmillan paraissait à deux doigts de s'endormir. Les paupières lourdes, le sourire figé. Il décroisa les bras et posa délicatement les mains sur ses genoux, et Rebus revit Mme Corbie l'espace d'une seconde…

– L'inspecteur Rebus souhaite vous parler de M. Jack, expliqua Forster.

– Tout à fait, dit Rebus en s'appuyant sur le rebord du bureau.

On lui avait proposé une chaise, mais il était tout ankylosé après son long trajet.

– Je me demande pourquoi il est venu vous voir, poursuivit-il. C'est assez rare de sa part, non ?

– C'est même une première, le reprit Macmillan. Ça mériterait une plaque ! Quand je l'ai vu entrer, j'ai cru qu'il était venu pour inaugurer une nouvelle aile, ou quelque chose de ce genre. Pas du tout, il s'est dirigé droit vers moi…

Il se mit à agiter les mains. Celles-ci fendaient l'air et son regard suivait leur moindre mouvement.

– … vers *moi*, vous vous rendez compte ? Et il m'a dit… « Salut, Mack »… Comme ça. Comme si on s'était vus la veille, comme si on se voyait tous les jours.

– De quoi avez-vous parlé ?

– Les vieux amis… oui, les vieux amis… les vieilles amitiés… Il m'a dit qu'on serait toujours amis. Que ce n'était pas possible autrement. Qu'on se connaissait depuis trop longtemps… oui, depuis si longtemps… Nous tous. Suey et Gowk, Pouilleux et moi, Bilbo, Tampon, Sexton Blake… Il m'a dit que les amis, c'était essentiel. Je lui ai parlé de Gowk, je lui ai raconté qu'elle vient me voir parfois… Je lui ai expliqué qu'elle donne de l'argent à la clinique… il n'était même pas au courant. Il avait l'air intéressé. Mais il travaille trop. Ça se voit. Il n'a plus l'air en bonne santé comme avant. Le manque de soleil. Vous avez déjà vu la Chambre des communes ? Quasiment aucune fenêtre. Ils bossent comme des taupes...

– Il ne vous a rien raconté d'autre ?

– Je lui ai demandé pourquoi il ne répondait jamais à mon courrier. Et vous savez ce qu'il m'a répondu ? Il n'a jamais reçu la moindre lettre ! Il m'a promis de se plaindre à la poste, mais je sais très bien qui est responsable, dit-il en se tournant vers Forster. C'est vous, docteur. Vous détournez mon courrier. Vous décollez les timbres à la vapeur pour les utiliser ! Vous n'avez plus qu'à vous tenir sur vos gardes : le député Gregor Jack est désormais au courant. Les choses vont changer... (Une idée lui revint soudain et il s'adressa de nouveau à Rebus.) Vous avez touché la terre comme je vous l'avais demandé ?

Rebus fit oui de la tête.

– J'ai touché la terre pour vous.

Macmillan hocha la tête à son tour, l'air satisfait.

– Vous avez ressenti quoi, inspecteur ?

– C'était une sensation agréable. Curieusement, on ne prête pas assez attention à ces choses...

– Il ne faut jamais négliger l'essentiel, inspecteur.

Il s'était un peu apaisé. Néanmoins, on sentait qu'il luttait contre les calmants charriés par son sang, qu'il luttait pour le droit de se mettre en colère, de s'emporter.

– Je lui ai demandé des nouvelles de Liz. Il m'a dit qu'elle était égale à elle-même. Mais je ne l'ai pas cru. Je suis sûr qu'ils ont des problèmes de couple. Ils sont in-com-pa-ti-bles. Ma femme et moi, c'était pareil...

Il ne termina pas sa phrase, déglutit et reposa les mains sur ses genoux.

– Liz n'a jamais fait partie de la Meute, reprit-il. Il aurait dû se marier avec Gowk, mais Kinnoul a été plus rapide… (Il releva les yeux.) En voilà un qui ferait bien de se faire soigner ! Si Gowk avait un peu de jugeote, elle l'enverrait chez le psychiatre. À force de jouer ces rôles… ça doit lui porter sur le système, non ? J'en parlerai à Gowk la prochaine fois. Mais ça fait assez longtemps qu'elle n'est pas passée…

Rebus changea légèrement de position.

– Gregor ne vous a rien dit de plus, Mack ? Il ne vous aurait pas confié où il comptait aller, ni pourquoi il était dans le coin ?

Macmillan fit non de la tête.

– Il voulait juste me dire qu'on était amis… Comme si j'avais besoin qu'on me le rappelle. Une autre chose. Vous savez ce qu'il voulait savoir ? Vous ne devinerez jamais ce qu'il m'a demandé, après tant d'années…

– Quoi donc ?

– Il voulait savoir où j'avais mis sa tête.

Rebus ravala sa salive. Forster s'humecta les lèvres.

– Et vous lui avez répondu quoi, Mack ?

– La vérité. Je lui ai dit que j'étais incapable de m'en souvenir.

Il colla ses mains paume contre paume, comme pour prier, et porta ses doigts à ses lèvres. Puis il ferma les yeux, et s'exprima sans les rouvrir.

– C'est vrai pour Suey ?

– C'est-à-dire, Mack ?

– C'est vrai qu'il est parti à l'étranger ? Pour toujours ?

– C'est Pouilleux qui vous a raconté ça ?

Macmillan fit oui de la tête, ouvrit les yeux et fixa Rebus.

– Il m'a dit que Suey ne rentrerait sans doute jamais.

Les infirmiers ramenèrent Macmillan à sa chambre. Forster était en train d'enfiler son pardessus, prêt à fermer son bureau et accompagner Rebus jusqu'au parking, quand le téléphone sonna.

– Qui peut appeler aussi tard ?

– C'est peut-être pour moi, dit Rebus en décrochant le combiné. Allô ?

C'était le sergent Knox de Dufftown.

– Inspecteur Rebus ? Conformément à vos ordres, j'ai fait mettre Deer Lodge sous surveillance.

– Et ?

– Une Saab blanche vient de franchir le portail il n'y a pas dix minutes...

Deux voitures étaient garées sur le bord de la route. L'une d'elles barrait l'accès au long chemin conduisant à Deer Lodge. Rebus descendit de voiture. Knox lui présenta les agents Wright et Moffat.

– On se connaît déjà, dit Rebus en serrant la main de Moffat.

– C'est vrai, dit Knox. On n'est pas près de vous oublier, avec le boulot qu'on s'est farci ! Alors, monsieur, vous en dites quoi ?

Rebus trouvait qu'il faisait froid et humide. Il ne pleuvait plus, mais ça pouvait se remettre à tomber d'un instant à l'autre.

– Vous avez demandé du renfort ?

Knox fit oui de la tête.

– Tous les effectifs disponibles.

– Eh bien, on pourrait attendre qu'ils soient là.

– Ah oui ?

Rebus jaugea Knox – pas le genre à préconiser l'attente.

– Ou bien on peut y aller à trois, en laissant quelqu'un pour surveiller le portail. Après tout, il détient soit un otage, soit un cadavre. Si Steele est toujours en vie, plus tôt on intervient et plus il a de chances de s'en sortir.

– Dans ce cas, qu'est-ce qu'on attend ?

Rebus interrogea les agents Wright et Moffat, et tous deux signifièrent leur accord.

– Ça fait tout de même une sacrée trotte jusqu'à la bicoque, dit Knox.

– Mais si on y va en voiture, il va forcément nous entendre.

– On peut se rapprocher et terminer à pied, suggéra Moffat. Ce qui nous permettra de lui bloquer la route. Je n'ai pas trop envie de m'aventurer dans l'allée à pied en pleine nuit pour qu'il nous fonce dessus avec sa bagnole !

– D'accord, convint Rebus. On va prendre une voiture. Quant à vous, mon garçon, dit-il en s'adressant à Wright, vous allez rester de faction devant le portail. Moffat a l'avantage de connaître la maison.

Wright prit l'air pincé et Moffat bomba le torse.

– Bon, fit Rebus. On y va.

Ils prirent la voiture de Knox, laissant celle de Moffat en travers de l'allée. Le sergent avait jeté un coup d'œil au tas de ferraille de Rebus et secoué la tête.

– Autant prendre la mienne, hein ?

Il conduisait lentement. Rebus était monté à l'avant et Moffat à l'arrière. Le moteur était très discret. Malgré tout... Un calme parfait régnait dehors, le moindre bruit s'entendait forcément très loin. Rebus priait pour qu'un orage éclate. Il aurait souhaité de la pluie et de la foudre, en guise de couverture sonore.

– J'ai beaucoup aimé le bouquin, dit Moffat qui se tenait derrière lui.

– Quel bouquin ?

– *Comme un poisson dans l'eau*.

– Bon sang, ça m'était complètement sorti de la tête.

– L'histoire est super, dit Moffat.

– C'est encore loin ? demanda Knox. Je ne me souviens plus...

– Il y a un virage à gauche et puis un autre à droite, expliqua Moffat. On ferait mieux de s'arrêter juste après le deuxième. Il ne restera plus que deux cents mètres.

Ils se garèrent et descendirent sans refermer les portières. Knox attrapa deux grosses lampes-torches dans la boîte à gants.

– J'ai été chez les louveteaux, dit-il. Vous connaissez la devise : toujours prêt.

Il en tendit une à Rebus et garda l'autre.

– Moffat mange beaucoup de carottes : avec sa vue perçante, il s'en passera ! Bien : quel est votre plan, inspecteur ?

– On va voir comment ça se présente du côté de la maison, et là je vous dirai.

– Très bien.

Ils partirent en file indienne. Au bout d'une cinquantaine de mètres, Rebus éteignit sa lampe qui ne lui servait à rien : toutes les lumières étaient allumées dans la maison et à l'extérieur. Ils s'arrêtèrent au seuil de la clairière, vaguement cachés derrière la végétation, et prirent le temps d'observer les lieux. La Saab était garée devant la porte d'entrée. Le coffre était ouvert.

– Vous vous souvenez qu'il y a une porte à l'arrière ? chuchota Rebus à Moffat. Vous allez faire le tour pour la surveiller.

– Bien.

L'agent quitta la chaussée et disparut dans la forêt.

– Nous, on va commencer par jeter un coup d'œil à la voiture, et ensuite par les fenêtres.

Knox opina du chef. Ils sortirent de leur cachette et avancèrent prudemment. Le coffre était vide. Rien non plus sur la banquette arrière. C'était allumé dans le salon et la chambre du bas, mais aucun signe de vie. Knox braqua le faisceau de sa torche sur la porte d'entrée. Il actionna la poignée et la porte s'entrebâilla. Il la poussa davantage – le vestibule était désert. Ils attendirent un instant, en tendant l'oreille. Soudain, un vacarme retentit – de la batterie et des accords de guitare. Knox recula précipitamment. Rebus lui posa doucement la main sur l'épaule, puis fit marche arrière et jeta un nouveau coup d'œil par la fenêtre du salon. La chaîne hi-fi. On voyait les diodes battre la cadence. La platine cassette, sans doute en mode « lecture en boucle ». La cassette se rembobinait pendant qu'ils s'approchaient de la maison et venait de se remettre en marche. Les Stones première période. *Paint it black*. Rebus hocha la tête d'un air pensif.

– Il est bien là… se murmura-t-il à lui-même. *Mon vice caché, inspecteur.*

Un parmi d'autres.

En tout cas, il n'avait peut-être pas entendu leur voiture. Ni même leur arrivée dans la maison, maintenant que le boucan avait repris.

Ils entrèrent donc. Moffat étant là pour couvrir la cuisine, Rebus décida de monter directement à l'étage, suivi par Knox. La rambarde en bois était parsemée d'une fine poudre blanche, laissée par la police scientifique qui avait passé les lieux au peigne fin. Les marches tout doucement… le palier… Il y avait une drôle d'odeur… Ça sentait très fort…

– De l'essence ! murmura Knox.

En effet, ça puait l'essence. La porte de la chambre était fermée. La musique semblait résonner encore plus fort qu'au rez-de-chaussée. Boum ! Boum ! Boum ! La basse et la batterie. Des éclats de guitare et de sitar. Et des paroles râpeuses.

De l'essence…

Rebus se pencha en arrière et flanqua un coup de pied dans la porte. Celle-ci s'ouvrit et ne se referma pas. Rebus observa la scène. Gregor Jack se tenait là, et contre le mur une silhouette ligotée et bâillonnée, le visage tuméfié et le front ensanglanté. Ronald Steele. Bâillonné ? Non, ce n'était pas à proprement parler un bâillon. Il avait des bouts de papier plein la bouche, des lambeaux provenant des journaux dominicaux étalés sur le lit. Les articles dont ses manigances étaient à l'origine. Jack lui avait fait bouffer ses mensonges.

De l'essence.

Le bidon vide gisait par terre. La pièce empestait.

Steele semblait imbibé d'essence, à moins que ça ne soit de la sueur... et le visage de Gregor Jack, débordant de malveillance, son expression se modifiant progressivement, se défaisant sous le coup de la honte. La honte et la culpabilité. La honte de se faire prendre.

Rebus perçut tout cela en l'espace d'une seconde. Moins de temps qu'il n'en fallut à Jack pour gratter l'allumette et la jeter.

La moquette prit feu et Jack bondit, renversa Rebus et bouscula Knox, filant vers l'escalier. Les flammes se propageaient trop vite. Trop vite pour faire quoi que ce soit. Rebus attrapa Steele par les pieds et le tira vers la porte. Il n'avait d'autre choix que de lui faire franchir le brasier. Si ce pauvre Steele était effectivement imbibé d'essence... Pas le temps de se poser la moindre question. Mais non, ce n'était tout compte fait que de la sueur. Les flammes le caressèrent sans que son corps s'embrase.

Sur le palier... Knox dévalait les marches, à la poursuite de Jack. La chambre n'était plus qu'un brasier, avec le lit en guise de bûcher en son centre. Rebus y jeta un dernier coup d'œil. La tête de vache accrochée au mur avait pris feu. Il saisit la poignée et referma la porte, en se félicitant de ne pas l'avoir fait sortir de ses gonds avec son coup de pied...

Non sans peine, il parvint à mettre Steele debout. Il avait des croûtes de sang plein le visage, et une paupière tellement enflée qu'elle ne s'ouvrait plus. L'autre œil était chargé de larmes. Il voulut parler et cracha des bouts de papier. Rebus tenta vaguement de lui défaire ses liens. Mais c'était de la ficelle agricole, serrée le plus fort possible. Bon sang, ce qu'il pouvait avoir mal au crâne ! C'était bizarre, comme ça tout à coup...

Il hissa Steele, plus grand que lui, sur une épaule et s'engagea dans l'escalier. Tout à coup, le captif parvint à se libérer entièrement la bouche. Ses premières paroles furent :

– Vous avez les cheveux en feu !

En effet. Au niveau de la nuque. Rebus tâta l'endroit de sa main libre. Les mèches grillées étaient friables comme des céréales pour le petit déjeuner. Sans compter que cela faisait rudement mal.

Ils arrivèrent au bas de l'escalier. Rebus déposa Steele par terre et se redressa. Il entendait le bruit de la mer dans ses tympans, et ses yeux se voilèrent un instant. Il avait le cœur qui battait au rythme de la musique.

– Je vais chercher un couteau, dit-il à Steele.

Dans la cuisine, la porte extérieure était grande ouverte. Il y avait du bruit dehors, des cris indistincts. Puis une silhouette arriva en trébuchant. C'était Moffat, qui se tenait le nez à deux mains, formant une espèce de masque protecteur. Ses poignets et son menton dégoulinaient de sang. Il retira son masque pour parler.

– L'enculé m'a filé un coup de boule !

Des gouttelettes de sang volèrent de sa bouche et ses narines.

– Un coup de boule ! Vous vous rendez compte ? Visiblement il trouvait que ce n'était pas fair play.

– Vous allez vous en remettre, lui dit Rebus.

– Le sergent est parti à sa poursuite.

– Steele est par là, dit Rebus en indiquant le vestibule. Trouvez un couteau pour couper ses liens et dépêchez-vous de sortir tous les deux.

Il poussa Moffat à l'écart et sortit. Au-delà de la zone baignée par la lumière de la cuisine, c'était l'obscurité totale. Il s'en voulut d'avoir laissé tomber sa lampe dans la chambre. Dès que ses yeux se furent un peu adaptés à la pénombre, il franchit la clairière au pas de course, en direction des bois.

Ne pas confondre vitesse et précipitation… Il contourna prudemment les troncs, buissons et arbrisseaux. Tant pis s'il s'accrochait dans les églantiers. Il était surtout inquiet de ne pas savoir dans quelle direction il allait. Il sentait du moins que le terrain grimpait sous ses pieds. À condition de toujours monter, il serait déjà sûr de ne pas revenir sur ses pas. Trébuchant sur quelque chose, il heurta un arbre et en eut le souffle coupé. Sa chemise était trempée, la fumée et la sueur lui piquaient les yeux. Il se figea et écouta.

– Jack ! Ne faites pas l'idiot… Jack !

La voix de Knox. Plus loin. À une certaine distance, mais c'était jouable. Rebus inspira profondément et repartit. Miraculeusement, il sortit de la forêt et se retrouva dans une vaste clairière. La pente semblait plus raide, le sol était parsemé de fougères, d'ajoncs et de toutes sortes de ronces. Soudain, il aperçut un éclair – la torche de Knox. Complètement sur la droite, et légèrement en hauteur. Il se mit à courir, en levant bien les genoux pour ne pas s'empêtrer dans les fourrés. Malgré tout, il n'arrêtait pas d'accrocher son pantalon et de s'égratigner les chevilles. Par endroits, il y avait de l'herbe rase, quelques mètres où l'on pouvait avancer plus vite. À condition d'être jeune et en forme.

Là-bas, le faisceau de la torche décrivait un cercle. L'explication était évidente : Knox avait perdu sa proie. Plutôt que de continuer en direction de la lueur, Rebus vira sur le côté. Même à deux, il fallait tenter d'élargir l'arc de recherche, s'efforcer de balayer un maximum de terrain.

Il parvint au sommet de la pente, où le sol devenait plat. Quelque chose lui disait que la vue devait être déprimante en plein jour. Une nature dure et mesquine. Un terrain hostile même pour le plus coriace des moutons. Au loin, une ombre se dressait dans le ciel ; la crête de quelque colline. Le vent, qui avait séché sa chemise tout en le gelant jusqu'aux os, était retombé. Dieu, ce qu'il pouvait avoir mal au crâne ! Comme un coup de soleil mais cent fois pire. Il observa le ciel. On distinguait le contour des nuages. Le temps se dégageait. On n'entendait plus le sifflement du vent mais un autre son. Un clapotis.

Le bruit s'amplifiait à mesure qu'il avançait. Il avait perdu le faisceau de Knox et se sentait très seul. Craignant de ne plus retrouver son chemin, il préférait ne pas s'aventurer trop loin. On avait vite fait de se perdre dans les collines et les bois. Il jeta un coup d'œil en arrière. La masse des arbres était encore visible, mais plus les lumières de la maison au-delà.

– Jack !… Jack !…

La voix de Knox semblait très lointaine. Rebus décida de bifurquer dans sa direction. Jack n'avait qu'à crever de froid. Les secours le retrouveraient le lendemain…

Le ruissellement se rapprochait. Sous ses pieds, le sol devenait de plus en plus caillouteux, la végétation de plus en plus clairsemée. L'eau se trouvait quelque part en contrebas. Il s'arrêta une fois de plus. Les formes et les ombres devant lui… Ça ne collait pas. On aurait dit que le paysage se repliait sur lui-même. À cet instant, un gros nuage s'écarta de la lune qui était presque pleine. Dans la soudaine clarté, Rebus s'aperçut qu'il se tenait à quelques pas d'un à-pic de six ou sept mètres, au bas duquel s'écoulait un torrent sombre et tortueux. Entendant du bruit sur sa droite, il tourna la tête. Une silhouette approchait en trébuchant, pliée en deux par l'épuisement, les bras ballants qui frôlaient le sol. Un singe, songea-t-il. On dirait un singe.

Tout pantelant, Gregor Jack gémissait sous l'effort. Il ne regardait pas devant lui ; son unique souci était d'aller de l'avant.

– Gregor.

La silhouette expira avec un sifflement et releva brusquement la tête. Figé, Gregor Jack se redressa complètement et ramena la tête en arrière. Il souleva ses bras fatigués et posa les mains sur les hanches, tel l'athlète qui vient de terminer sa course. Il porta machinalement la main à ses cheveux et se recoiffa. Puis il se pencha en avant, les mains sur les genoux, et ses cheveux basculèrent de nouveau sur son front. Sa respiration devenait plus régulière. Au bout d'un moment, il se redressa. Rebus vit qu'il souriait, dévoilant ses dents parfaites. Jack se mit à secouer la tête avec un petit rire. Rebus avait déjà vu la même réaction chez des perdants : qu'il s'agisse de perdre la liberté, un gros pari ou une partie de foot à cinq contre cinq. Un pied de nez au mauvais sort.

Le rire de Gregor se transforma en quinte de toux. Il se tapota la poitrine, regarda Rebus et sourit de nouveau.

Puis il bondit.

Rebus eut le réflexe de l'éviter, mais de toute manière Jack resta hors de portée. Et tous deux savaient précisément quelle était son intention. À l'endroit où le sol s'interrompait, il s'élança et sauta en chandelle. Quelques secondes plus tard, on entendit le bruit de son corps atterrissant dans l'eau. Rebus s'approcha du précipice. Mais les nuages voilaient de nouveau la lune. La lumière avait disparu. Il n'y avait rien à voir.

Pour rentrer à Deer Lodge, ils se passèrent très bien de la lampe de Knox. Les flammes illuminaient la campagne environnante. Des cendres rougeoyantes se déposaient sur les arbres tandis qu'ils traversaient le bois. Rebus se passa les doigts sur l'arrière de la tête. Sa peau le brûlait. Malgré tout, la douleur lui semblait moins vive ; sans doute parce qu'il subissait le contre-coup du choc. Ses chevilles le picotaient aussi, probablement des égratignures de chardons. Il avait traversé en courant un champ qui en était tapissé. Personne ne les attendait devant la maison. Moffat et Steele s'étaient réfugiés près de la voiture de Knox.

– C'est un bon nageur ? demanda Rebus à Steele.

– Pouilleux ? dit Steele qui massait ses bras débarrassés de leurs liens. Il ne sait même pas nager. On a tous appris à l'école, mais sa mère lui faisait des mots d'excuse.

– Pourquoi ?

Steele haussa les épaules.

– Elle avait peur qu'il attrape des verrues. Comment va votre tête, inspecteur ?

– Je vais faire des économies de coiffeur.

– Et Jack ? s'enquit Moffat.

– Lui aussi.

Les recherches furent lancées le lendemain matin. Sans la participation de Rebus qui se trouvait sur un lit d'hôpital, crasseux et mal rasé.... à l'exception du crâne.

– Si votre calvitie vous pose un problème, lui avait dit le médecin, vous n'avez qu'à porter une perruque en attendant que ça repousse. Ou un chapeau. Et votre peau est fragilisée. Faites attention au soleil.

– Au soleil ? Quel soleil ?

En fait, le temps fut très ensoleillé pendant son congé. Il resta cloîtré chez Patience, à lire des livres, avec quelques rares sorties au Royal Infirmary pour faire changer ses pansements.

– Je pourrais m'en charger, lui avait proposé Patience.

– Il ne faut jamais mélanger le plaisir et le travail.

Une réponse des plus sibyllines. En fait, une des infirmières avait un petit faible pour lui, et c'était réciproque. *Argh*, rien de bien méchant, un flirt inoffensif. Il ne pouvait pas envisager une seconde de faire de la peine à Patience.

Holmes lui fit quelques visites, toujours muni d'une douzaine de cannettes de boisson gazeuse.

– Salut, crâne d'œuf !

Il continua à l'appeler comme ça même quand la

peau se recouvrit d'un fin duvet, puis de cheveux un peu plus longs.

– Quoi de neuf ? lui demandait Rebus.

Mis à part le corps de Jack qu'on n'avait toujours pas retrouvé, une grande nouvelle faisait jaser : le superintendant Watson avait cessé de boire depuis que le Seigneur lui était apparu lors d'une réunion évangéliste.

– Dorénavant il se cantonne au vin de messe, lui rapporta Holmes. D'ailleurs, plaisanta-t-il en indiquant le crâne de Rebus, vous ne vous seriez pas converti au bouddhisme ?

– J'y songe, Brian. J'y songe.

Les médias continuaient de traiter l'affaire Jack, en évoquant la possibilité qu'il ait survécu. Rebus se posait la question lui aussi. Surtout, il aurait voulu comprendre pourquoi Gregor avait tué Elizabeth. Ronald Steele n'avait fourni aucun éclaircissement. Apparemment, Jack ne lui avait quasiment rien dit au cours de sa séquestration. Enfin, d'après Steele. Ce qui avait pu se dire ne serait pas répété.

Rebus en était réduit aux supputations, à échafauder des scénarios. Il fit dérouler la scène dans son esprit un nombre incalculable de fois. L'arrivée de Jack devant la ferme des Corbie, la dispute avec Elizabeth. Lui avait-elle annoncé son intention de divorcer ? Lui avait-elle reproché l'épisode du bordel ? À moins qu'il ne s'agisse d'autre chose. Steele ne leur avait rien appris, si ce n'est qu'elle attendait son mari lorsqu'il l'avait quittée.

– J'ai hésité à l'attendre moi aussi…

– Mais… ?

Steele avait haussé les épaules.

– La lâcheté, inspecteur. Le problème, ce n'est pas de faire quelque chose de mal, c'est de se faire prendre. Vous n'êtes pas d'accord ?

– Mais si vous étiez resté…

Steele avait opiné du chef.

– Je sais. Liz aurait peut-être plaqué Gregor, elle aurait peut-être choisi de vivre avec moi. Ils seraient peut-être encore en vie tous les deux.

Si Steele n'avait pas fui le terre-plein… si Gail Jack n'était pas rentrée en Écosse… et alors ? Rebus n'avait aucun doute : les choses se seraient soldées différemment, mais pas forcément de manière moins douloureuse. Le feu et la glace, les squelettes dans le placard. Il regrettait de ne pas avoir rencontré Elizabeth Jack, avec qui il ne se serait pourtant sans doute pas entendu…

Il restait un dernier coup de théâtre. Cela commença comme une rumeur de plus, qui s'avéra être une fuite et fut suivie d'un avis officiel : le poste de Great London Road allait subir des réparations et une rénovation.

Je m'installe donc chez Patience, songea Rebus. Ce qui était déjà fait, pour ainsi dire.

– Tu n'as pas besoin de vendre ton appartement, lui suggéra-t-elle. Tu pourrais le louer.

– Le louer ?

– À des étudiants. Il y en a déjà plein dans ta rue.

En effet. On les voyait migrer le matin en direction des Meadows, avec leurs sacoches, leurs classeurs et leurs sacs plastique. Et ça rentrait en fin d'après-midi (ou de soirée), les bras chargés de bouquins et la tête remplie d'idées neuves. Oui, c'était une bonne idée. Le loyer lui permettrait d'alléger les charges de Patience.

– Tope là ! dit-il.

Le lendemain de son retour au boulot, un incendie se déclara au poste de Great London Road. Le bâtiment fut entièrement rasé.

Composition réalisée par IGS-CP

Achevé d'imprimer en avril 2006 en France sur Presse Offset par

BRODARD & TAUPIN

GROUPE CPI

La Flèche (Sarthe).
N° d'imprimeur : 34532 – N° d'éditeur : 71100
Dépôt légal 1ère publication : novembre 2005
Édition 3 - avril 2006
LIBRAIRIE GÉNÉRALE FRANÇAISE – 31, rue de Fleurus – 75278 Paris cedex 06.

31/0103/7